La otra orilla

La otra mujer

Roberto Ampuero

La otra mujer

 La otra orilla

www.librerianorma.com
Bogotá Barcelona Buenos Aires Caracas
Guatemala Lima México Panamá Quito San José
San Juan San Salvador Santiago de Chile

Ampuero, Roberto, 1953-
    La otra mujer / Roberto Ampuero. -- Bogotá : Grupo Editorial
Norma, 2010.
    376 p. ; 23 cm. -- (La otra orilla)
    ISBN 978-958-45-2986-2
    1. Novela chilena 2. Novela de suspenso I. Tít. II. Serie
Ch863.6 cd 21ed.
A1267838

                    CEP-Banco de la República-Biblioteca Luis Ángel Arango

© 2010, Roberto Ampuero
c/o Guilllermo Schavelzon & Asoc., Agencia Literaria
info@schavelzon.com

© 2010, de la presente edición en castellano para todo el mundo de habla hispana
Grupo Editorial Norma, S. A. para *La otra orilla*
Primera edición: febrero de 2011

Armada: Blanca Villalba Palacios

ISBN: 978-958-45-2986-2
CC: 26001133

Impreso por Cargraphics S.A.
Impreso en Colombia - *Printed in Colombia*
Febrero de 2011

Para Ana Lucrecia, la mujer de mi vida

Nuevos lugares no hallarás, no hallarás otros mares.
La ciudad te seguirá. Vagarás
por las mismas calles. Y en los mismos barrios te harás viejo.
Y en estas mismas casas encanecerás.

Constantino Kavafis

Si después de morir queréis escribir mi biografía
No hay nada más sencillo.
Tiene solo dos fechas: la de mi nacimiento y la de mi muerte.
Entre una y otra todos los días son míos.

Fernando Pessoa

1

Fue durante el último invierno de Berlín, ciudad donde yo me encontraba dictando charlas sobre el impacto de la caída del Muro en la literatura estadounidense, que llegó a mis manos el apergaminado manuscrito de Benjamín Plá. Era un texto de tapas gruesas, mecanografiado en páginas finas y amarillentas, corregido con una letra clara y grande, como de niño, escrita en tinta verde. Lo recibí durante el cóctel que brindó en mi honor, al término de mis palabras, el legendario Instituto Ibero-Americano. Afuera ya había caído la noche, nevaba en forma copiosa y los asistentes estaban animados. Entonces, una dama de cabellera plateada, ojos vivaces y edad imprecisa, cargando una bolsa plástica de la librería Dussmann, se aproximó hasta donde yo platicaba con diplomáticos y académicos, y me dijo en castellano:

—Disculpe que lo interrumpa, profesor. Vine a su charla con el propósito de entregarle algo que estoy segura va a interesarle.

—Un placer, señora...

—Schulzenberg, Rita Schulzenberg —dijo ella sonriendo, amable.

—Encantado, señora Schulzenberg —repuse, atraído por el fulgor de sus ojos, aunque escéptico ante su mensaje, puesto que en este tipo de actividades abundan lamentablemente personas que distribuyen sus obras autoeditadas con la petición de que uno las lea y se las comente a la brevedad—. Explíqueme. ¿De qué se trata?

—De un viejo manuscrito que le hace llegar el doctor Hans-Dietrich Simons.

El círculo formado a mi alrededor para comentar el tema de mi charla y la azarosa política exterior de la Casa Blanca y, cuándo no, también el clima local, demasiado crudo aquel invierno a juzgar por algunos, guardó silencio, picado por la curiosidad sobre el mensaje de esa dama de traje sastre y zapatos con taco de aguja.

Yo había aprovechado la invitación del instituto para llegar semanas antes a Berlín y alquilar un estudio en el antiguo barrio obrero de Prenzlauer Berg, que veinte años atrás, es decir, cuando Rita debía ser una bella mujer de cuarenta, languidecía de aburrimiento y tristeza junto al Muro, y que hoy está inundado de cafés, restaurantes y bares frecuentados por turistas y la bohemia. Mi propósito consistía en alejarme por un tiempo de mi mujer y Nueva York, no porque Cecilia o la ciudad me hubiesen agotado la paciencia, sino porque planeaba explorar los barrios de la antigua capital de la Alemania comunista para escribir un ensayo sobre su renovación cultural, el que engrosaría el libro teórico que tenía que publicar para obtener una plaza definitiva en la universidad.

—Muy amable de su parte, Frau Schulzenberg —repuse, desalentado ante la perspectiva de cargar con una bolsa en un cóctel y recibir más tarde la llamada de Simons solicitando mi apreciación sobre algo que seguramente había escrito él mismo. Los escritores inéditos recurren a ingeniosas tretas con tal de conquistar lectores desprevenidos, e imaginan que un académico, aunque sea, como en mi caso, un mero profesor asistente de una universidad que se jacta de ignorar a celebrados colegas europeos, mas nunca a estrellas de Hollywood o del deporte, pueda franquearles las puertas de las celosas editoriales norteamericanas. Y lo peor son los escritores en ciernes que se ofenden cuando les explico de modo franco que si leyera cuanto me envían, carecería de tiempo para agenciarme mi sustento—. Muy amable —repetí, aferrado a mi copa—. ¿Y con qué fin me envía el doctor el obsequio?

—Simplemente para que lo lea —dijo ella alargando la bolsa hacia mí sin dejar de sonreír, haciendo caso omiso de la ironía que encerraba mi pregunta—. Está en español.

—¿En español?

—Así es.

No me quedó más que aceptar la bolsa, a través de la cual se transparentaba una carpeta gruesa, que me resultó algo pesada, mientras a mi alrededor se desgranaba el círculo en el que destacaban un embajador centroamericano admirador de Rubén Darío y un profesor de la Universidad de Humboldt que cultivaba una notable semejanza con el Karl Marx de los retratos más difundidos. Aquello presagiaba lo que yo sabía, que me quedaría solo con esa dama y un texto que no tenía deseo de leer, panorama, desde luego, poco gratificante.

–Gracias, Frau Schulzenberg –dije fingiendo afabilidad–, pero aún no me explica por qué el doctor Simons desea que yo lea este manuscrito...

–Mejor, léalo simplemente –sugirió ella, aliviada de cumplir el encargo–, y si le parece interesante, llame al doctor. Ahí encontrará su número –luego se escabulló entre los asistentes.

Dejé la bolsa en la guardarropía y cuando regresé al cóctel, no encontré al profesor ni al diplomático, y comprobé para mi pesar que quienes me interesaban ya se habían retirado de la recepción. No me quedó más que imitarlos. La exquisita anfitriona, señora Von Kleist, me acompañó hasta la puerta del edificio, donde me entregó un sobre con mis honorarios, me pidió que le firmara un recibo, me felicitó una vez más por la conferencia y luego me despidió con un apretón de manos. Afuera, un taxi amarillo me esperaba con el motor diésel en marcha.

Le pedí al conductor me dejase en la esquina de la Schönhauser Allee y la Kastanienallee. Deseaba estirar las piernas antes de acostarme y husmear en algunos rincones de una ciudad que yo conocí, decenios atrás, cuando era estudiante en la zona oriental. Entonces existía el Muro y el mundo estaba dividido en dos. El frío aire nocturno me llenó la boca e hizo experimentar esa orfandad que se apodera de mí cada vez que, al término de una charla, quedo solo en las giras académicas, un sentimiento que me lleva a preguntarme por el sentido de lo que investigo y enseño en la universidad. Media hora más tarde me refugié en Razzia in Budapest, una *kneipe* con sillones destartalados y lámparas de tela, ubicada cerca de mi edificio. Adentro olía a cebada y sudor, y sonaba "Kristallnacht", la legendaria canción de Bap. Me senté en la barra adosada al ventanal para beber cerveza mientras contemplaba la calle cubierta de nieve.

Ordené una jarra de Franziskaner y, con escepticismo, me atrevería a afirmar que, con desgana y desdén, empecé a hojear, de puro aburrimiento, ese manuscrito amarillento que acababa de entregarme la señora Schulzenberg.

Me fui del bar a mi estudio con la excitación y la euforia propia de quien ha visto un unicornio. La historia que narraba ese manuscrito, inconcluso, titulado *La otra mujer*, y escrito por Benjamín Plá, probablemente el seudónimo del doctor Simons, me resultó de tal modo cautivadora que no pude conciliar el sueño. Pese a las tres jarras de cerveza que bebí en el Razzia in Budapest y al agotamiento que suele sobrevenirme después de una charla como la que había dictado, no logré dormir. Me pasé la noche copiando párrafos, marcando páginas con tiras de papel de diario, releyendo en voz alta la obra, feliz de que alguien me la hubiese enviado. En cuanto aclaró la nevada, llamé al doctor Simons para pedirle una cita.

—Entonces lo espero a las once de la mañana en el café Sowohlalsauch, de la Kollwitzstrasse —repuso él—. Llevaré un *Der Spiegel* bajo el brazo para que me reconozca.

2

Llegó a la hora exacta, en medio de una nevada francamente copiosa. Yo lo esperaba desde las diez sentado ante un *latte* y un *croissant* con mermelada de damasco, leyendo el manuscrito en la confortable atmósfera calefaccionada del local, a salvo de la ventisca. Sentí alivio al ver entrar a ese hombre de abrigo claro con la revista bajo el brazo, pues hasta el último minuto temí que se retractase y me quedara sin averiguar en qué terminaba esa historia, que no solo se interrumpe en su mejor momento, sino que además, algo inaudito, pone en riesgo la vida de gente real, de carne y hueso, según afirmaba la carta escrita con tinta verde hace más de veinticinco años que encontré plegada entre sus páginas. También alimentó mi curiosidad el hecho de que la historia entroncase con una tragedia colectiva del país del extremo sur donde nací, una tragedia de la que fui testigo y personaje, personaje novato y secundario, es cierto, pero personaje que se vio inmerso en una crisis social de envergadura, rematada por un exilio que en mi caso aún persiste.

—¿Así que le gustó la trama? —preguntó Simons tras sentarse y ordenar café con leche.

Había obtenido una maestría en cálculo económico en la Universidad Karl Marx, de Leipzig, la que ahora lleva el nombre menos comprometedor y más prosaico de la ciudad que la alberga desde hace siglos, y un doctorado en una universidad de Leningrado, urbe que hoy se llama San Petersburgo. Era alto, delgado y calvo, de gruesos anteojos de armadura metálica. En su tiempo libre no solía escribir novelas, como yo había supuesto, sino leer textos de historia económica. No hablaba español, como pensé, sino alemán, inglés y ruso, lo que lo descartaba de inmediato como posible autor del manuscrito. Tampoco lo obsesionaban la literatura o el arte, sino el negocio inmobiliario, cuestión que desde luego aplaudo.

Esa mañana me contó que después de la caída del Muro, gracias a un préstamo de reconstrucción que se agenció en un banco de Hamburgo, había adquirido y restaurado departamentos en dos vetustos edificios de la Oderberger Strasse, que ahora arrendaba a turistas como yo. Si en la extinta República Democrática Alemana Simons llevaba la contabilidad de una roñosa fábrica estatal de champú, tras la desaparición de ese país se había transformado en inversionista inmobiliario y como tal había dado en el clavo. Ahora planeaba adquirir otras propiedades en la antigua zona fronteriza, donde turistas franceses, británicos y latinoamericanos de mediana edad buscaban hospedaje con entusiasmo creciente.

—¿Cómo lo consiguió? —le pregunté, señalando el texto que yacía sobre la mesa—. Está en un idioma que usted no maneja.

—Es cierto, no hablo español —admitió Simons. Su calva y sus gafas resplandecían bajo la luz matinal que se colaba por la ventana—. Pero permítame decirle que en cuanto leí en el diario que un latinoamericano, que conoció el Berlín Oriental de la otra época, dictaría una charla en el instituto, supe que el manuscrito podría interesarle.

—Y tiene razón, doctor Simons. ¿Dónde lo compró?

—No tuve que comprarlo.

—¿Se lo obsequió el autor?

—No.

—¿Y entonces?

—Simplemente lo encontré —dijo Simons mientras colocaban frente a él un tazón de café con leche tan grande como una tina de baño. Afuera los copos de la nieve iban engrosando, apelmazados, las ramas desnudas de los árboles.

—Entonces lo compró donde un anticuario —agregué yo.

—No, no —Simons saboreó la bebida sin endulzarla. Un bigote blanco pintó su rostro, confiriéndole el aspecto de un gato travieso—.

Lo hallé cerca de aquí, en un departamento de la Kastanienallee. Déjeme explicarle.

Un año antes había adquirido en esa calle un edificio de cinco pisos, prácticamente en ruinas, y con los impactos de los proyectiles de la Segunda Guerra Mundial en su fachada. Constaba de diez departamentos. Un día, tras ver la película *La vida de los otros*, de Florian Henckel von Donnersmarck, se le ocurrió buscar objetos valiosos bajo los pisos de madera. En la película, el novelista disidente escondía su manuscrito crítico al régimen bajo las tablas de un umbral. Un fin de semana, cuando nadie trabajaba en el edificio, Simons comenzó a levantar las tablas en esos puntos. Suponía que en la vida real más de una persona habría hecho lo mismo y, arrepentido de su complicidad porque había sido un militante comunista leal, creyó llegado el momento de contribuir a recuperar la historia de sus compatriotas reprimidos.

Cuando ya iba en el penúltimo departamento y estaba a punto de abandonar la búsqueda, pues bajo las tablas hallaba solo polvo, papeles de diario y ladrillos rotos, encontró el manuscrito. Dormía debajo del marco de una puerta, en el departamento del quinto nivel. El hallazgo lo sobrecogió porque tuvo la sensación de que una persona muerta, así lo planteó, le hablaba desde el pasado. Convocó de inmediato a Rita Schulzenberg a un bar del Prenzlauer Berg para que le tradujera las primeras páginas. Y en ese momento pensó en algo a lo que antes no le habría dedicado ni un segundo: que tal vez la ficción y la realidad, o al menos, el cine y la realidad, no lo podía precisar, se entrelazaban y confundían borrando los deslindes entre uno y otro, lo que constituye, por cierto, uno de los *leitmotivs* originales de algunas investigaciones mías. Como inversionista avezado, Simons pronto se olvidó de esa inútil especulación estética que no conducía a parte alguna y retornó a lo suyo, a los negocios, porque los intereses hipotecarios se lo comían vivo. Y un día, mientras hablaba sobre la historia del edificio con un viejo relojero del barrio, este le reveló que a mediados de los setenta las autoridades habían albergado allí a exiliados que huían de una dictadura latinoamericana.

Mientras pedía otra tina de café con leche y afuera seguía nevando, Simons me explicó que, al escarbar en los archivos de la Stasi, había encontrado fichas que revelaban que ese edificio había servido de albergue a latinoamericanos que realizaban operaciones secretas por encargo de Berlín Este en países occidentales. Sin embargo, después de ese descubrimiento, y apremiado como estaba por las dudas, había guardado el texto en su caja fuerte estimando que algún día, cuando le sobrase tiempo y dinero, encargaría su traducción a un profesional. Así, el manuscrito pasó al olvido hasta el momento en que el inversionista se enteró de mi charla a través del *Berliner Morgenpost*. Le pidió entonces a Rita, egresada de español de la Universidad de Humboldt, que me contactara.

—Y el resto de la historia usted ya la conoce —aseveró Simons, limpiándose el bigote lácteo entre las mesas del Sowohlalsauch.

3

Después del encuentro con el doctor Simons, volví a mi estudio de la Oderberger Strasse y releí la carta escrita en tinta verde que había encontrado en el manuscrito. De alguna forma, ella adquiría ahora renovado dramatismo ante mis ojos. Me pareció que ese documento era, tal como lo afirmaba el doctor Simons, la palabra de un muerto. Fechada el nueve de noviembre de 1984, estaba dirigida a "Meine Liebe C.", y la rubricaba Benjamín Plá con esa letra grande y legible que pergeñan con esmero los ancianos en sus misivas. Leerla volvió a causarme zozobra:

Meine Liebe C.:

Me marcho para volver al sur. Entrego a Alejandra este sobre con el manuscrito que ella guardará hasta que regreses de Praga con tu esposo. Dejo en tus manos esta novela a medias porque me incriminaría. Te la paso tal como está en este momento, en su versión original, que no conoce copia.
Ahora que me alejo de Europa, me llevo tres certezas conmigo: que volveremos a encontrarnos para no separarnos más, que ocultarás la novela como un secreto inconfesable y que llegará el día en que yo pueda publicarla. Como sabes, en mi país esto último acarrearía el fin mío y de mis lectores.

Fue siempre un oasis conversar y pasear contigo a orillas del Spree,
mientras la tarde posaba sobre Berlín sus yemas oscuras.
Sabes bien cómo ubicarme.

Un beso,
Benjamín Plá

Almorcé ese día cordero estofado en un restaurante turco del Prenzlauer Berg, plato que concluí con un espresso en un local italiano de las inmediaciones. Luego paseé mirando los escaparates del barrio, con la nieve crujiendo bajo mis zapatos. Sin embargo, en ningún momento pude librarme de la sensación de que el manuscrito y la carta constituyesen un llamado de socorro enviado desde el pasado. Regresé a mi estudio imaginándome una historia de adulterio entre la mujer cuyo nombre comenzaba con C y Benjamín Plá, preguntándome quién habría sido Alejandra, y luego me quedé dormido en el sillón viendo un reportaje sobre la mafia rusa que controla la prostitución en Berlín.

Al rato me despertó el tono grave de un chelo que llegaba desde una sala de conciertos con grandes candelabros, mientras a través de la ventana el crepúsculo ensombrecía las paredes de ladrillo y tornaba mi habitación en un acuario de aguas turbias y a mí en un melancólico pez solitario. ¿Por qué, más de un cuarto de siglo atrás, C. había escondido el manuscrito?, me pregunté mientras la Oderberger Strasse volvía a animarse bajo el avance de las penumbras. ¿Simplemente porque era la amante de Benjamín Plá? ¿O porque su esposo le había exigido durante el viaje a Praga cortar toda relación con él? ¿O C. ocultó el texto para no separarse de un recuerdo precioso del amante? Imaginé el manuscrito bajo el piso de tablas, los exiliados que regresaban del antiguo edificio a la democracia recuperada en sus países, las protestas que en 1989 derribaron el Muro, la adquisición de la propiedad por parte de Simons y, por último, el descubrimiento del escondrijo.

No me convencía la idea de que el manuscrito de una obra de ficción, de algo que no pasa de ser una representación mediante palabras de una historia urdida por la fantasía, pudiese amenazar efectivamente la existencia de seres de carne y hueso, como sugería la carta de Benjamín Plá. ¿Estarían aún vivos el novelista y C., o la sospecha del primero se había materializado, y tanto él como sus lectores habían sido asesinados? Busqué de nuevo datos sobre el escritor en Google, y sólo hallé unas páginas pornográficas y unos contactos para amores con tarifa, pero no lo que me interesaba. Tampoco figuraba *La otra mujer* publicada. No al menos con ese título ni bajo el nombre de Benjamín Plá.

4

Desde la ventanilla, Isabel contempló ensimismada cómo las sombras del crepúsculo reptaban por las estribaciones de los valles andinos devorando los sembradíos de la planicie. Poco después, la nave se posó con un golpe seco y corrió rugiendo por la pista desnivelada hasta detenerse junto a la terminal. En cuanto abrieron la puerta, salió en busca del carro reservado por teléfono. Había tenido que interrumpir la estupenda estadía a orillas del lago Rupanco y volver al estrépito de la capital para asistir al bautizo de la nieta de una amiga, se lamentó de nuevo mientras abordaba, maletín en mano, el vehículo que la trasladaría al departamento de calle Fray León. Hubiese preferido permanecer en el campo heredado de su padre, un abogado que se había suicidado tres años antes, deprimido por la muerte de su esposa en un accidente carretero, pero los compromisos eran los compromisos, como decía su esposo.

Faltaba una semana para la ceremonia e Isabel volvía antes de lo necesario a Santiago porque no quería dejar para última hora la compra del sombrero Pamela que se proponía combinar en la ocasión con un vestido que tenía en mente. Sorprendería a José Miguel con su arribo, pensó, mientras el coche avanzaba hacia el oriente entre automovilistas que escuchaban la radio en tanto la ciudad se preparaba para un nuevo fin de semana veraniego. Su esposo, un cardiólogo que ejercía en Santiago, no la esperaba para ese día, sino para el martes siguiente, pero, como aún era temprano, podrían tal vez aprovechar la noche para ir al cine o cenar afuera, algo que no realizaban desde hacía meses.

Abrió la ventanilla del carro y percibió el tufo ácido de la ciudad, el rumor ronco de los motores y la canícula a esa hora en declive. En los semáforos, los vendedores ambulantes se acercaban al coche ofreciendo verduras, refrescos o helados de agua, mientras unos payasos realizaban actos de malabarismo sobre los cruces de cebra. Divisó a una mujer sin piernas en una silla de ruedas que empujaba un niño despeinado. Portaba un tarro para la limosna en sus manos artríticas. Cada vez que el auto se detenía, Isabel escrutaba las miradas furtivas de esos rostros bronceados, esos ojos que –al menos así le parecía– rezumaban rencor en cuanto descubrían su silueta sentada en el asiento trasero, aferrada a la cartera, detrás del conductor de terno y corbata.

Cuarenta minutos más tarde, el vehículo cruzó el portón del exclusivo conjunto habitacional y se detuvo ante un edificio de cuatro pisos construido entre los árboles y un césped que se extendía hasta la orilla de una piscina iluminada. Tiró del maletín con ruedas entre las plantas ornamentales y los óleos enmarcados del lobby, y entró al ascensor cuando su Cartier marcaba las diez y media. Ante el espejo corrigió con movimientos breves la caída de su larga cabellera oscura, surcada de rayitos, y se desalentó al ver las bolsas bajo sus ojos y la incipiente flacidez de sus mejillas, pero se infundió ánimo pensando que a los cincuenta años aún resultaba una mujer interesante.

El ascensor se detuvo en el vestíbulo de su departamento, en el último piso. Encendió la luz, dejó la cartera encima del aparador y llamó a su marido, pero nadie respondió. Supuso que la empleada se había retirado y que José Miguel visitaba amigos. Se despojó de los zapatos y caminó al dormitorio con ellos en la mano sobre el piso de mármol.

Empujó la puerta con sigilo. El cuarto estaba a oscuras. Encendió la luz. Vio a José Miguel durmiendo de costado, cubierto hasta los hombros con las frazadas, y su chaqueta y sus pantalones en el suelo, junto a las zapatillas de levantarse. Se sentó en el borde de la cama, que la recibió con un gemido, y le ordenó la cabellera al esposo. Después le estampó un beso en la frente. Fue al acariciar su mejilla fría que cayó en la cuenta de que José Miguel estaba muerto.

5

Dos meses después de la noche en que encontró el cadáver de su esposo entre las sábanas de algodón egipcio de la cama matrimonial, Isabel hizo otro descubrimiento que trastornaría su vida y que no detallaré de inmediato. Baste con decir que en un comienzo le costó aceptar que ese intersticio sugería la existencia de una dimensión desconocida de José Miguel, de un lado de su personalidad que ella ignoraba y jamás hubiese imaginado. Fue como si de pronto sus yemas hubiesen palpado en una pared lisa una resquebrajadura casi imperceptible que comprometía a los pilares mismos de lo que denominaba con propiedad su vida. Se le encogió el corazón, se le aguaron los ojos y la incertidumbre le estrujó el alma cuando se percató de aquello.

Al principio, todo fluyó sin embargo dentro de los cauces usuales que adoptan las cosas después de las muertes naturales. La autopsia permitió comprobar lo que muchos suponían, que José Miguel había muerto de un ataque al corazón pocas horas antes de que Isabel regresase a la vivienda. Es la enfermedad que está matando a nuestra generación, le comentó compungido el doctor Alemparte, amigo de su esposo desde la época universitaria. A su edad, con la historia cardíaca de su familia y las tensiones propias de su trabajo, a José Miguel podía ocurrirle en cualquier momento lo que le había sucedido. Así son las cosas según las estadísticas, explicaba el médico ante la viuda en un intento por tranquilizarla empleando un tono que sonaba más bien objetivo.

A partir de la muerte de su esposo, Isabel no quiso, o tal vez no pudo, regresar al dormitorio que había compartido por años con él, y solicitó a su hijo que trasladase sus cosas a la otra suite del departamento. Aunque no tan amplia ni cómoda como la principal, disponía asimismo de un baño confortable y una terraza con plantas y muebles de hierro forjado, que bañaba el sol por las mañanas. Desde allí se divisaban las copas de los peumos y encinos y, por entre el follaje, las crestas andinas hincando sus colmillos en el cielo. Se instaló, por lo tanto, en ese cuarto reservado hasta entonces para visitas, consciente de que la antigua suite seguiría alimentándole la ilusión de que la figura fornida de José Miguel llegaría en algún momento esgrimiendo su sonrisa de dentadura blanca y la vida recobraría su ritmo acostumbrado.

Pero con el paso de los días el departamento completo se le fue tornando agobiante, amargo e incluso siniestro. A veces, en medio de la noche, cuando la empleada ya se había marchado e Isabel trataba de conciliar el sueño auxiliada por las pastillas recetadas por Alemparte, le parecía escuchar en sordina el gorgoteo del Chivas Regal que su esposo vertía en un vaso con hielo las tardes después de las cirugías. Por eso, en cuanto le era posible, Isabel escapaba por la Ruta 68 hacia Valparaíso para hospedarse en la antigua casa neovictoriana que poseía en calle Lautaro Rosas, del Cerro Alegre, en ese barrio levantado a mediados del siglo XIX por inmigrantes ingleses y alemanes, dedicados al comercio internacional en una ciudad entonces cosmopolita y liberal. Sentada en su terraza con vista al Pacífico, teniendo el plano de la ciudad desplegado a sus pies, Isabel pintaba al óleo escenas urbanas o bien retratos de gente imaginaria, o leía una obra de teatro griego o simplemente dejaba pasar el tiempo sin hacer nada, disfrutando el panorama que le brindaba la bahía con sus embarcaciones y sus casas colgadas de los cerros, aspirando el aire marino de las tardes sosegadas y sin viento.

Pasaba allí la mayor parte del día sola y ensimismada, preguntándose si la pérdida de José Miguel se debía a un lamentable accidente, a uno de los muchos que simplemente ocurren en la vida y que nada permite prevenirlos ni evitarlos, o a un castigo que ella se merecía por algún pecado que había cometido y del cual no tenía conciencia. No halló en un comienzo, desde luego, nada en su vida que justificase ese golpe tan brutal del destino, porque había sido, al menos así lo veía ella ahora, esposa fiel, mujer responsable y buena madre, además de leal con sus amigas. Como si fuese poco, asistía a misa los domingos, donaba en forma pródiga al Hogar de Cristo y llevaba una vida sin ostentaciones, de verdadera cristiana. No lograba encontrar, por lo tanto, una causa que justificase el calvario que le tocaba atravesar justo en la etapa en que se preparaba para envejecer junto al esposo.

En los días en que permanecía en la casa porteña acarició la idea de vender el departamento de la capital para trasladarse a uno que no le recordase a José Miguel. No obstante, sus amigas le sugerían que mejor no lo vendiese, pues ya nadie construía de forma tan sólida y señorial, y los tiempos no estaban para vender. No recuperaría, opinaban, lo que había invertido y por ello le convenía arrendarlo a algún profesional o diplomático, y ella arrendar a su vez otro, postergando la venta para cuando pudiese sopesar mejor las consecuencias de ese acto. Así terminó por ir abandonando paulatinamente el departamento de esa calle con inmensos árboles nativos y amplias casonas, donde por las mañanas olía a campo y la capital parecía distante, y comenzó a frecuentar su casa de Valparaíso, ciudad en la que recorría anticuarios, visitaba cerros o bien leía novelas que había apartado hace mucho.

Sin embargo, después de una cena en casa de su amiga María Jesús, sintió el sorpresivo deseo de alojar en el departamento de Fray León. Se dijo que ese deseo se debía a una presunción tan vaga como discutible, pero a la vez perturbadora: percibió que José Miguel aún vagaba por la vivienda y anhelaba verla. Antes de acostarse creyó divisarlo reflejado en el vidrio del ventanal como si él quisiese comunicarle algo que había quedado pendiente entre ambos. Por eso no la sorprendió verlo con nitidez noches más tarde, esta vez en un sueño con visos de realidad. Él operaba en una sala de cielo abovedado y muros de ladrillo, rodeado de enfermeras que llevaban las enigmáticas máscaras pálidas del carnaval de Venecia. Isabel no podía ver sus rostros, pero sí la espléndida desnudez de sus cuerpos que se anunciaba por entre los pliegues de sus batas entreabiertas. Mientras José Miguel pedía que alguien suturara la sangre que manaba a borbotones del vientre del paciente, las mujeres bailaban a su alrededor, exhibiendo sus sonrisas de cartón piedra.

Cuando despertó, Isabel agradeció constatar que todo era solo una pesadilla, pero se dirigió a la antigua habitación matrimonial a cerciorarse de que reinase allí también el orden. Muerta de miedo, abrió la puerta y encendió la luz, y la tranquilizó aspirar el olor a encierro conjugado con la loción francesa que solía aplicarse José Miguel. Constató que la empleada mantenía la cama ordenada como de costumbre: los cojines en la cabecera formando una pirámide sobre el cubrecama floreado, las lamparitas de los veladores a la espera de que alguien las encendiese y los saltos de cama simétricamente desplegados a cada lado del lecho.

Incómoda por el silencio, Isabel paseó la vista por la repisa que había sobre la cama y vio uno de los casetes predilectos de su esposo: el concierto *Finlandia*, de Jan Sibelius. Decenios atrás, cuando se conocieron en el Club de Golf de Santiago —ella con veinte, él de cuarenta; ella estudiante universitaria, José Miguel ya cirujano, casado y con hijos—, el flechazo mutuo había sido instantáneo y él le había confesado su pasión por Sibelius. Poco después abandonaba a la mujer y los hijos para casarse con ella, en una decisión que desató un escándalo en un país donde no existía el divorcio. Muchas amistades rompieron con él, decepcionadas por su determinación, y entre los pocos que continuaron siéndole fieles estaban el doctor Alemparte y algunos ex compañeros de la escuela de medicina, con los cuales se reunía con la regularidad propia de un reloj suizo.

Después de todo, pensó Isabel, no podía quejarse. Había sido feliz hasta la muerte de José Miguel. Había disfrutado de una vida cómoda y dichosa, y se había sentido realizada junto al hombre que amaba y al cual le había dado un hijo que ya era profesional. Mientras intentaba abrir la portezuela del tocacasetes, recordó la primera vez que habían escuchado ese concierto en vivo, en Helsinki. Ahora, sin embargo, tanto el amor como el viaje eran unas vertientes secas que ni siquiera legaban su antiguo murmullo de agua cristalina.

Fue al tratar de introducir la grabación del Deutscher Grammophon que sus dedos tropezaron con otra cinta instalada allí desde quizás cuándo. La extrajo y leyó: "Sweet Revenge. Amanda Lear". Permaneció un rato con ambos casetes en las manos, el de Sibelius y el de Amanda Lear, presa del desconcierto. Marcó al rato el número de su hijo, que ya había regresado a Stanford, donde cursaba un MBA, y esperó.

—¿Algún problema, mamá?

—Todo bien, no te preocupes, Nicolás. Solo quiero saber si te pertenece un casete de una cantante que se llama Amanda Lear. Lo encontré en mi dormitorio.

—No, mamá, para nada...

—¿Seguro?

—Completamente, mamá.

—Entonces tengo una pregunta tonta.

—Ya sabes que solo hay respuestas tontas, mamá...

Olió a través de la línea la inquietud en su hijo. A menudo él la llamaba para contarle sobre la marcha de las clases, los platos que cocinaba en el internado, el detergente con que lavaba la ropa o sobre algún flirteo que lo entusiasmaba, pese a que tenía novia medio prometida en Chile. Nicolás trataba de animarla para que lo visitase en Palo Alto, asegurándole que allá no solo se distraería y disfrutaría del clima benigno, sino que también lograría instalar una saludable distancia entre la muerte de José Miguel y ella misma, algo que no la convencía, desde luego, pues Isabel creía que era imposible desentenderse del dolor que se lleva dentro.

—Solo quería saber si a tu padre le gustaba la música moderna —preguntó.

—¿Como cuál?

—Digamos, rock.

—¿Qué tipo de rock, mamá?

31

–Bueno, uno como el que interpreta Amanda Lear, vamos.

Nicolás soltó una carcajada que la ruborizó.

–¿Y esa pregunta, mamá? Tú sabes que el viejo era el ser más refractario del universo en materia musical. Solo escuchaba música clásica. Ni amarrado se habría dignado a escuchar la música estilo disco de una cantante así, que no se sabe si es hombre o mujer.

–¿Seguro?

–Completamente, mamá.

–¿Ni le gustaría algo así como "Follow me", por ejemplo?

–¿Pero te has vuelto loca? No habría soportado ni los primeros acordes de esa canción. Recuerda que tenía las orejas tupidas para lo moderno. Ese casete lo debe haber olvidado la empleada o alguien por el estilo. Acuérdate que hace un tiempo fueron a arreglarte los enchufes de ese dormitorio. Seguro el electricista olvidó eso.

Tenía razón, pensó. El electricista era joven y seguro un fan de esa música.

–Mamá, dime una cosa.

Escuchó su voz en un estado de ausencia.

–Sí –repuso, pensativa.

–¿No será ya hora de que vengas a Palo Alto?

Colgó sin responder y se quedó contemplando el nombre de la cantante. Luego cerró la portezuela y oprimió el botón de play.

6

Toda su vida José Miguel había sido intolerante en cuestiones de música, recordó Isabel durante esas semanas. Para él solo existía el género clásico, más estrictamente lo romántico, y en ello ocupaban un sitial privilegiado los escandinavos Sibelius, Stenhammer y Grieg, y también los alemanes Mahler y Wagner. No aceptaba nada que sobrepasase esos márgenes y violara aquellos esquemas, nada que se distanciara de esa música reposada, monumental y profunda que había terminado convirtiéndose en la obsesión que al cabo de los años, sospechaba Isabel, lo empujó hacia una melancolía inescrutable.

Condenaba el jazz casi en su totalidad, a excepción de algunas piezas interpretadas por los saxofonistas Ben Webster y Coleman Hawkins, a quienes escuchaba a veces, pero raras veces, con benevolencia. En cambio, a John Coltrane, por ejemplo, no lo digería. En cierto sentido, pensó Isabel, a su marido las preferencias musicales se le habían petrificado a edad temprana y, al igual que en política, en la que defendía al régimen militar, opinaba que nada nuevo bajo el sol podría hacerlo cambiar de opinión.

Por lo tanto, en los días siguientes se preguntó con insistencia qué hacía un casete de Amanda Lear en el tocacintas de su esposo. Gradualmente, una sospecha fue incubándose en su alma y temió que terminara por dominarla por completo. Escuchó, no obstante, las canciones con la intención de encontrar en sus textos alguna pista que le transmitiera un mensaje, un indicio más preciso de esa otra vida que sugería la cinta. ¿Por qué José Miguel escuchaba a espaldas suyas una música tan ajena a su gusto tradicional?, se preguntaba en el departamento o bien mientras conducía a Valparaíso, recordando al mismo tiempo la época, hace ya años, en que sospechaba que su esposo pudiera estar engañándola con otra mujer. Impulsada por celos repentinos, lo obligó a despedir a las asistentes jóvenes y a contratar a mujeres maduras, y vigiló sus pasos sin mucho disimulo. Nunca, sin embargo, pudo descubrir nada que corroborase su suspicacia, lo que a la larga la hizo sentirse arbitraria y despreciable.

Y es que por las noches, antes de acostarse, su esposo solía escuchar su adorada música clásica, sumido en largas meditaciones que no compartía con ella. Y algo parecido ocurría los días domingo por la mañana, cuando leía el diario en el living junto a una taza de café sin azúcar, disfrutando un concierto. Y en el auto, cuando encendía la radio, esquivaba los programas de música moderna y ubicaba su estación de costumbre. Durante el primer viaje de ambos a Europa la había impresionado comprobar que él era un fanático de los clásicos escandinavos y un enemigo declarado de la música moderna, del rock and roll o del twist, algo que lo convertía en un eterno aguafiestas, a lo que ella se había resignado.

Para hacer ese viaje, Isabel había tenido que contarles a sus padres que iría con María Jesús, una amiga de la infancia, quien también visitaba ese verano el Viejo Continente. De otra forma no se lo habrían permitido. En Helsinki, después del concierto de Sibelius, él había pronunciado frases bellas sobre la música y el amor, frases que tenían la extraña virtud de seguir emocionándola, pues mostraban un lado sensible de José Miguel, que ella entonces desde luego no conocía. Pese a sus preferencias musicales, su esposo nunca había sido romántico, pero aquella noche, noche en el papel, porque eran pasadas las diez y aún brillaba el sol, y el cielo no tardaría en transitar veloz del crepúsculo a la alborada, José Miguel le reveló esa dimensión inesperada y desconocida suya, como si no hubiese sido un cirujano, sino más bien un pintor o un poeta inválido. Caminaban tomados de la mano alrededor de una iglesia de cúpulas doradas, construida en lo alto de una colina, enamorados, él de su lozanía y su cuerpo esbelto, ella de sus sienes canosas y su personalidad magnética, de su sonrisa que cavaba surcos en sus mejillas, cuando entendió que detrás del hombre pragmático y eficiente, moraba uno reflexivo, reconcentrado y misterioso, que ella aún no desentrañaba del todo.

—¿Isabel?

Era la voz de María Jesús al teléfono. Había respondido al aparato sin darse cuenta, tan sumergida estaba en los recuerdos. En rigor, hubiese preferido no responder porque le apetecía estar sola, pero sabía que, de no responder, en cosa de horas la tendría a ella y también a Loreto, otra amiga, tocando a su puerta, angustiadas por la posibilidad de que ella pudiese cometer una locura en un arranque depresivo. Pero se equivocaban. Ella creía cuando el padre Ignacio Irigoyen, su confesor, afirmaba que solo Dios concedía y quitaba la vida, y que los meandros de su voluntad eran inescrutables para el ser humano. Nunca se suicidaría como su padre. Su dolor, tal vez, no era tan absoluto como el suyo porque la fe atemperaba sus emociones y la inducía a pensar que aún tenía una misión en la vida. Era cierto que la muerte de José Miguel y la soledad que ella ahora experimentaba la atormentaban en extremo, impulsándola a dudar de la compasión y el sentido de justicia divina, pero no atentaría contra su vida. Como afirmaba el sacerdote: cuando una luciérnaga se apaga en la noche, hay otras que se encienden.

—Isabel —repitió María Jesús al aparato—, este fin de semana iré a visitarte con Loreto. Ya verás que organizaremos un programa estupendo entre las tres. No te pongas triste.

7

Días después, cuando se preparaba para almorzar con Alicia, una amiga viuda, mayor y refinada, que vivía en la costa, lejos de la contaminación capitalina, Isabel decidió conducir de nuevo el vehículo predilecto de José Miguel. Era un Mercedes 380 SL de color beige, descapotable, que él solía manejar los fines de semana o en ocasiones especiales, como reuniones familiares o deportivas. Lo guardaba en el garaje del edificio, cubierto con un plástico que denominaba el piyama, junto al Peugeot que usaba a diario. Isabel le pidió a un empleado del condominio que llevara el convertible al taller para que lo pusieran a punto.

Le agradaba visitar a esa mujer ya mayor, lúcida y distinguida, en su casa de Zapallar, donde vivía rodeada de arte, libros y música operática. Era un viaje pintoresco a través de un valle verde con alamedas y modestas casas campesinas. En un trecho de la carretera, cerca ya de la costa, vendedores de pasteles tradicionales, vestidos de gorra y chaqueta blanca, corrían con sus canastos detrás de los coches que paraban en la vera del camino, donde ya soplaba la brisa aterciopelada del mar. La casa de Alicia tenía dos pisos, una gran chimenea de piedra y una generosa terraza de cerámica italiana frente al Pacífico, en la que durante el verano la filántropa —porque financiaba proyectos culturales en la capital y en Zapallar— leía, revisaba álbumes de fotografías y agasajaba amistades.

Alicia solía conversar con José Miguel sobre los solistas de ópera del momento, y ambos compartían la admiración por Pavarotti y Callas. Alicia mostraba además una sensibilidad especial ante la decoración y la pintura, algo que estimularon los estudios de historia del arte que había cursado decenios atrás en Florencia, y por eso conversar con ella era más estimulante que hacerlo con Loreto y María Jesús, que se tornaban, a juicio de Isabel, cada vez más triviales y materialistas. El esposo de Alicia había sido un exitoso empresario de la construcción, un coleccionista de primeras ediciones de libros antiguos y un viajero empedernido, por lo que conocía incluso China y la India. Ella era una mujer agradecida de la vida, sus hijos y nietos; no conocía de rencores ni amargura, y a los ochenta y cinco años de edad seguía siendo una magnífica interlocutora.

Pedro volvió con el convertible cerca del mediodía, cuando Isabel acababa de anunciar al centro cultural de su comuna que faltaría a las últimas sesiones de pintura que tomaba con un destacado pintor de apellido Huidobro. Era una lástima, porque disfrutaba sus lecciones y había progresado en las técnicas del retrato realista, pero no estaba de ánimo para asistir a clases y concentrarse durante mucho tiempo en lo que otros le dijeran. Bajó con el empleado al garaje del edificio, donde el vehículo la esperaba limpio y con el estanque lleno.

—Solo hubo que revisar el aceite, señora —precisó el hombre abriéndole la puerta.

Isabel sacó de su cartera el casete de Amanda Lear, lo introdujo en la radio y subió la rampa del estacionamiento escuchando "Follow me". Afuera, en el aire libre, entre los edificios del grupo habitacional, la luz del día la hizo buscar sus Versace en la guantera. Aparcó extrañada al constatar que el estuche de los anteojos de sol estaba vacío. Los había comprado para mantenerlos siempre en el convertible, pero no estaban ahora allí.

—Diseñados para tu auto —le dijo medio en broma medio en serio a José Miguel el día que los estrenó en un viaje a Valparaíso. Los había comprado en el barrio de Palermo, en Buenos Aires, tras almorzar en un restaurante italiano, durante un simposio de cardiólogos sudamericanos al que había acompañado a su esposo.

—Así veo. Hasta hacen juego con el color de los asientos —comentó José Miguel sarcástico, y ella constató aquella mañana de primavera que no había reparado en la coincidencia.

Removió el interior de la guantera, pero no halló los anteojos. Trató de recordar cuándo había salido por última vez en ese carro y adónde había ido. Creyó haber visitado a los Urmeneta, que vivían apartados de la ciudad, pero no creía haberlos olvidado allá. Teresita la habría llamado para avisarle que los había dejado en su casa. Buscó los anteojos en la bolsa de la puerta del conductor y sus dedos tropezaron con la caja de un casete. Era el de Amanda Lear. Mostraba a una muchacha rubia y delgada, de sensual tenida ajustada, que miraba de forma sugestiva a la cámara. Isabel se imaginó el proceso completo: su esposo escuchando la cinta en el auto, llevándola consigo y dejándola por último en el tocacintas del dormitorio, donde había permanecido hasta la noche en que ella la encontró.

Le hizo mal imaginarse el trayecto final de su esposo. Sintió que la sangre le bombeaba enloquecida contra las sienes y la vista se le nubló por unos instantes. Se inclinó hacia la derecha para hurgar en la bolsa de la puerta del copiloto, y tampoco estaban allí los Versace. En el preciso instante en que retiraba la mano, sus dedos rozaron con un bulto minúsculo que llamó su atención y que ella extrajo con cuidado, formando una pinza entre el índice y el pulgar. Era una pelota de papel de aluminio, no más grande que una de esas canicas de vidrio con que juegan los niños. Iba a arrojarla al cenicero, pero en lugar de eso, impulsada por una repentina curiosidad, comenzó a desenvolverla.

Dentro halló un chicle endurecido y, en la superficie interior del papel, formando un minúsculo estampado de pétalos color rosa, varias manchas de rouge.

8

Corrió de vuelta al departamento y, nada más entrar al baño, vomitó en el lavamanos sintiendo que se le descerrajaba el pecho. Cuando vio en el espejo su rostro pálido y desencajado, su cabellera pegoteada a las mejillas sudorosas y el temblor que agitaba su mentón, se compadeció de sí misma. Sus ojos cafés habían perdido ahora todo el brillo. Nuevas arcadas la dominaron al aspirar la fetidez ácida de esa pasta amarillenta que acababa de arrojar.

¿Es que José Miguel le había sido infiel? ¿Es que había tenido una amante y además la desfachatez de pasearla en el carro y llevarla al lecho matrimonial mientras ella descansaba en el campo? ¿Había ocurrido todo eso mientras ella pensaba en lo afortunada que era, pintaba al óleo, apuntaba los avances que le reportaban los empleados y planeaba con la cocinera la cena de recepción para el esposo? ¿Actuaba ella como ama de casa fiel mientras él se solazaba con una amante en Fray León?

Un zumbido comenzó a taladrar sus oídos, y el corazón le golpeó resuelto a estallar. Le dolía comprobar que los indicios olvidados por José Miguel en el automóvil y en el dormitorio carcomían los recuerdos matrimoniales. Cruzó hacia el dormitorio, empujó la puerta y encendió la luz. Ahora le repugnaban esa cama, sus frazadas y sábanas, todo lo que ella había venerado antes en ese espacio hoy quieto y silencioso. Permaneció en el umbral escuchando su propia respiración agitada, imaginando escenas mortificantes, y solo después se animó a descorrer las cortinas para dejar que el resplandor se filtrara por la ventana.

Se sintió tan confundida e impura como la primera vez que hizo el amor en su vida. Había sido con David, compañero del colegio, en el oasis de San Pedro de Atacama, hasta donde los había llevado el viaje de estudios del curso. Una noche, ante la impotencia del profesor, casi todos los alumnos se habían emborrachado con pisco y cerveza en una fonda. Después de yacer con David junto a un arco de fútbol, ella de espaldas sobre la tierra árida, viendo el cielo tapizado de estrellas por sobre la cabeza de David, que se arrimaba trémulo a su boca, sí, después de esos momentos tan apasionados como confusos, ansiados pero decepcionantes, ella se había sentido tan impura como ahora.

Nunca más salió con David, que la persiguió con denuedo, incapaz de entender por qué ella lo eludía, incapaz de comprender que había violado un deslinde que no tenía nada que ver con la rotura de su himen, sino con su privacidad e independencia. Tiempo después, al casarse con José Miguel sin revelarle que se había acostado con otro hombre antes, volvió a sentirse impura. Impura como debían sentirse, afirmaba el padre confesor, todas las mujeres que yacieran con varón, así lo describía él, antes del matrimonio. Y ahora, de pie frente a ese lecho al que su esposo no regresaría, en ese dormitorio que hasta hace poco consideraba sagrado y ahora detestaba, comprendió que su esposo la había denigrado.

Allí estaba la cama, muda como una tumba, renuente a revelarle el pasado, envenenándola no obstante con suposiciones. De pronto soltó un golpe contra el vidrio de una ventana y su puño traspasó el cristal con un estruendo que violentó la noche. No sintió dolor. Solo un hormigueo caliente cubriendo su brazo, y poco después vio incrédula cómo su muñeca derecha comenzaba a sangrar a borbotones. A quienes se desangran los espera una muerte lenta, parecida al sueño, recordó haber leído en un cuento de Jack London, mientras divisó entre la bruma costera, o creyó más bien que veía, a su marido paseando de la mano con una mujer. Los vio entrar al dormitorio matrimonial, besarse, acariciarse y deslizarse desnudos entre las sábanas perfumadas, y también vio a la intrusa probarse sus prendas y ensuciar los espejos con su imagen reflejada en ellos, y sintió que la habitación giraba como un carrusel enloquecido. Inesperadamente, sus rodillas cedieron y su cuerpo se desplomó como un muñeco de trapo sobre el parqué. El hálito metálico de la sangre anegando su nariz fue lo último que percibió antes de naufragar en la nada.

9

—Isabel, hija mía —la voz le hablaba desde una cortina que sus ojos no traspasaban.

Sus labios resecos y estriados fueron incapaces de articular una respuesta.

—Hija —volvió a repetir la voz. Por el tono creyó reconocer a su confesor—. ¿Me escuchas? Hazme una señal con los párpados si me escuchas…

Era el padre Ignacio. La voz la alcanzaba con la modulación exquisita, apaciguadora y levemente amanerada del religioso. No necesitaba verlo. Lo conocía de memoria de las misas y las actividades de la parroquia: sotana negra, cuello albo, cabello peinado hacia atrás adherido al cráneo como una gorra de baño, frente alta y quijada prominente, la cuenca de sus ojos ahondada por las ojeras. No necesitaba verlo. Le bastaban su voz y su perfume para reconocerlo. Le bastaban sus pausas extensas y sus palabras selectas para saber quién era.

—Sé que me escuchas —susurró la voz, e Isabel recibió con gratitud la palma fresca de su mano posándose sobre su frente afiebrada.

Escuchó después el crujido que sus zapatos arrancaban a las tablas del piso. Recordó los calcetines negros que solía usar, el modo en que cruzaba las piernas, dejando al descubierto, más abajo del dobladillo, la palidez de sábana de sus pantorrillas. Recordó sus mancuernas nacaradas, su sonrisa irónica y el encrespado coqueto, símbolo de una estudiada rebeldía, que toleraba sobre su albo cuello de garza. ¿Estaban en una clínica? ¿Habría ocurrido algo grave para que ese hombre severo, sempiternamente atareado, la acompañase? Recordó la muerte de José Miguel, el casete de Amanda Lear, el envoltorio del chicle y el cristal estallando en mil fulgores, y también la sangre que manaba de su muñeca, la convicción de que moría.

–Vine para aconsejarte. No es grato a los ojos del Señor lo que hiciste y conviene que reflexiones sobre ese acto, que te confieses y pidas perdón –dijo el religioso al rato–. Él es dueño y señor de nuestra existencia, y solo él conoce y determina nuestra partida. Debes saber que estoy contigo, que dispones de amigos y familiares que te aman, que la iglesia es tu compañera y guía. Sé que estás en medio de un túnel a oscuras, que perdiste en un momento de debilidad la fe y la esperanza, pero debes mirar hacia adelante y vislumbrar la luz al final del túnel.

Hubiese querido explicarle que no había intentado suicidarse, que el golpe era fruto de una furia repentina que la dominó al comprender que su esposo le era infiel y que nada ni nadie en el mundo podría ayudarla a restablecer los magníficos recuerdos que de otro modo habría conservado de su compañía. La infidelidad había aniquilado no solo el matrimonio, sino también sus recuerdos de él, y la sorpresiva muerte de José Miguel le propinaba un portazo irreversible a su existencia.

–Fue la empleada quien te encontró –le susurró el cura al oído–. Me atrevería a decir que el Señor la hizo regresar a tu casa e ingresar al dormitorio. De lo contrario, te habrías desangrado. Es señal de que el Señor tiene un plan para ti y que debes orar mucho en estos días, así como pedir perdón y jurar que jamás lo intentarás de nuevo. Dime que pedirás perdón, hazme otra señal. Vamos, hija...

Que perdiera cuidado. No pasaría de nuevo. No había intentado suicidarse, trató de decir, pero sus labios le desobedecían. Solo había dado rienda suelta a su desprecio por José Miguel, sus manos que habían acariciado otro cuerpo, contra sus labios que habían pronunciado otro nombre. Pensó en las manos blancas y delgadas de José Miguel, manos de cirujano y de sacerdote, manos capaces de operar o perjudicar el corazón. Él la había engañado, había traicionado la promesa mutua de amor y fidelidad hecha decenios atrás ante el altar.

¿Qué entendía el padre Ignacio de todo eso si para él lo central eran la castidad, la abstinencia y la obediencia, e ignoraba la verdadera dimensión de los problemas prácticos de una pareja? ¿Qué sacaría con orar si a la postre quien la había lastimado ya no estaba con ellos en la Tierra, sino en una dimensión vaga y remota que ella no alcanzaba a imaginar, pero que difícilmente podía ser el cielo?

—Te comprendo, Isabel —agregó con parsimonia el sacerdote mientras le acariciaba el brazo como si desentrañara sus pensamientos—. Ya conversaremos. Ahora reza, y de corazón ruega al Señor que te perdone. Volveré pronto, no olvides pedir perdón por tu pecado.

10

Al regresar a Fray León se sintió como el cisne pintado por Jan Asselijn. El óleo mostraba en primer plano a un cisne que defendía con las alas desplegadas, el pico abierto y el cuello retorcido a sus polluelos en la ribera de un río. Era un cuadro de trazos perfectos y atmósfera tensa, cuya reproducción Isabel había descubierto en un libro de la biblioteca del colegio. Desde entonces la imagen la inspiraba cuando debía defender algo suyo. Asselijn, un holandés del siglo XVII, pintaba ruinas y casas abandonadas, pero se había hecho célebre con esa pintura, que sus compatriotas convirtieron en símbolo de la rebeldía contra los españoles.

Mientras contemplaba en su dormitorio la pintura de Asselijn que aparecía en un libro de arte de los Países Bajos, Isabel se convenció de que ella era ese cisne. La mañana exhibía un cielo impoluto y la ciudad se reducía a un rumor grave más allá de los árboles del complejo de edificios. Reclinada en su cama pensó que tal vez compartía con ese pájaro la determinación inquebrantable de no entregar lo suyo sin presentar batalla. La pintura la confirmaba en su convicción de que algo debía hacer en instantes en que José Miguel emergía como una estafa y su matrimonio como una farsa en la que ella no era protagonista, sino una actriz secundaria que desconocía el libreto de la obra en que actuaba. Recordó el instante en que le había preguntado por teléfono al electricista si el casete de Amanda Lear era suyo, y él, sorprendido, incapaz de repetir el apellido de la cantante, le había dicho que no, que no la conocía. Un escozor repentino, como causado por una daga filuda, la hizo inclinarse sobre el libro. Quedó sin aire, tensa, quieta como una flor decapitada. Nunca había experimentado un dolor tan agudo, lo que la inquietó. Sintió que su muñeca palpitaba bajo la venda y que el rostro se le congestionaba mientras el mundo giraba como un carrusel a su alrededor.

Se reincorporó con lentitud y esfuerzo cuando sintió que el aire volvía a llenar sus pulmones. Había pasado los últimos días sumida en un sopor inducido por un cóctel de calmantes, preparado por el doctor Alemparte. ¿Quién era la mujer que había dejado estampado sus labios en el papel de aluminio?, se preguntó crispada. ¿Dónde estaba ahora? Seguramente seguía conversando, sonriendo y desplazándose bajo el cielo contaminado de la ciudad con un gran secreto a cuestas. Creía que nadie sabía de su existencia y que podría evadirse como el carterista habilidoso que sustrae una billetera sin ser notado. Pero se equivocaba. Ella, Isabel, sabía de ella, aunque vagamente, y la encontraría en el pajar de la ciudad, pues había destruido casi treinta años de matrimonio, algo que le cobraría, costase lo que costase.

¿Y ahora?, se dijo colocando el libro abierto en la pintura de Asseljin y se irguió en el sofá. ¿Qué le correspondía hacer a una viuda de su edad bajo esas circunstancias? ¿Compartir la sospecha con sus amigas, o solo con el padre Ignacio o un siquiatra, o conservarla más bien como un secreto inescrutable para los demás? ¿Y debía actuar, o simplemente mostrar resignación ante lo ocurrido? Nadie debía ejercer justicia por su propia mano, sostenía su confesor, y esas palabras siempre le habían sonado justas y correctas, pero ahora, después de lo que había descubierto, le parecía que no eran más que sugerencias para espíritus incapaces de odiar como ella era capaz de odiar ahora. Observó la lámina del holandés envidiando el coraje del cisne. No compartiría con nadie su descubrimiento. Carecía de la valentía para hacerlo. Se trataba además de simples sospechas. ¿Y qué valor tenía la sospecha sobre un muerto? Una sospecha era algo abstracto e inasible, y un muerto, apenas una imagen en la cabeza de alguien, un eco que se apagaba, un ser que solo existía en fotos y videos, en los estímulos eléctricos de un cerebro.

Salió a la terraza pensando que tal vez lo mejor era no alimentar más dudas en torno a José Miguel. Quizás le convenía preservar los buenos recuerdos del matrimonio, retornar a los compromisos sociales y continuar su vida como hasta antes de la muerte de su esposo. En pocas palabras: debía volver a ser medianamente feliz. Se asomó por la baranda y contempló el césped que se diluía abajo entre las sombras. Ante el portón del condominio, junto al que se alzaba la construcción de ladrillo que servía de administración y punto de control de los porteros, un convertible esperaba a que se abriese la reja frente a las cámaras de seguridad.

En un comienzo le pareció que era el vehículo de su esposo. Después no le cupo duda de que lo era. La misma marca, el mismo color de carrocería y los mismos asientos de cuero. Y, curiosamente, el hombre al volante guardaba gran similitud con su marido. Esperó a que el automóvil accediera a los jardines del complejo y lo siguió con la vista y la respiración contenida, excitada por su propia expectativa. El auto pasó frente a su terraza y luego se sumergió en el garaje del edificio. Isabel volvió a sentarse en el sofá, puso el libro sobre su falda y cerró los ojos a la espera de que José Miguel abriese la puerta del departamento.

II

Días más tarde, cuando releía el manuscrito en mi estudio de la Oderberger Strasse y el sol trepaba moroso por las fachadas de los edificios, posando esa luz pálida de las tardes invernales de Berlín, que nos recuerda que estamos en los márgenes de la estepa infinita que se extiende hasta Moscú, descubrí algo sorprendente. Se relacionaba con un personaje que aparece en el texto de Benjamín Plá. Es un ser constituido solo mediante las palabras, desde luego, alguien armado mediante la ficción –al igual que Isabel o que el doctor Alemparte–, pero que, para asombro mío, ubiqué por azar en la realidad a la que se hace alusión en páginas de Google.

Me refiero al confesor de Isabel, al sacerdote Ignacio Irigoyen. Según los registros en Internet, el personaje –o al menos alguien con el mismo nombre y parecido físicamente a la descripción de él en el texto– existe en este mundo que habitamos los seres de carne y hueso, y nada menos que en el extremo sur del planeta, en el país que emerge como escenario principal del manuscrito. Como ya tenía algunas cervezas en el cuerpo, tecleé, sin saber bien por qué, su nombre y apellido en el recuadro de búsqueda, precedido del sustantivo sacerdote, y oprimí "buscar". Para mi sorpresa, hallé información sobre él. En rigor, el religioso aparece fotografiado en las páginas sociales de un diario de comienzos de los ochenta, y mencionado dentro de un artículo posterior relativo a una ceremonia. Lo que me azoró fue comprobar que Ignacio Irigoyen –un sacerdote demacrado, de ojos hundidos y frente amplia, con un aire de náufrago hambriento, un ser de cabellera azabache peinada con esmero hacia atrás–, el ser real, de carne y hueso –y aquí viene lo asombroso–, es idéntico al Ignacio Irigoyen que describe Benjamín Plá en su manuscrito. No tengo duda sobre lo que afirmo. Las dos fotografías en blanco y negro del diario, no hay otras, no al menos en Internet, lo muestran durante la conmemoración de Semana Santa en el atrio de una exclusiva parroquia de la capital. Era como si Benjamín Plá se hubiese valido de esas fotografías para describir al sacerdote.

La casualidad solo podía indicar que el texto inconcluso se refería a asuntos que realmente acaecieron en la vida real veinte o treinta años atrás y a personas que existieron en esa época, me dije en mi estudio de la Oderberger Strasse, mientras el pedazo de cielo encapotado iba adquiriendo un tinte ocre que anunciaba más nieve. Al hallar el nombre en la red, comprobé que el sacerdote no era solamente un personaje de ficción, como se supone que son los personajes que pueblan toda novela, sino también un ser de carne y hueso, con rostro y apellido, presente, por lo demás, en los medios. Era evidente que Ignacio Irigoyen existía o había existido en el país real donde tenía lugar la trama ficticia, algo que no pude corroborar con el resto de los personajes, pues solo aparecían con sus nombres de pila en el manuscrito. No obstante, lo que continuaba desconcertándome era la posibilidad de que el relato sobre una infidelidad amorosa pudiese provocar la muerte de su narrador y también la de sus lectores.

Volví a bajar los pisos hasta la calle, pues necesitaba beber algo fuerte. Necesitaba entrar a un bar, estar rodeado de gente, aunque fuese desconocida, sumergirme en la bulla de la muchedumbre anónima, pero de algún modo solidaria. ¿Por qué una novela incluía un personaje real y podía alcanzar un impacto supuestamente letal entre personajes reales? Caminé por la Oderberger Strasse en dirección a la Kastanienallee, la misma calle donde Simons encontró hace años el texto de Benjamín Plá, y entré a un bar cuyo nombre ya no recuerdo. Pedí una Kölsch y un Schnaps y traté de ordenar mis ideas entre el humo, la música y las voces de la clientela.

Me azoraba que Ignacio Irigoyen, me refiero al personaje que en la novela ejerce su labor pastoral en el Barrio Alto y actúa como confesor de la viuda, fuese al mismo tiempo un ser de carne y hueso, un elegante religioso de un exclusivo barrio santiaguino. Descarté que pudiera tratarse de una casualidad o de un alcance de nombre. Ambos sacerdotes —el de la ficción y el de la realidad— vivían en la capital, en la misma época y llevaban el mismo nombre y apellido, y físicamente eran semejantes. ¿Tal vez la obra no se restringía a la ficción, sino que era al mismo tiempo espejo de hechos verídicos, que acaecieron o siguen acaeciendo, y que por alguna razón el autor no podía revelar? Temblando de emoción me pregunté también si Isabel, o su hijo Nicolás, o las amigas de Isabel, eran a la vez seres reales, que existieron o siguen existiendo fuera del manuscrito.

Después de dos Schnaps que escocieron mi garganta, y de una jarra de cerveza, creí estar de nuevo en condiciones de regresar al estudio. Navegando con Google encontré esa madrugada otra foto del sacerdote, esta vez en la revista *Cosas* de Santiago. En ella, él aparecía en un grupo durante una acción benéfica, organizada por el Hogar de Cristo. Se mencionaban su nombre y el de sus acompañantes, pero nada más. Después, mediante el mapa satelital de Google, identifiqué la calle Fray León, donde vive la viuda, según la novela. Está en la capital, desde luego. Es recta y amplia, y la flanquean árboles copiosos. La recorrí de arriba abajo tratando de ubicar el edificio donde vive Isabel, según la novela, y encontré varios rodeados de jardines, pero pese al *zoom in* no divisé ninguno que yo pudiese asociar de forma inequívoca con el complejo de los primeros capítulos de la obra, lo que puede deberse a que el barrio cambió, entre la fecha de la escritura y la del descubrimiento del manuscrito.

Ayudado por las imágenes satelitales exploré más tarde la calle Lautaro Rosas, de Valparaíso, que también existe, de lo que puedo dar fe, puesto que la he recorrido infinidad de veces en mis visitas a la ciudad, cuando aprovecho de admirar el encanto de sus tiendas, cafés y restaurantes. No logré ubicar en el mapa, sin embargo, la que hubiera podido ser la vivienda en la que Benjamín Plá situó a su personaje Isabel. No obstante, no me quedó duda alguna de que el sacerdote de la ficción y el de la realidad son la misma persona. Es probable que hoy el religioso del manuscrito aconseje, ya mayor, con menos pelo y más barriga, a feligreses en ese confín del mundo, y que la decepción de la viuda, que leí inicialmente como mera ficción, constituya un puente hacia una realidad mucho más turbadora de lo que supongo.

12

Eufórico por el descubrimiento llamé por teléfono al jefe de mi departamento académico. Era ya pasada la medianoche en Berlín y las seis de la tarde en Nueva York. A Tom quería solicitarle apoyo para el proyecto que acababa de elaborar en una *kneipe* atosigada de humo del Prenzlauer Berg: explorar el nexo entre ficción y realidad a partir del manuscrito de Benjamín Plá. Me convencí de que era urgente viajar a Valparaíso para ubicar al sacerdote y al autor, dar con el resto de la novela y, lo más importante, corroborar en el terreno si esas páginas eran solo ficción o bien relato fidedigno de algo acaecido decenios atrás.

La publicación de esa investigación me permitiría además engrosar el libro de ensayos que uno debe presentar para acceder al *tenure*, la plaza definitiva en el departamento. Entonces, como para todos los profesores que laboran sin él en universidades estadounidenses, conseguir el *tenure* era mi sueño. Ofrece seguridad laboral absoluta, es decir, la garantía de que, mientras uno no cometa un error garrafal, digamos agredir a un colega, plagiar una obra o acosar sexualmente a un estudiante, jubilará sin mayores vicisitudes ni contratiempos en la misma universidad, algo que huele, debo reconocerlo, más al desaparecido socialismo de Europa del este que al denominado capitalismo salvaje de Estados Unidos.

—¿Tom? —pregunté al teléfono.

—Estoy manejando, voy a Newark. Escucho pésimo —repuso él—. ¿Quién habla?

Le expliqué como pude la historia del manuscrito, mi sospecha de que en él se escondía algo que bien valía la pena explorar y que de paso me acercaría al *tenure*. Tom era un fiel aliado mío en el departamento, estaba convencido de que mi objetivo era plausible, pero insistía desde hace dos años en que yo debía publicar cuanto antes el libro de investigación literaria para cumplir con el requisito clave. La investigación debía publicarla, eso sí, en una editorial académica norteamericana, y circular como aquellos libracos de portadas gruesas y oscuras, con aspecto de tratados, que no leen ni los propios colegas, pero que constituyen la premisa para postular con cierto éxito al *tenure*.

—Suena interesante. Veré qué puedo hacer por ti —respondió Tom después de escucharme desde una cafetería de la carretera, donde había estacionado momentáneamente. Yo sabía que podía confiar en él—. Cuando termines tu estadía en Berlín, pasa a verme. Espero tener entonces alguna reacción del departamento de finanzas para tu solicitud de fondos.

Esa noche, entusiasmado por las perspectivas que al parecer se me abrían, tomé el tranvía en dirección al Alexanderplatz con el ánimo de recorrer el monumental edificio en ruinas del Tacheles, ocupado hoy por el mundo bizarro de artistas alternativos. Subí al quinto piso por la escalera de concreto, entre sus paredes pintadas con grafiti y el estruendo del black rock que fluía como un río de aguas tormentosas, y entré al bar donde flota una luz mortecina. Ordené una cerveza, un vodka y un pito de marihuana a una muchacha que llevaba una túnica blanca y una argolla en la nariz.

—¿Me invitas? —me preguntó al traerme el pedido. Tomó asiento a mi lado y comenzó a sorber de mi cerveza sin esperar respuesta. Se llamaba Anke. Prendimos el pito con un encendedor que ella sacó del sostén y que había pertenecido a un soldado norteamericano caído en Irak, y compartimos la yerba acodados en la barra, escuchando el infierno que vomitaban los parlantes.

Anke tenía ojos y pelo café, labios gruesos, pintados de azul, y era oriunda de Köpenick. Después nos fuimos a una discoteca donde un grupo, creo que llamado Venom, interpretaba "Welcome to Hell", ayudado de una percusión de chatarra y guitarras distorsionadoras a lo Jimi Hendrix.

La yerba y el alcohol me permitieron bailar con la muchacha, imitando sin complejos los movimientos espasmódicos de otros bailarines. Luego nos sentamos ante un gran vano sin cristales a contemplar el tráfago de la Oranienburger Strasse. Berlín era una mancha luminosa desparramada hasta el horizonte y recibía del cielo una chaya de estrellas.

—¿Te animas a bajar al inframundo? —me preguntó Anke. La idea me entusiasmó.

Entre los grafitos de los muros de concreto, nos fuimos sumergiendo en las entrañas húmedas y frías de esas ruinas de 1945. Un portero delgado, con barba de chivo y ojos de pupilas rojas, que cojeaba, nos recibió en la entrada a una caverna de paredes rocosas que devolvían el eco de la música

Cuando horas más tarde me libré de Anke y regresé a la Oderberger Strasse bajo la nevada, llamé a casa. En Nueva York era la noche del día anterior. Cecilia me dijo que las calles de Brooklyn lucían albas y en la cama solo faltaba yo. Disimulando mi borrachera, le revelé algo sobre el manuscrito de Benjamín Plá y le anuncié que pasaría por casa a cumplir unos trámites burocráticos en la universidad, puesto que planeaba continuar viaje a Chile.

—¿Irás allá sólo por ese manuscrito? —había incredulidad en su voz.

—Así es.

—¿Y para eso tu departamento te paga el viaje y la estadía?

—Desde luego.

—Me asombra la generosidad con que las escuelas de letras arrojan dinero por la ventana.

—Es una investigación académica seria e innovadora, como cuando tú investigas las espirales inflacionarias o los desequilibrios presupuestarios —afirmé sin convicción. Abajo, por la Oderberger Strasse desolada, una mujer paseaba un perro sobre la nieve.

13

Días después de hallar el envoltorio de aluminio y la caja del casete, Isabel cruzó el Barrio Alto en el convertible buscando la autopista a la costa. Se detuvo frente a una florería, donde compró un ramo de rosas para Alicia, y luego escogió una torta mil hojas en una pastelería de moda. Durante el trayecto escuchó el concierto *Finlandia*, de Jan Sibelius, una forma de recordar a José Miguel, a quien había vuelto a ver en sus sueños, rodeado de enfermeras semidesnudas que bailaban en torno suyo con máscaras del carnaval veneciano.

La sobrecogió el delicado inicio de los violines y su transición hacia una melodía monumental que la llevó a pensar en la teatralidad wagneriana. Escuchó resonancias que se le antojó que representaban una tormenta en el Mar Báltico o tal vez brujas que giraban en sus escobas por la noche preñada de nubes, seres esperpénticos de ojos intimidantes y manos crispadas, que terminaban por hacerla añorar el paisaje luminoso de la costa. En esos días, Isabel oscilaba entre la evocación nostálgica de José Miguel y un resentimiento visceral en su contra, entre el deseo de borrar de su memoria la imagen de una amante sin rostro y la impaciencia por ubicarla entre millones de santiaguinos.

Solo al empezar el segundo movimiento, uno que fascinaba a José Miguel por su equilibrio y suspenso, y cuando el convertible corría por la cinta de asfalto entre casas con techos de zinc, edificios deslavados y calles sin árboles, donde dormitaban perros y camiones vacíos, calles que ella nunca había recorrido ni recorrería jamás, volvió a recordar las conversaciones con su esposo. Se dijo que a ella bien le podría haber tocado nacer en esos barrios y habitar una de esas viviendas modestas que desaparecían detrás de las vallas comerciales.

—Dios lo quiso así. Si no lo hubiese querido, seríamos todos iguales. ¿O no? —le respondió José Miguel, en esa carretera, un día en que ella intentaba mostrarle lo injusta que era la vida.

Tal vez era cierto lo que él decía, pensó mientras su vehículo dejaba una estela de reflejos metálicos entre aquellos distritos sin nombre. Dios había dispuesto las cosas de esa manera y a ella, por fortuna, le había correspondido vivir en un barrio de avenidas arboladas y grandes casas, que bien podía estar en París o Barcelona. Siempre le había costado aceptar algo tan injusto como que su vida se debiera al azar, que bien podría haber nacido en una mediagua limeña o en una choza somalí, en una chabola haitiana o en un pueblo siberiano. Ese azar todopoderoso y ciego la hacía desconfiar a ratos de Dios, o al menos pensar que este era un ser que toleraba el padecimiento entre sus hijos. Y cada vez que atravesaba con su esposo esas barriadas escuchando música escandinava, instalados ambos en la mullida cápsula de cuatro ruedas que los aislaba de la miseria sin esperanzas al otro lado de los cristales, José Miguel se esforzaba por tranquilizarla:

—Así es la vida, Isabel. Dios quiso las diferencias entre los seres humanos y nosotros no alcanzamos a auscultar sus razones para ello.

En el fondo, la atemorizaba vivir en un país fragmentado política y socialmente porque al final, a pesar de los militares y los programas sociales que financiaban desde el palacio de gobierno, los de abajo se rebelarían un día, pensaba ella, perspectiva que su esposo rechazaba de plano. Para José Miguel, los comunistas habían sido derrotados años atrás y de forma definitiva gracias al general, y ahora el país progresaba en orden y tranquilidad, unido y disciplinado, de modo que el peligro de una revolución comunista pertenecía a una etapa ya superada. A Isabel, en cambio, la agobiaba que las carreteras fuesen la única conexión entre los extremos sociales del país. Mientras corría junto a sitios en los que se amontonaban escombros y la ropa se secaba al sol colgando de cordeles, Isabel temía que un día estallase una nueva revolución y llegara al poder un líder izquierdista parecido al derrocado en 1973. Entonces, las calles se llenarían de gente sencilla exigiendo igualdad y justicia, y no habría poder militar capaz de aplastarla de nuevo. ¿Cómo se vería su convertible desde esas viviendas de madera y latón, gélidas en invierno e infernales en verano?, se preguntaba estremecida.

—Aunque tú no lo creas —continuaba José Miguel indicando con un brazo extendido hacia las barriadas a ambos lados de la carretera—, esta gente es más feliz que muchos de nosotros.

—¿Seguro, José Miguel?

—Seguro, mi amor. Hasta el padre Ignacio lo sabe —respondía él, y su Patek Philippe, que ahora descansaba en el velador del departamento, fulguraba bajo el sol de verano—. Tienen menos que nosotros, pero disfrutan más la vida. Se gastan el dinero en asados y tragos, pero no tienen que lidiar con los vaivenes de la bolsa ni la depreciación de las empresas ni la competitividad de los chinos.

—Piensas que son afortunados, entonces.

—A su manera, Isabel, a su manera. Tienen muchos hijos, que se encargan de ellos en la vejez. La felicidad no tiene que ver con el saldo en tu cuenta bancaria, mi amor.

—Dudo de que esta gente tenga cuenta bancaria, José Miguel —reclamó ella, y su esposo sacudió desconcertado la cabeza, como si su observación fuese absurda.

14

—Feliz de verte y gracias por las flores —exclamó Alicia, besándola en ambas mejillas. Isabel acababa de estacionar su automóvil bajo un entramado metálico cubierto por una tupida flor de la pluma que prodigaba una sombra violeta.

Bebieron pisco sour y saborearon empanadas de locos junto al ventanal del living, que daba al horizonte despejado. Almorzaron en el comedor, servidas por una silenciosa mujer de delantal blanco, que a Isabel le recordó la empleada de su suegro a quien debería volver a visitar pronto. Fue un almuerzo sencillo: palta con langostinos, de entrada; después, un consomé marinero; de fondo, una corvina grillada con arroz, y de postre, papaya con crema. El café lo tomaron en la terraza.

Alicia le refirió sus gestiones encaminadas a conseguir bailarines para el ballet del Teatro Municipal y los dolores de cabeza que le deparaba un edificio de oficinas que poseía cerca del Palacio de la Moneda. La vio también preocupada de que el país perdiera el crecimiento y la estabilidad de los últimos años. En la época de Allende, Alicia había buscado refugio temporal en España. Solo gradualmente desembocaron en los temas personales.

—¿Cómo te has sentido? —preguntó Alicia bajo el quitasol verde, cuando bebían Drambuie de bajativo—. Por Dios, hemos hablado de política y economía y no de lo que más debiera interesarnos, nosotras mismas...

Le explicó que ya se había resignado a la pérdida de José Miguel y que se iba acostumbrando a esa soledad que le resultaba dolorosa y, algo que quería gritar a los cuatro vientos, injusta. Le dijo que a veces dudaba de la existencia de Dios, porque no podía creer que él fuese tan indiferente. Alicia se quedó mirándola con indulgencia y con las manos enlazadas sobre el vientre. Vestía pantalón blanco y una blusa beige, de punto grueso, y un collar de lapislázuli. A pesar de tener más de ochenta años, se vestía con los colores y las prendas de una mujer joven.

—En la hora final no se trata de justicia o injusticia —afirmó con dulzura—. Me convencí de eso cuando enviudé. Cuando murió mi Jorge Luis me pregunté si era un castigo por una falta mía y si la soledad me la merecía por algo que había cometido. Traté de hallar explicaciones. Con el tiempo me convencí de que la muerte de los seres queridos y de una misma hay que verla de otra manera, preguntándose si una alcanzó a hacer lo que se propuso o si quedaron asuntos pendientes.

—Siempre quedan —repuso Isabel, melancólica—. Yo ni siquiera alcancé a despedirme de José Miguel.

—Deberías leer a Séneca. A los cincuenta años se retiró de Roma y de los negocios, y se fue a vivir a Pompeya. Consideraba que debía prepararse para morir.

—José Miguel era muy joven para eso.

—Y joven era también Jorge Luis —Alicia se puso de pie y se paseó por la terraza jugando con su collar. El Pacífico se retorcía con un rumor ronco y riendas de espuma, desbocándose con desenfado sobre la arena que picoteaban las gaviotas—. Desde niña me ha impresionado que los elefantes sepan cuándo van a morir. Al sentir la proximidad de la muerte caminan kilómetros, acompañados de su manada, y mueren en un sitio escogido. ¿Por qué esa voluntad de morir en ese lugar? ¿Cómo saben que les llegó la hora?

Isabel pensó que tal vez José Miguel había vuelto aquel día temprano a casa, pues presentía su muerte. ¿Pero por qué no la había llamado al campo si tenía esa presunción? Admiró la tranquilidad de espíritu de Alicia. Viuda desde hacía años, su estabilidad emanaba de su convicción de que como el destino lo determinaba Dios, no quedaba sino aceptarlo con modestia y resignación. Es un fatalismo, pensó Isabel, en desacuerdo con su amiga, pero un fatalismo que le permitía enfrentar la vida con optimismo.

Esperó a que Alicia tomara asiento en un sillón con la vista fija en el embaldosado, oyendo el graznido de gaviotas sobre sus cabezas.

—¿Has escuchado a una cantante que se llama Amanda Lear? —le preguntó a Alicia.

—Las nietas de una amiga la celebraban el otro día, pero para mí las cantantes son María Callas, Edith Piaf y Ella Fitzgerald. ¡Qué voces aquellas! ¿Y a qué viene esa pregunta?

—Por nada, Alicia. Creo que es hora de que yo vuelva a casa.

15

¿En qué momento había comenzado José Miguel a engañarla?, se preguntó mientras reposaba con los párpados entornados en el dormitorio de Fray León. La brisa del crepúsculo, después de agitar la hojarasca del jardín, se colaba tibia a través del ventanal abierto. ¿Cuándo había comenzado el desgajamiento del amor y por qué ella no se había percatado de lo que ocurría ante sus narices? De no haber sido por los indicios descubiertos en el convertible y en el dormitorio matrimonial, ella habría muerto con la imagen del José Miguel cariñoso, preocupado de ella y su trabajo, la del buen padre de familia y profesional exitoso, la del hombre del cual ella estaba orgullosa.

La atormentaba esa avalancha de preguntas sin respuesta. Se esfumarían esos decenios de convivencia con José Miguel, ese entrevero de jornadas radiantes y días grises que constituye todo matrimonio. De pronto, todo eso estallaba en mil pedazos y ella se quedaba sola, aislada e impotente, mientras su esposo se marchaba para siempre con otra. Se sentía humillada y estafada. Había vivido junto a un hombre al cual amaba y le había sido fiel, pero que no conocía. ¿Era posible, entonces, convivir por decenios con una persona sin llegar a conocerla? ¿Devenía el matrimonio al final en una gran simulación? ¿Podría ella haber muerto sin haberse enterado jamás de la otra vida que llevaba José Miguel?

Un frío cruel le reptaba entre la piel y los huesos. Cerró la puerta del ventanal y encendió el televisor, pues era la hora de las noticias. Le pidió a Lorenza que le trajese la cena y volvió a recostarse. A ratos tendía a creer que lo mejor sería olvidar los indicios de la infidelidad de José Miguel. Tal vez estaba imaginando cosas que no habían tenido lugar o que eran proyecciones de celos atrasados, frutos de la inestabilidad a la que la había condenado la muerte de su esposo. Quizás le convenía obedecer la sugerencia del doctor Alemparte, sepultar las sospechas y cultivar un recuerdo grato de su esposo. Esa era la vía justa y reconfortante, se dijo, temiendo que fuese tarde para sepultar las sospechas que se retorcían en su alma como huiros en los roquedales.

¿Cómo sería esa otra mujer?, se preguntó, despojándose de los zapatos. ¿Por qué José Miguel la había buscado? ¿Qué le ofrecía ella a él que no ofreciese ella misma? Necesitaba conocerla. Tenía que verla. Encararla. Posiblemente al verla, alcanzaría la respuesta. Tal vez de esa forma podría entender, no justificar, pero al menos entender a José Miguel, y también conocerse mejor a sí misma. Había cometido el error de tantas mujeres engañadas: sentirse plenamente segura del amor del esposo y superior a toda probable contendora. No soportaría que la otra mujer quedase reducida a claroscuro, trazos y silencios. Nada peor que la incertidumbre. Nada peor que un enemigo reducido a una silueta. ¿Había sido una relación permanente o una simple aventurilla? Se estremeció al imaginar que podía tratarse de una pasión prolongada, comprometedora, en la que el amor había echado raíces. ¿Y sería de su edad o más joven? Recordó las palabras de María Jesús: a partir de los cincuenta, los hombres buscan jóvenes para no sentirse viejos.

La voz de Lorenza la arrancó de sus reflexiones. Traía crema de espárragos y, de fondo, filete de corvina al horno con ensalada. Le pidió que dejase la bandeja sobre la cama y aprovechó de pasar al baño para refrescarse. Después tomó algo de vino mirando el inicio de un noticiero. La hostigaban las dudas y deprimían las sospechas. Sentía que nadaba cerca de un remolino que podía arrastrarla al fondo de un océano frío y oscuro. Se moría, sin embargo, por saber a quién pertenecían el casete y las manchas de rouge del papel de aluminio.

La crónica roja de la pantalla atrajo de nuevo su atención. Vio hechos alarmantes: accidentes automovilísticos, tiroteos entre fuerzas de seguridad y subversivos, la fuga de una cárcel, una resolución de condena de la ONU contra el régimen militar. Como decía Pascal, solo en el hogar se estaba a salvo de los peligros y de los enemigos que una tenía sin saberlo, pensó.

Fue en el momento en que se llevaba un trozo de corvina a la boca que vio las imágenes de un trío de asaltantes tomadas por la cámara de seguridad de un banco de Kansas City, en Estados Unidos. Dos hombres y una mujer de jeans y remeras perforaban una pared para llegar a la bóveda. Habían ingresado al banco durante el día, habían esperado ocultos el cierre del establecimiento y luego habían desconectado las alarmas. Ignoraban, sin embargo, que una cámara los grababa.

—Increíble lo malvada que está la gente, señora —comentó Lorenza mirando, con la copa en la mano, la parsimonia con que actuaba la banda.

Cuando la empleada dejó el dormitorio, Isabel cayó en la cuenta de algo mínimo, pero crucial, en lo que hasta ese momento no había reparado.

16

A primera hora del día siguiente se atrevió a hacer algo que no había hecho nunca: ir a la portería donde controlaban el acceso y la seguridad del condominio para conversar con el encargado de turno. Se apellidaba Méndez. Era un tipo esmirriado, de terno color perla, camisa café y corbata azul, que la hizo pasar a una sala estrecha con una ventana que dejaba apreciar el parque y los cuatro edificios del complejo. La invitó a tomar asiento.

—Dígame, ¿por cuánto tiempo guardan los videos de las cámaras de seguridad? —le preguntó Isabel.

El hombre la escrutó acariciándose el bigote recortado.

—Las grabaciones no las archivo yo, señora, sino la compañía de seguridad —explicó Méndez.

—¿Y por cuánto tiempo las conservan? —no había contado con ese detalle. La preocupó que la compañía tal vez borrase las cintas al cabo de unos días.

—Lo ignoro, señora, pero se puede averiguar. ¿Desea que lo haga?

—Me interesa saber lo siguiente: si yo le pido la grabación de un día cualquiera, ¿puede conseguirla?

—Pienso que lo mejor es que usted la pida directamente a la compañía, señora.

—¿Y usted no lo puede hacer?

—No creo que sea legal. Es decir, no es fácil conseguir un video como ese. Usted sabe, esas imágenes son, en cierta forma, vida privada de los vecinos del edificio...

Tal vez José Miguel había tenido razón. Ese ámbito de trabajo, donde reinaba la gente de medio pelo y mirada torva, no era para ella. Ese Méndez le estaba poniendo obstáculos porque la veía como una viuda, como una pobre mujer despojada de la autoridad que en el pasado le confería el marido.

—Méndez, no vine a verlo para que me aleccione sobre los derechos individuales, sino para que me consiga un material. ¿Estoy siendo clara? —dijo irritada, pero le agradó sentir que la voz no le temblaba. No permitiría que se la discriminara por viuda. Méndez debía recordar quién era ella—. Supongo que me va a ayudar.

—No es fácil, señora.

Extrajo un sobre de su cartera y lo colocó sobre la mesa. Por la ventanilla del sobre asomaban unos billetes.

—No necesita pagarme —afirmó Méndez, ruborizado—. Si usted me lo ordena, lo haré, no se preocupe. Haré lo que usted diga. Pero el dinero está de más, en serio, señora.

Isabel dictó los días de los videos que le interesaban y salió de la oficina dejando el sobre en el escritorio y a Méndez con la respuesta en la boca.

17

—¿Si yo le fui infiel alguna vez a mi mujer? —preguntó el anciano agrandando los ojos. Dejó la taza de porcelana sobre la mesa de centro y recobró en el sillón su postura erguida, enfundado en un traje oscuro con corbata roja y prendedor de oro.

—Esa es la pregunta, don Sergio —repuso Isabel y ensayó una sonrisa para ablandar el carácter de su suegro, un otorrinolaringólogo en retiro, octogenario, al que no visitaba desde hacía semanas.

—¿Quieres una confesión de parte para el relevo de alguna prueba? —se acarició la barba sonriendo.

—Digamos que me gustaría saber si fue usted el hombre que yo creo que ha sido —insistió Isabel a sabiendas de que entraba en un terreno incómodo. El médico terminaría pensando que ella se había vuelto loca tras la muerte de José Miguel—. Ya no están su hijo ni su esposa. Soy la única que se puede interesar en algo así. En el fondo deseo saber si usted se enamoró alguna vez de otra mujer después de haber conocido a la señora Maruja.

Don Sergio consultó con parsimonia su reloj de bolsillo, luego carraspeó y volvió a acomodar los codos en los brazos del sillón. Estaban en el living de su departamento de la avenida Américo Vespucio. A través del ventanal se veía la franja de jardines y senderos que separa en dos vías las pistas de la avenida.

—En mi época, las cosas eran diferentes —aclaró el anciano gesticulando con ambas manos—. Un hombre tenía su mujer, su familia, su hogar, y no era mal visto echarse, con discreción y solo muy de vez en cuando, eso sí, sus canitas al aire.

—¿Canitas al aire?

—Es que antes uno no se casaba solo por amor como ahora. La familia presionaba y hasta concertaba matrimonios. Las parejas se conocían en círculos estrechos. Las mujeres se casaban con el único novio que les era permitido tener. No sabían de sexo; el hombre buscaba por afuera los placeres que una dama decente no podía prodigarle...

—¿Por eso tenían amantes?

—Por respeto a sus propias mujeres, podría decir.

—¿Y mi pregunta?

—¿A qué te refieres?

—A que si doña Maruja fue su único amor.

—Fue mi único amor. Indudablemente que fue mi único amor —repuso don Sergio extendiendo los brazos, fastidiado.

—¿Nunca tuvo usted un desliz?

—Pero ¿se te corrieron acaso las tejas, chiquilla? —se tocó el nudo de la corbata y volvió a carraspear—. ¿Cómo puedes preguntarme cosas así? No me faltes el respeto.

—Necesito saberlo. Quiero saber si usted le fue siempre fiel a doña Maruja. ¿Es tan difícil contestarlo?

Don Sergio tocó la campanilla y no tardó en aparecer la criada con delantal blanco y chaleco, una combinación que doña Maruja jamás habría autorizado en su hogar, desde luego, por ordinaria. Pero la buena de Emilia llevaba más de veinte años trabajando y viviendo en esa casa y era ya parte del inventario, como afirmaban en la familia. Don Sergio esperó a que la mujer retirara los platillos con tostadas, palta y queso fresco, y continuó:

—Siempre le fui fiel a mi mujer. De eso puedes estar segura.

—¿Siempre?

—¿Por qué insistes? —devolvió la mirada molesto—. ¿Crees que a mi edad y con mi enfermedad podría hacer una confesión desvergonzada? Eso no tendría sentido, chiquilla, porque Maruja murió sabiendo que siempre le fui fiel. ¿Por qué tendría que variar mi versión?

—Se lo pregunto porque José Miguel me fue infiel.

—¿Cómo dices?

—Como lo escucha. Me fue infiel.

Don Sergio quedó atónito. Al rato soltó un suspiro y cruzó las manos sobre su chaqueta abotonada.

—¿Lo sabes o lo supones? —gruñó enarcando sus pobladas cejas.

—Lo sé.

Sacudió la cabeza sin alzar los ojos. Tenía las pestañas largas y los párpados grandes e hinchados, los mismos ojos que había heredado José Miguel. Si su esposo hubiese llegado a los ochenta, habría terminado siendo la estampa viva de don Sergio, calculó Isabel. La agobiaba ahora acusar a José Miguel ante su padre sin enarbolar pruebas contundentes. En el fondo era una crueldad que perjudicaría la deteriorada salud de don Sergio, pero ya no estaba dispuesta a cargar sola con esa cruz; es más, sentía que ahora era incluso capaz de causar daño a otros.

—¿Lo sabe Nicolás? —preguntó don Sergio.

—Solo yo lo sé. ¿No basta para que sea terrible?

—Lo digo porque está lejos y estudiando, pero tienes razón, es terrible de por sí. ¿Lo sabe alguien más?

—Bueno, yo y... la otra.

—¿La otra mujer?

Isabel asintió con la cabeza.

—¿La conozco? —preguntó el anciano.

—No sé. Tampoco yo sé si la conozco.

—No te entiendo.

—Solo dispongo de indicios, no del nombre ni del rostro de la amante —precisó Isabel, trémula.

El anciano guardó silencio mirando hacia un punto indefinido detrás de Isabel. Luego alzó la cabeza y dijo:

—Si quieres una recomendación, no sigas escarbando. Si se trata solo de una sospecha, olvídalo mejor. Solo te perjudicará y no cambiará para nada las cosas.

—Las cosas sí cambiarán si descubro la verdad, don Sergio. Aunque José Miguel haya muerto —se escuchó decir, aunque no estaba segura de que fuese ella quien hablaba, pensó, alarmada por su determinación y por su repentina convicción de que podría vengarse.

—¿Quieres ver a una mujer que aún no sabes si existe? ¿Quieres enrostrarle la aventura que supuestamente tuvo con un hombre que ya no le pertenece a nadie?

—José Miguel fue mi esposo, don Sergio.

—Nadie discute eso ni que tú ganaste al final, Isabel, de eso no hay duda. Te quedas con todo lo que le corresponde a la esposa. La otra nunca dejará de ser lo que fue, una anónima amante en la sombra, carente de derechos. Está más muerta que nadie. Y mi hijo vivirá a través del recuerdo que tú, Nicolás y yo cultivemos de él. No sigas. No ensucies ese recuerdo. Cuando se empieza a escarbar como lo estás haciendo tú, puede pasar cualquier cosa.

—Me da lo mismo, don Sergio. Pero la mujer que se burló de mí no va a pasearse tan campante por la ciudad como si nada. Al menos sabrá que yo me enteré de todo.

—¿Para qué?

—Para que no viva tranquila. Me ha causado demasiado dolor. Merece al menos sufrir como yo.

—La venganza no conduce a ninguna parte —comentó don Sergio, compungido, y volvió a consultar su reloj de cadena—. Todos los hombres tienen en algún momento un desliz. Es un desliz, nada más. No afecta el matrimonio, ni el amor por los hijos, ni la solidez del hogar ni la memoria de la familia. Olvida tus sospechas y disfruta la vida, mejor, Isabel. Puedes estar orgullosa de lo que fue tu matrimonio. A menudo el olvido y el perdón son preferibles. Tienes muchas razones para ser feliz y sentirte orgullosa. Además, no te falta nada, los tiempos han cambiado y nadie espera que seas una viuda eterna. Menos yo, Isabel.

18

Mientras el chofer de don Sergio la regresaba al departamento de Fray León, Isabel comenzó a arrepentirse de su actuar ante el suegro. Había culpado de infidelidad a José Miguel sin tener evidencias irrefutables y nada menos que ante el propio padre, afectado por un Alzheimer incipiente, herido por la reciente muerte del hijo. Jamás podría olvidar el rostro desasosegado ni las manos temblorosas de don Sergio al despedirla en la puerta del departamento de Américo Vespucio. ¿Con qué pruebas había acusado a su ex esposo?, se preguntó hundida en el asiento trasero del antiguo Mercedes Benz. Por fortuna, don Sergio había tenido la delicadeza de no exigirlas. Habría tenido que enseñarle el envoltorio del chicle y el casete de Amanda Lear, algo ridículo.

Detrás de los vidrios, la ciudad era un escenario de cartón piedra. El río de autos cruzaba raudo a lo largo de tiendas con sus cortinas metálicas recién bajadas, junto a paraderos de buses donde se arremolinaba la gente, cerca de soldados que ya montaban guardia. Sintió que el chofer, que conducía en silencio, la espiaba de vez en cuando a través del retrovisor, lo que indicaba que los empleados de don Sergio habían escuchado la conversación detrás de la puerta. En el fondo, la servidumbre era un nido de espías, solía afirmar su esposo.

Pero tal vez estaba equivocada, pensó. Desde la muerte de José Miguel había experimentado un cambio en su personalidad que podía atribuirlo a los celos y a las sospechas que la atormentaban. Su desconfianza le causaba un dolor adicional, diferente al que sentía por la pérdida del esposo. Era una mezcla de resentimiento, decepción y venganza, un deseo irreprimible por hacerse justicia con sus propias manos. Recordó la escultura de Ernst Barlach llamada *La Venganza*, que había visto en Alemania oriental durante una gira a Europa del este. Representaba a una mujer, o tal vez a un hombre, no lo recordaba bien, que corría contra el viento enarbolando un sable sobre la cabeza. La sed de venganza y el ansia por decapitar al culpable estaban esculpidas en su rostro. Se dijo que nunca antes había entendido mejor esa obra de arte.

Haber acusado a José Miguel ante su padre, en ese living que exhibía una magnífica colección de pintura nacional decimonónica y muebles coloniales, había sido de alguna manera crueldad, pero también la gran venganza contra el esposo infiel, pensó. Sin embargo, aún no reinaba la paz en su alma. Por el contrario, seguía sintiendo desasosiego y ahora estaba convencida de que el próximo golpe debía asestarlo contra la amante. Reconoció que el asedio al anciano le había procurado cierto placer, puesto que él era el padre de José Miguel y por sus venas corría la misma sangre que la había traicionado. Si su esposo había escapado del castigo, su padre no lo lograría. Al viejo también le correspondía su dosis de responsabilidad en ese sufrimiento que ella experimentaba y que no podía expresar a los cuatro vientos por miedo al qué dirán de sus amistades.

Tal vez exageraba con todo eso, se dijo después de agradecer al chofer el viaje y entrar al jardín del conjunto de edificios. No vio a Méndez ni tampoco preguntó por él. No convenía despertar suspicacias entre los empleados. Quizás exageraba, se repitió, y los indicios que había hallado por casualidad y consideraba pruebas irrefutables de la deslealtad de José Miguel significaban poca cosa. Posiblemente, un amigo le había regalado el casete de Amanda Lear y a lo mejor el chicle pertenecía a alguna pasajera llevada por el chofer. ¿Por qué no? ¿Por qué esos objetos tenían que inculpar necesariamente a José Miguel? Mientras pensaba en esas posibilidades y cruzaba el sendero que conducía a su edificio, sintió que la espiaban desde un balcón. Debían ser los vecinos al tanto de la vida secreta de José Miguel. Detuvo la marcha y giró sobre sus talones y paseó la vista sin disimulo por los balcones, pero no vio a nadie en ellos.

Cuatro meses después de la muerte de José Miguel se sentía extenuada y desamparada; hasta su desgana al caminar revelaba las circunstancias por las que atravesaba. Había dejado de cumplir sus diligencias, pensó. No había devuelto los llamados telefónicos de María Jesús, que deseaba seguramente invitarla a la costa, ni había llamado a su hijo a Estados Unidos. Fray León estaba en manos de Lorenza, y Valparaíso en las de María. Pensaba en eso cuando tropezó con una baldosa suelta, que la hizo trastabillar y perder un zapato. Habría caído de bruces de no haber logrado aferrarse a un banco. No le quedó más que agacharse a recoger el zapato, consciente de la pérdida de la compostura, intuyendo que algún vecino la espiaba desde los departamentos.

Una sospecha la irritó: ¿y si la supuesta infidelidad de José Miguel era real y ampliamente conocida, y ella había sido la última en enterarse de la verdad? ¿Y si todos los vecinos conocían la historia y la compadecían como a una pobre mujer que ignoraba su tragedia? Las piernas se le aguadaron y tuvo que sentarse en el banco a calzarse el zapato. Supo que el hollín adherido a la madera le ensuciaría el traje.

Solo eso explicaba por qué sus amigas y familiares la llamaban tanto por teléfono y la invitaban a tomar once o a almorzar, solo eso explicaba por qué don Sergio había tolerado su falta de respeto. Por fin entendía que los cuidados, las llamadas y las atenciones de quienes la rodeaban, incluso las llamadas de su hijo desde Estados Unidos, se debían a eso, a que todos sabían que era la esposa engañada que nunca había sospechado del esposo ahora muerto.

Estaba por ponerse de pie cuando un gato negro se sentó cerca de ella y soltó unos maullidos retorciendo la cola. La escrutó unos instantes y luego desapareció entre la vegetación de los jardines.

19

Despertó con una sensación de urgencia esa mañana fresca de Valparaíso en que se reuniría con Méndez. Días antes, el portero de Fray León le había anunciado que llegaría a la ciudad trayendo los videos encargados. Los había conseguido mediante el pago de una coima en la empresa que brindaba la seguridad al conjunto de edificios.

Tras contemplar el Pacífico por sobre las copas de los árboles del jardín, Isabel entró a la ducha, donde se enjabonó con una crema fragante a yerbas, y dejó fluir el agua sobre su cuerpo. Se descubrió extrañando las manos de José Miguel cuando acariciaban su cabellera. Él había sido un amante imaginativo, sabio y generoso, recordó, y por un instante le dolió pensar que también lo habría sido con otras mujeres. La mortificó pensar que las armas del amor pudiesen ser al mismo tiempo las armas de la traición, y se preguntó cómo era posible que esas manos de dedos hábiles y suaves hubiesen recorrido otros cuerpos sin que huella alguna lo delatara. Mientras la lluvia de la ducha se derramaba tibia y reconfortante hasta sus pies, de afuera llegaba el graznido pausado de las gaviotas.

Desayunó el jugo de naranja y las tostadas con mantequilla que le había preparado la empleada, y salió a pasear. Con Méndez se encontraría a las 12.30 en el Café Riquet de la Plaza Aníbal Pinto, un establecimiento tradicional, que a ella le agradaba por el respetuoso trato que brindaban sus mozos vestidos de chaqueta blanca y por la calidad de su pastelería alemana. Se sentía extenuada a causa de las horas que pasaba en las noches dando vueltas en la cama, escuchando el eco de las grúas del espigón, víctima del insomnio que la atormentaba. No había tardado en darse cuenta de que era poco lo que sabía de Valparaíso, de sus gentes y los cerros, y poco también lo que sabía del resto del país, porque los nexos con la realidad extrafamiliar los monopolizaba José Miguel.

Su educación en colegio privado, su residencia en un barrio exclusivo, el college norteamericano y los círculos que frecuentaba la habían ido aislando desde la infancia del país que habitaba. Después el matrimonio, así como la amistad con otras parejas de biografías semejantes, la había distanciado definitivamente de la realidad nacional. Si hasta hace poco creía ser una chilena más, aunque privilegiada, ahora sospechaba que de chilena tenía poco, que su experiencia se reducía a ver el país desde la perspectiva de una elite. La incomodó aquel descubrimiento, que emanaba en verdad de su condición de viuda, de su soledad, de la obligación de remar ahora entre problemas que no importaban a los demás.

Decidió bajar al centro de Valparaíso. Cuando iba por la calle Almirante Montt, sintió que los zapatos de taco medio, comprados en Milán, no eran los apropiados para recorrer esa ciudad de geografía caótica, escaleras sin barandas y veredas inclinadas, y entendió que su vestimenta —la blusa de lino y la falda compradas en una boutique capitalina— subrayaba su aspecto forastero y atraía miradas. Su fina cartera de cuero italiano y su cabellera larga y bien cuidada también llamaban la atención de la gente apostada en las ventanas de casas de muros descascarados o en las esquinas en que dormitaban los perros.

A la altura de la Iglesia anglicana torció hacia el Pasaje Gervasoni y bajó en funicular a la calle Prat, donde la recibió un escándalo de bocinazos y el paso agitado de la gente. Fue en las inmediaciones de la Plaza de los Héroes que notó un curioso letrero de plástico que anunciaba una peluquería instalada en el segundo piso. Era un letrero que conjugaba una caricatura de Mafalda, de Quino, con otra de Pluto, de Walt Disney. Guiada por la curiosidad, subió los peldaños de madera del edificio escuchando una canción de Demis Roussos, y arriba encontró un cuarto con un sillón ante un espejo, enmarcado por una hilera de ampolletas encendidas. Una mujer de delantal, que barría con una escoba, la invitó a tomar asiento. Isabel se sentó y cerró los ojos.

Cuarenta minutos más tarde retornó a la calle convertida en otra. Ahora llevaba el pelo corto como Rita Pavone, y si bien había pedido que se lo lavaran, se había opuesto a que se lo tiñesen. Estaba cansada de simulacros. A partir de esa mañana no ocultaría más sus canas. No tenía de qué avergonzarse. No se sentía obligada a fingir una edad que no tenía. Y la peluquera, intuyendo que ella huía de sí misma y su propia imagen, y anhelaba ser otra mujer, fue derribando la melena sin dejar de tararear las canciones de la radio. Nada quedó, al cabo de un rato, de la larga cabellera que deleitaba a José Miguel y que ella cultivaba con esmero para complacerlo. Sintió tristeza al contemplarse por primera vez en el espejo sin su melena, pero no tardó en convencerse de que estaba haciendo lo que correspondía, que en alguna medida empezaba a liberarse de la influencia de José Miguel y a internarse en un lago que la acogía en sus aguas cálidas y transparentes.

Varias cuadras más allá, cerca de la Plaza Echaurren, cuya fuente refulgía bajo el sol que achicharraba a los jubilados que arrojaban pan a las palomas, Isabel entró a un bazar y compró zapatillas de tenis, un vaquero chino y una blusa de seda, y se vistió de inmediato con esas prendas. Al verse en el espejo del local, sintió que ahora se mimetizaba con las artesanas alternativas de la ciudad, con esas mujeres rebeldes e independientes que incluso a través de la indumentaria expresaban su rechazo al régimen militar. Pensó que los demás no la verían ya como una forastera, sino como una mujer más de Valparaíso, como alguien que pertenecía a sus cerros, su historia y sus conversaciones. La azoró después, mientras caminaba por el centro, vislumbrar en las vidrieras el reflejo de una mujer que ignoraba que llevaba dentro, y que la atraía y atemorizaba a la vez. Intuyó que por fin había alcanzado la otra ribera de su propia identidad.

A las 12.45 en punto entró al Café Riquet, donde Méndez la esperaba fumando en una mesa que daba a la Plaza Aníbal Pinto.

20

Un viaje al sur del mundo justificado por una investigación literaria me permitiría al menos volver a mi ciudad natal y resolver los problemas legales que enfrentaba la casa de mi infancia. Según Hugo, mi abogado, urgía vender esa propiedad de mis padres fallecidos, ahora abandonada, a la que vándalos habían arrancado puertas y ventanas, las tinas de baño y los lavamanos, sin respetar ni siquiera las cañerías de cobre, las tablas del piso ni los medidores del agua o la luz. Como si eso no bastase, agregaba Hugo, por las noches el lumpen celebraba allí orgías de alcohol y drogas, y Carabineros no intervenía, pues en el país, como en el resto del continente, los delincuentes se paseaban libres por las calles mientras la gente honesta se refugiaba detrás de rejas y muros.

–Vende antes que surjan más problemas –me advertía preocupado mi amigo al teléfono después de referirme pormenores cada vez más deprimentes sobre la delincuencia que azotaba las ciudades. Bandas armadas y drogadas tomaban de rehenes a moradores en sus viviendas, golpeaban al jefe de hogar, abusaban de la mujer y las hijas, amenazaban con secuestrar a los niños y luego se daban a la fuga cargando con computadores, iPods, dinero y juegos electrónicos–. No vaya a ser que se produzca allí un crimen y te hagan responsable a ti después.

Es fácil vender una propiedad, pero no aquella en la que creciste, porque esa casa es, en el fondo, la patria, una implacable enredadera de recuerdos y sentimientos que te aprisiona de por vida, pensaba yo en mi estudio berlinés mientras contemplaba el edificio de bomberos, que se alzaba enfrente. Su fachada de ladrillo deslavado, con impactos de proyectiles de la Segunda Guerra Mundial, me recordaba la época del Muro, cuando la Oderberger Strasse era una calle lúgubre, triste y desolada, que yo recorrí a menudo sin imaginar el rutilante futuro que le aguardaba. Ahora la vida palpitaba despreocupada en sus cafés, tiendas y restaurantes, como si la libertad –y también la inseguridad social– hubiese dispersado la inopia de antaño. En verdad, me agobiaba la perspectiva de desprenderme de la vivienda de mampostería y tejas españolas, construida frente al Pacífico, donde yo había levantado en mi niñez castillos desde los cuales repelía los ataques de corsarios de un Caribe que yo jamás había visto. La casa, parecida a la de Anthony Perkins en la película *Psycho*, estaba rodeada de casuarinas y laureles, y por la noche cargaba sobre su tejado el enjambre de luces de los cerros porteños. Me atormentaba en verdad la perspectiva de clausurar, mediante el intercambio de cheques y escrituras, la etapa más radiante y dichosa de mi vida, de borrar de una plumada el escenario al que se aferraban mis recuerdos de niño, de ese niño que solía asomarse solo por las noches a auscultar la inmensidad del Pacífico, atraído por el misterio que encerraba esa inmensidad y que mi abuelo, un marino de origen normando, me había revelado en parte antes de fallecer. Yo sabía que si destruía aquel último puente material hacia la tierra donde había nacido, nunca más regresaría a vivir en ella, lo que me condenaría a flotar por siempre en la triste noche de los desarraigados del planeta.

Me preparé un café pensando en la decepción de Isabel y en la trágica muerte de su esposo, y también en los años que viví en el Berlín Oriental de Erich Honecker, etapa en que jamás escuché de la existencia del particular edificio que albergó el manuscrito de Benjamín Plá. Admití con tristeza además que ya no tenía conocidos en esa ciudad y que no podía recurrir a nadie de confianza para auscultar esa historia. El tiempo se encargaba de pasar de cuando en cuando una inmensa esponja húmeda sobre esa pizarra que es la memoria colectiva, borrando todo lo escrito con tiza, disipando letras, rayas y puntos, incluso las huellas más insignificantes, legando una superficie limpia y virgen para que nuevos signos fuesen cifrados allí, signos que también ignoraban su propia fugacidad.

Mientras bebía el café frente a mi ventana y la Oderberger Strasse se iba atochando de vehículos, me pregunté qué edad tendría Benjamín Plá al momento de redactar *La otra mujer*, si habría vuelto a reunirse con C. y si en algún momento habrá anhelado regresar a Berlín para recuperar el manuscrito. A juzgar por su estilo y las descripciones que hace, me imagino que entonces era un hombre de cincuenta años, culto, interesante y, al parecer, aún interesado en aventuras amorosas. No escribe como un Paul Auster o un Russell Banks, pero a mí al menos su historia me atrapa con el despliegue de personajes convincentes, su trama sugestiva y escenarios identificables. Me seguía intrigando, sin embargo, el hecho de que pese a su indudable talento, Plá no hubiese publicado nada en todas estas décadas. ¿Habría regresado definitivamente a los veranos ardientes e inviernos benignos de su país, a su espíritu insular y sus terremotos, o habría encallado, al igual que yo, en el norte, donde el orden, la eficiencia y la rutina difuminan lenta pero inexorablemente los recuerdos de la tierra natal?

Al día siguiente llamé a primera hora a la administración de Brilliant Appartments, la empresa que me alquilaba el estudio, y llegué sin problemas a un arreglo con el señor Simon Wirth para terminar anticipadamente el contrato. Me bastó con decirle que mi mujer había enfermado y yo debía regresar cuanto antes a casa para que él diese luz verde a mi partida.

Un taxi me recogió en la Oderberger Strasse y me llevó raudo al aeropuerto de Tegel, desde donde despegué con rumbo a Nueva York.

21

–No creo que sea fácil conseguir más fondos para ese viaje –exclamó Tom Sterne, apartando su rostro pálido y cansado de la pantalla del computador–. La situación financiera de la universidad es compleja, ya sabes.

Me miraba a través de sus gruesos anteojos y por encima de su escritorio atestado de documentos y libros mientras Frankie Miller entonaba "Angels with Dirty Faces" desde un iPod adosado a unos parlantes. Más allá de las persianas en posición horizontal, las veredas de la avenida Amsterdam de Manhattan languidecían desiertas bajo una capa de nieve. Para la medianoche habían pronosticado otra nevada.

–Tengo que ir lo antes posible, lo que encarece los pasajes, y necesito pasarme un tiempo en Valparaíso para consultar el archivo de la Biblioteca Severín –respondí.

–Debiste haber reservado antes el pasaje.

–¿Tú crees que yo sabía desde hace mucho lo del manuscrito? Necesito ir ahora mismo.

–A mí lo que me parece es que quieres escapar de este detestable invierno e irte a vacacionar al sur del mundo para disfrutar las buenas playas y la buena comida, y ver a las chicas en trajes de baño –repuso Tom sonriendo y se afincó los anteojos. Tenía ojos celestes y un pelo lacio que le caía sobre la frente sudorosa–. En verdad, te envidio.

–Que es verano allá y hay playas, no te lo discuto –concedí–. Pero el objetivo primordial es avanzar en la investigación del manuscrito de Berlín y redactar un ensayo sobre la poesía de Jorge Teillier, ese gran poeta casi desconocido aquí. Vamos, te juro que lo coloco este otoño en alguna revista académica. Yo conocí a Teillier y puedo agregar un tono personal al ensayo...

—Lo mismo me prometiste el año pasado y hasta ahora no he visto nada.

—Ahora sí va en serio, Tom. Es injusto que en Estados Unidos apenas lo conozcan. Solo se habla de Neruda, Mistral, Nicanor Parra y Gonzalo Rojas.

—En todo caso, tú ya sabes: si no publicas pronto un libro, no conseguirás la permanencia aquí y tendrás que ir a tocar puertas a otra parte. El contrato te da seis años de plazo y te queda el último. Lo sabes mejor que yo. Necesitas un libro de ensayo o teoría literaria, o una novela.

—Solo si tú me das una mano, aprobarán mi solicitud. El artículo sobre Teillier me permitirá avanzar con un volumen de ensayos, y la investigación del manuscrito me puede llevar a otro ensayo. Con dos ensayos más, tendría el libro armado...

—Los de arriba solo piensan en cómo recortarnos los fondos y tú dale ahora con un manuscrito, en el que francamente no confío mucho. Vamos mejor a conversar al Dead Poet.

Es un bar de la Amsterdam, entre la w 81 y w 82. Los parroquianos castigan allí el humo de cigarrillos con bastones de pool y la música de los setenta le parte a uno los oídos. En los últimos años se convirtió en el refugio predilecto de estudiantes de los talleres literarios que prosperan en la ciudad como hongos después de la lluvia, de escritores bohemios de paso por Manhattan y de profesores de literatura y ciencias sociales, en su mayoría tipos de melena, barba y chaquetas con hombreras, que combinan el arte de beber cerveza oscura con el de deliberar sobre Walter Benjamin, Michael Chabon y Roberto Bolaño.

Tom Sterne, un trotskista respetado entre los expertos en cultura española post Franco, vivía en verdad abocado a los problemas del departamento y a sus colegas, quienes a menudo desembarcaban en su oficina con culebrones. Mientras caminábamos al Dead Poet oliendo la nueva tormenta que se aproximaba, me pareció irreal estar conversando en Manhattan acerca de una casa en ruinas, de balcones y ventanales que miran al Pacífico, de un *tenure* al que yo aspiraba para sepultarme en vida en el norte y de un manuscrito hallado en un edificio de Berlín Oriental. En el bar nos azotó el olor a tabaco, sudor y cebada, entreverado con la voz melancólica de Jack Johnson. Nos sentamos frente a unas muchachas que jugaban al billar junto a la pared de ladrillos y a unos tipos borrachos que arrojaban dardos con magistral puntería.

—Prefiero que seas honesto, que el horno no está para bollos —me advirtió Tom después de que una dependiente con argollas en las cejas nos trajese las jarras de Guinness. Las luces del bar proyectaban un resplandor rojizo sobre los vehículos que pasaban por la Amsterdam—. Si pretendes viajar al sur sólo para resolver lo de la casa de tu infancia, no puedo apoyarte, aunque sea algo noble y comprensible.

—En verdad, se trata de matar dos pájaros de un tiro: resuelvo lo académico y de paso lo personal. Nadie del departamento lo notará.

Hablamos un rato sobre el tema y después Tom se despachó, entre sorbo y sorbo, un discurso sobre la importancia de saber manejar la diferencia entre apariencia y realidad. Más que realidades indubitables, los burócratas esperan apariencias convincentes, más que razones bien fundamentadas; los colegas esperan pretextos hábilmente hilvanados. Si yo no había entendido eso, no había entendido nada de la lógica académica.

—Si vas a matar dos pájaros de un tiro —concluyó—, tú verás cómo justificas lo que yo voy a aprobar: un viaje para buscar al personaje de un manuscrito inédito y para desempolvar poemas de Jorge Teillier en la biblioteca Tribilín, de Valparaíso.

—Severín. No Tribilín, Tom.

—Para el caso da lo mismo. Lo importante es que empaques tu viaje con el mejor papel de regalo, lo presentes y arroje algunos resultados.

Lo demás le interesa un bledo a todo el mundo. Aprobaré tu petición, pero recuerda que desde las sombras habrá ojos escrutándote con lupa. Que tengas un buen viaje —dijo alzando un nuevo vaso de cerveza, coronado de espuma—. ¿Hay algo más que me estás ocultando?

22

A la mañana siguiente salí de mi vivienda de Brooklyn, tomé el metro en dirección a Manhattan y me bajé en las inmediaciones de la W 90. La noche anterior había regresado tarde a casa, con demasiado alcohol en el cuerpo y los pies entumidos de tanto andar sobre la nieve con zapatos de suelas delgadas. Como Cecilia dormía y yo no tenía sueño, puse suave un disco de Paul Robeson y comencé a empacar. Eran las tres de la mañana en la costa este, pero las nueve de la mañana en Alemania, y el *jet lag* me estaba pasando la cuenta. Me preparé un café y al rato busqué infructuosamente, mediante Google, referencias sobre Benjamín Plá. Después dormí un rato.

Ahora, mientras caminaba por Broadway en dirección al norte, admito que la conversación de la noche anterior con Tom me inoculó una dosis de tranquilidad, pero también de impaciencia. Por un lado, me tranquilizaba la perspectiva de viajar al sur del mundo con el fin de aclarar asuntos personales y académicos, pero, por otro, me irritaban los trámites burocráticos necesarios para subir a un avión. A la altura de la W 96 entré al café-librería Oasis, donde suelo encontrar libros usados a buen precio, y Joshua, su dueño, prepara falafels y un plato magnífico llamado "Las Delicias del Sultán".

Joshua era un vegetariano e hippie sobreviviente del movimiento estudiantil de 1968, convertido en un eremita irrecuperable. Había estado en Woodstock, había desertado de Vietnam y escapado a Canadá, y ahora vivía en un cuartucho en el Village, y atendía ese local, donde dormía a veces debajo del mesón. Llevaba su cabellera blanca amarrada en cola de caballo, vestía siempre un chaleco negro corto sin mangas y olía a sándalo. Lo frustraba que jóvenes de ahora solo piensen en el consumo material y sus carreras, y carezcan de espíritu político. Afirmaba que el sistema los había cooptado y que, por lo tanto, veía canceladas las posibilidades de un cambio profundo de Estados Unidos en el futuro inmediato. Los norteamericanos volverían a tener conciencia de sí mismos solo una vez que se hubiesen convertido en una potencia de segundo orden, añadía, una vez que Estados Unidos fuese como Inglaterra. Al menos vender libros viejos, discos de vinilo y comida del Medio Oriente le permitía un pasar modesto, que se circunscribía a leer, escuchar música y contemplar con absoluto desprecio a la muchedumbre, para él simples esclavos modernos, que repartía codazos por llegar a tiempo a sus trabajos.

—¿Has escuchado alguna vez de Benjamín Plá? —le pregunté a quemarropa.

Habría que agregar que Joshua escuchaba "Penny Lane", en la versión de The Beatles, mientras incorporaba nuevos títulos en su página web.

—¿Escritor catalán? —preguntó sin inmutarse en su silla giratoria.

—Sudamericano. Al parecer vivió en el exilio alemán oriental en los años setenta.

—¿Y tú no acabas de estar en Berlín, acaso? —barruntó rascándose bajo una axila.

—Sí, pero no encontré nada sobre él.

—¿Y no viviste allá en tu época estalinista? —soltó con desparpajo un eructo.

—Eso fue cuando yo era un estudiante, Josh. Yo era un imberbe, solo pensaba en chicas y música disco.

—Una vez estalinista, para siempre estalinista. ¿Qué ha publicado Benjamín Plá?

Le di el título del manuscrito, y Joshua buscó en lo que presumo que era un archivo exclusivo para libreros.

—Bajo ese título no me aparece nada —concluyó al rato.

—¿Y bajo su nombre?

Tecleó un par de veces, paseó afanoso la lengua por su dentadura superior, y dijo:

—Nadie.

—¿Y eso qué significa?

—Que tal vez no es escritor.

Salí de la librería descorazonado, tomé el metro y pasé a la biblioteca central de la universidad a consultar a una especialista en textos de América Latina. No había nadie en el mundo que superara a Marsha en esa materia. Si no lo sabía ella, no lo sabía nadie. Cuando llegué a su despacho, ella ordenaba una partida de textos a un librero del Paraguay a través de Internet. Esperé. Su oficina tiene una ubicación estratégica porque su ventana da hacia la plaza central del campus, que seguía cubierta de nieve.

—No hay nada de él —me dijo al cabo de una silenciosa consulta en la pantalla—. Pero sí aparece su nombre en nuestros archivos.

—¿Cómo?

—Aparece como peticionario para visitar la colección especial de la biblioteca Butler. Elevó la solicitud el 18 de septiembre de 1981, y obtuvo el permiso una semana después.

—¿Qué significa eso?

—Que estaba interesado en examinar algún manuscrito antiguo, importante, que siguió el procedimiento de rigor para solicitarlo y que cumplió su propósito.

—¿Qué libro pidió?

Marsha leyó varias veces la información que tenía en su pantalla y, manteniendo un tono objetivo y los ojos muy abiertos, dijo:

—Pidió ver unos fragmentos de *La Odisea* y *La Ilíada*, del siglo noveno... antes de nuestra era.

Me quedé de una pieza. No supe qué decir. ¿Homero, ese personaje ciego que uno no sabía ya si era uno o muchos, o si era un historiador o un falsificador de la historia? Marsha me seguía mirando, imperturbable, como si Benjamín Plá hubiese solicitado ver, más de treinta años atrás, una edición de bolsillo de *El viejo y el mar*.

—¿Qué dirección dio? ¿Era estudiante?

—No era estudiante. Me aparece un hotel. El Ambassador. Nada lejos de aquí. Hoy no es una de las mejores direcciones de Manhattan, precisamente...

—¿Podrías apuntarme esos datos?

—Creo que no es delito si lo hago. ¿Dónde vive ese señor ahora?

Le dije que lo ignoraba y que suponía que era de esos escritores que aparecen y desaparecen del firmamento literario como luciérnagas, sin dejar huellas. O que tal vez pertenecía al astuto grupo de quienes posan como escritores sin haber publicado jamás un libro en su vida. ¿Habría estado Benjamín Plá en Manhattan para investigar en la biblioteca un texto de la Antigüedad, o para asistir a un taller literario o simplemente para divertirse mientras se hallaba en ruta hacia Berlín, donde se reuniría con C.? Una cosa me quedó clara: hace decenios, Benjamín Plá había esperado en ese barrio la autorización para acceder a la sección de colecciones especiales de la Universidad de Columbia, un procedimiento largo y tedioso para quienes no pertenecen a la institución. Me despedí de Marsha con los datos en la mano y cogí el elevador.

Desembarqué en la nave del cuarto piso. Me encanta recorrer esos espacios demarcados por muebles altos, atiborrados de textos que uno puede hojear a su antojo, sin que a nadie le importe qué estás haciendo. Pocas cosas me resultan más placenteras que vagar entre toneladas de libros en diversos idiomas que, por el solo hecho de que uno los abra en cualquier página, comienzan a narrar historias concebidas en los rincones más insospechados del planeta. Allí se almacenan desde valiosas primeras ediciones hasta manuscritos de escritores y poetas de distinto grado de éxito y pedigrí. Pero entre esos textos no había nada de Benjamín Plá.

Bajé después a la sección de colecciones especiales, que se halla detrás de una pared de vidrio, y pregunté por Segismund, su jefe. Quería pedirle detalles sobre la visita de Benjamín Plá a la biblioteca, aunque me parecía inverosímil que guardasen allí más detalles al respecto. Como el librero estaba enfermo, volví al metro.

A lo mejor Benjamín Plá murió antes de entregar el manuscrito a una editorial, me dije mientras el vagón traqueteaba, atiborrado de pasajeros que viajaban dormitando o con la vista fija en las ventanillas. Se me vino a la memoria la primera esposa de Ernest Hemingway. ¿No había extraviado ella en un tren europeo los manuscritos que Hemingway le había encargado? ¿No le habría ocurrido algo por el estilo a la mujer cuyo nombre comenzaba con C? ¿No habría perdido ella el manuscrito que yo tenía ahora en mi poder?

Regresé cansado a Brooklyn. Cecilia no estaba en el departamento. Después de caminar todo el día por las calles de Manhattan cubiertas de nieve sucia, me hallaba de nuevo en casa con las manos vacías. Cuando fui a la cocina a prepararme un café, encontré en la mesa un mensaje escrito a mano por mi mujer. Anunciaba que Tom Sterne había llamado avisando que el departamento de finanzas aprobaba mis fondos para hacer el viaje al sur del mundo.

23

—Aquí está lo que usted me pidió, señora —comentó Méndez, indicando con un movimiento de cabeza hacia las bolsas plásticas sobre una silla. Fumaba frente a una cerveza y la ventana que se abre a la fuente de Neptuno de la Plaza Aníbal Pinto.

Isabel pidió una taza de té a un mozo de chaqueta blanca, anteojos de marco metálico y barbita de chivo, y pensó que allí los mozos parecían académicos próximos al retiro. Se dijo después que no solo ella, sino también Méndez, no era la misma persona. Ahora, en mangas de camisa y pantalón de casimir, con un lápiz en su bolsillo superior, desentonaba en el ambiente del Riquet.

—¿Le debo algo más? —preguntó Isabel.

—Solo lo que tuve que pagarle a la empresa.

Isabel llenó un cheque y se lo entregó. Méndez lo examinó de reojo con el cigarrillo en una mano y lo guardó en el bolsillo trasero del pantalón mientras ella contaba las cintas.

—Disculpe, señora —dijo él—. Pero se ve rara con el pelo corto.

—¿Cómo rara? —al llevarse una mano a la cabeza, extrañó su cabellera de antes.

—No es la misma señora Isabel del edificio —agregó él, mirándola a través del humo.

—¿Está seguro que solo le debo eso? —prefirió volver al tema.

—Así es. En todo caso, se ve más joven y atractiva —comentó Méndez antes de alzar la cerveza, y bebió consciente de que acababa de violar un deslinde en la relación entre ambos.

Isabel se miró los pies y le pareció patético estar calzando zapatillas chinas de dudosa calidad. Ya no era, por cierto, la respetada e inalcanzable dama que ese hombre conocía. Supuso que al enviudar y mudar de aspecto había caído de la jerarquía social del país. Pero al escudriñar a Méndez constató algo más, que él pertenecía a un mundo distinto al suyo y que ella era una extranjera en su propia tierra. José Miguel había tendido los puentes hacia el mundo de la política y los negocios, se había encargado de las propiedades, las cuentas y los impuestos, de la reparación de los coches y del pago de las vacaciones y de la selección de las amistades, pero no se había ocupado de vincularla con el país real que existía más allá del círculo de sus amistades. Y ahora ella comprobaba que jamás se había preocupado de construir un nexo entre su torre de marfil y el mundo exterior.

Sus ojos se cruzaron con los de Méndez cuando introdujo las cintas en sus bolsas de ropa.

—¿Regalos? —preguntó Méndez aplastando la colilla contra el cenicero. Tenía los dedos manchados de nicotina y las uñas mochas.

—Para una amiga.

—¿De Valparaíso?

—De la zona.

—¿Compra a menudo en este barrio? —Méndez encendió otro cigarrillo.

Antes jamás se habría atrevido a ser curioso ni a dirigirle la palabra de modo tan familiar, se dijo Isabel, irritada. No al menos en la época en que su marido estaba vivo. Haberlo invitado a compartir una mesa en un café, lejos de casa, ella, viuda de un cirujano destacado, y él, simple portero de un complejo de edificios exclusivos, le habría parecido francamente inimaginable hasta hace poco. ¿Qué pensarían sus amigas al verla en el café conversando con un empleado como si fuesen amantes?

—A veces se encuentran cosas que valen la pena en los bazares... —comentó Isabel, pero no alcanzó a terminar la idea.

—Más pintoresco es el barrio del puerto. ¿Lo ha recorrido? —dijo él—. Tiene un mercado con pescados y mariscos frescos, almacenes viejos y también picadas, donde se come rico y barato. Pero hay que conocerlas.

—Conozco el barrio. Lo recorrí con mi esposo —repuso ella, percibiendo que las palabras del portero constituían una invitación disimulada.

—En fin, esas son las cintas —resumió Méndez, y se cruzó de piernas—. Son las tomas de la entrada al condominio y al edificio, y también a las de su garaje, señora. Va a necesitar días para verlas. ¿Planea verlas todas?

—Depende.

—¿Puedo saber qué busca en ellas? —acercó su rostro de ojos pequeños y saltones, e Isabel pudo oler la fragancia dulzona que Méndez empleaba.

—Prefiero no hablar de eso.

—Disculpe, es que soy copuchento desde chico. Pero por las fechas, imagino de qué se trata.

—¿Ah, sí?

—Sí.

—¿De qué se trata, cree usted?

Méndez instaló una bocanada entre ambos y volvió a mirarla con sus ojos pequeños y oscuros a través del humo, la cabeza erguida, los párpados entornados.

—Yo solo le recomendaría que tenga cuidado.

—¿Cuidado? ¿Por qué?

—Lo más dañino es la nostalgia por quienes nos dejaron. Lo sé por mi madre, que murió hace tres años. Aún me persiguen su imagen y su voz. Ella me educó, sola, porque mi padre nos abandonó cuando yo era niño. Todavía veo a mi madre en sueños. Por eso le digo que tenga cuidado. La nostalgia mata.

—No se preocupe, Méndez —replicó Isabel—. Solo quiero mirar las cintas.

—Le deseo suerte, señora. Y si necesita ayuda, pregúnteme no más. Nosotros en la administración estamos al tanto de todo lo que ocurre en el condominio.

No era precisamente un hombre discreto, pensó. ¿Sabía él algo sobre su esposo que ella ignoraba o que al menos suponía que ella ignoraba? ¿Había visto a José Miguel acarreando a la amante al departamento mientras ella andaba en el campo? ¿Significaba que los empleados del edificio también estaban enterados de la historia? Una capa de sudor cubrió su labio superior cuando supuso que ese hombre imaginaba su descubrimiento y por eso se permitía hablarle del modo irrespetuoso en que lo estaba haciendo. Cómo anhelaba tener de nuevo su melena y su ropa, cómo lamentaba compartir mesa con un portero y haberlo involucrado en su investigación.

—¿Seguro no le debo algo más, Méndez? —preguntó ella tras coger sus cosas.

—¿No se va a tomar el té, señora?

—No tengo tiempo. ¿Le debo algo más?

—Nada, señora. Con lo que me entregó es suficiente —él lanzó una nueva bocanada de humo, ahora contra las lámparas del cielo—. ¿Le molesta si pido otra cerveza?

—Las que usted quiera —dijo Isabel y colocó un billete sobre la mesa. Con eso tendría más que suficiente, pensó.

—Gracias. Volveré a Santiago mañana, pues me quedaré el fin de semana en el puerto, donde un amigo.

—No hay problema. ¿Seguro no necesita dinero para el bus?

Sintió que hablándole de dinero restablecía la distancia que debía existir entre ambos. De lo contrario, con el cabello corto, los jeans, las zapatillas de lona y las bolsas de plástico parecía la pareja de ese hombre, que disfrutaba la cerveza y la vista hacia las palmeras de la plaza como si estuviese en un balneario del Mediterráneo.

—Con lo que me dio, me basta y sobra —respondió Méndez, satisfecho—. Si se le ofrece algo más, me lo hace saber, no más, señora. Estoy para servirla.

24

Sentada en el piso de tablas, Isabel buscó respaldo contra la cama para ver la cinta. La pantalla se cubrió de franjas horizontales que resbalaban en sucesión vertiginosa. Después apareció una imagen fija, en blanco y negro: la entrada y salida del condominio vista desde la cámara de la portería. La imagen se asemejaba a una fotografía cuando no había movimiento en ella. Isabel apretó el botón de *forward* y llegó, sin poder reprimir un escalofrío, a las once de la noche, cerca del momento en que ella había llegado a Fray León en el vehículo alquilado en el aeropuerto.

Haciendo retroceder y avanzar la cinta, pudo ver cómo su auto esperaba ante la oficina de seguridad a que se abriera el pesado portón eléctrico para permitir su pasada hacia la plazoleta del complejo de edificios. Después hizo retroceder las imágenes hasta el comienzo de la cinta y las dejó avanzar en cámara lenta para examinarlas en detalle.

Un dolor agudo, similar al que había sufrido en el living de Fray León días atrás, punzó su estómago y la hizo encogerse y quedar inmóvil. Espiar al esposo muerto le revolvía los intestinos. Ahora viajaba por el tiempo con el fin de esclarecer un enigma que la atormentaba y le impedía conciliar el sueño y apaciguar su conciencia. ¿Cómo se llamaba eso?, se preguntó. ¿Celos, obsesión, el comienzo de la senilidad, o qué?

Más tarde, en momentos en que reinaba la tranquilidad frente al portón del condominio, detuvo la cinta para prepararse un whisky en las rocas. En verdad, no solía beber tragos fuertes. Lo suyo era más bien saborear algún cabernet sauvignon, o un oporto o un jerez, no esa bebida que le recordaba el rito de su esposo después de las sesiones de cirugía, pero de otro modo no resistiría ver lo que imaginaba almacenaban los videos. Desde el barcito echó una mirada a la bahía, sobre la que se cernían la oscuridad y el silencio, y regresó al dormitorio, dispuesta a afrontar la verdad.

Continuó examinando el último día de José Miguel, como si de esa forma prolongara su existencia, y luego escrutó los rostros de la gente que entraba o salía del condominio, y también el interior de los vehículos que se detenían ante el portón. Tras descartar como amantes de José Miguel a dos mujeres que entraron al lobby de su edificio, sintió que no avanzaba con ese método. Pensó en qué diría su suegro si la viese allí, derrumbada en el piso, examinando esos videos, o el severo de Alemparte.

Salió a la terraza. La noche se derramaba sobre Valparaíso mezclando las estrellas con las luces de los cerros y los destellos en la superficie del Pacífico. Vació otro vaso de whisky y regresó al dormitorio a ver videos. Repitió las operaciones de stop, retroceso y avance, y no abandonó ninguna escena hasta no estar segura de que no guardaba relación con su esposo. De pronto vio algo que le estrujó el corazón y le tapó los oídos: el automóvil de José Miguel llegaba al condominio. Lo vio esperar a que se abriera el portón. Isabel detuvo la cinta. Eran las 12.37 del día de la muerte de José Miguel. Pudo ver el Peugeot 504 frente a la cámara, con la reja del portón de por medio, cercenando el parabrisas. Reconoció a su esposo al volante, iba solo. Los ojos se le humedecieron. Volvió a beber un trago, sin animarse a echar a andar la cinta, sabiendo que si lo hacía, empujaba a José Miguel a la muerte. Sorbió del vaso, arrojó los cubos de hielo, escuchó cómo patinaban sobre las tablas del piso y se echó a llorar en el suelo.

Despertó cuando ya era de noche y la ciudad dejaba escapar los últimos bocinazos antes del toque de queda. En la pantalla seguía la silueta de su esposo sentado al volante. Hizo avanzar el video. El automóvil ingresó al condominio y salió de la pantalla. Isabel siguió examinando el video. Más tarde hizo una pausa, frustrada porque no había visto cruzar el portón a ninguna mujer que pudiese ser la que ella buscaba.

Cambió el video. El nuevo correspondía a la cámara de acceso al lobby de su edificio. No tenía sentido examinarlo, calculó, puesto que la mujer tendría que haber pasado primero por el portón, donde ella la habría divisado. Sentada en el piso, con la cabeza a punto de estallarle por la presión, echó a andar la cinta en medio del silencio impuesto por el toque de queda.

Vio pasar por el lobby a vecinos, empleadas domésticas y mensajeros. De pronto, algo en la parte inferior de la pantalla capturó su atención. La nuca de una mujer y la frente de un hombre, conversaban fuera de cámara. Su corazón se desbocó. No lograba entender lo que decían. Luego asomó la cabeza otro hombre. Cuando el trío se acercó al ascensor, Isabel respiró aliviada. Se trataba de un matrimonio vecino, propietario de una cadena de librerías. El hombre cargaba un maletín *ataché*, su mujer una cartera y el acompañante, que reconoció como el conductor de ambos, portaba un bouquet de flores. Desaparecieron en el ascensor.

Horas más tarde introdujo un video que contenía tomas del garaje del edificio. La sorprendió que no hubiese pensado antes en esa alternativa. Allí vería de nuevo a José Miguel, pensó con un estremecimiento. Echó a correr la cinta en tiempo normal, a partir de las 12.35, cerca del momento en que su marido había llegado en coche al conjunto. Dudó entre verlo abordar el ascensor o pasar la cinta. La cámara filmaba desde un ángulo superior, abarcando la nariz de varios vehículos y la puerta del elevador. Minutos más tarde vio a su esposo en la pantalla.

Vestía chaqueta de lino azul y botones dorados, metálicos, camisa blanca y pantalones claros, la indumentaria que Isabel había encontrado en el piso del dormitorio, junto al cadáver. No fue solo verlo y saber que nunca más lo vería lo que la atormentó, sino el hecho de que lo acompañase una joven de larga cabellera rubia. Llevaba jeans, blusa clara y anteojos de sol. Pudo verla de perfil solo unos instantes y luego de espaldas, pues ella mantenía la atención puesta en el indicador de pisos del elevador, dándole la espalda a la cámara. Isabel tardó en caer en la cuenta de que los anteojos que portaba la mujer eran precisamente los Versace que había buscado en vano en el convertible.

Un torrente de sangre le subió a la cabeza, nublándole la vista y el entendimiento. Sintió que la boca se le secaba, que sus sienes estallarían y que si hubiese estado allí con un arma, la habría matado en el acto. Apretó el botón de *rewind* y la pareja retrocedió como figuras animadas hasta el rincón que ocupaban inicialmente en la pantalla. Luego, al oprimir *play*, les permitió acercarse de nuevo a la puerta del elevador. Los hizo devolverse varias veces, experimentando una alegría diabólica al manipularlos, pero también una oleada de ira e impotencia al imaginar adónde marchaban. En un acto de deliciosa venganza, los congeló en la pantalla, a él mirando hacia el estacionamiento, cerciorándose de que nadie los viera; a ella, de perfil, con sus Versace y una cartera al hombro, atenta al marcador de pisos.

Un zumbido le taladró los oídos. Sudaba por completo. Al hacer retroceder una vez más a los amantes para impedir que abordasen el ascensor y alcanzasen el departamento, volcó el vaso de whisky. La estremeció el líquido derramándose sobre sus piernas, y se echó a llorar en el piso, desconsolada.

No supo cuánto tiempo estuvo allí, pero lo cierto es que cuando alzó el rostro, notó que la rubia y su esposo seguían congelados en la pantalla, mirando del ascensor al garaje, esperando a que la puerta cerrara, aguardando su autorización para subir al departamento. Prefirió dejarlos allí, y luego se arrastró hasta su bolso, de donde extrajo unos somníferos que ingirió con otro vaso de whisky.

25

La despertó el sol del mediodía colándose por la ventana. Valparaíso palpitaba alegre después del toque de queda, y en la pantalla del televisor continuaban fijas las imágenes de la rubia y José Miguel. Se preparó un café en la cocina diciéndose que debía encontrar a la rubia. Vengarse de ella era lo único que le importaba ahora que sentía la cabeza pesada, la boca amarga y un insoportable dolor en el cuello.

Solo cuando regresó a la habitación, se atrevió a echar a andar la cinta. Lo hizo en cámara lenta, pues quería retardar el ingreso de la pareja al departamento, pero al final no le quedó más que permitir que desaparecieran tras las puertas de aluminio del elevador. La toma había sido hecha casi 11 horas antes de que ella, Isabel, regresara del campo. En Valparaíso eran ahora poco después de las dos de la tarde. Concluyó que si no había visto a la mujer en el coche junto a José Miguel, era porque se había agachado frente al portón del condominio. Calculó que tendría que dejar el edificio antes de que ella llegase del aeropuerto o, de lo contrario, se hubiesen topado.

Se asomó a la ventana como si la ciudad pudiese calmarla. Los techos y las torres de la ciudad relumbraban con el Pacífico como telón de fondo. José Miguel adoraba ese panorama que ofrecía el dormitorio. Comprendía desde el fuerte del Cerro Artillería, construido al sur, hasta la silueta del Aconcagua nevado, por el norte, incluyendo la seductora vastedad del océano. Aquello era levitar sobre la bahía, opinaba José Miguel, especialmente durante las mañanas en que por las ventanas abiertas se colaban el perfume marino y la luminosidad que desparramaban las calles adoquinadas. Una bandada de pelícanos rozaba el Pacífico, cuando sonó el teléfono.

—¿Isabel?

—Sí, con ella. ¿Quién habla?

—David.

—¿David? ¿David cuánto?

—David Guevara. Tu compañero de curso. ¿No te acuerdas de mí?

Dejó la taza de café en el suelo y se sentó en la cama. Recordó el cielo regado de estrellas y a David haciéndole el amor en la noche atacameña.

—¿Cómo estás? ¿A qué se debe este milagro?

—Me enteré de lo de tu esposo. Llamo para decirte que lo siento, que imagino tu dolor, que te transmito mis condolencias y que si puedo ayudarte en algo, me lo hagas saber.

¿Cuántos años habían pasado desde la última vez que habían hablado? Más de treinta, calculó. Nunca más había visto a su primer novio, pues ella evitaba las reuniones conmemorativas del colegio. La mortificaba ver a gente que había salido hace mucho de su vida, y que a veces acudía a esos encuentros con el único propósito de averiguar cómo le iba al resto.

—¿Me ofreces ayuda? —preguntó perturbada. ¿Cómo era posible que, tantos años después, David reapareciese justo en el momento más trágico de su existencia?

—Bueno, tal vez pueda ayudarte...

—Muchas gracias, David. Es duro. Llevábamos años casados.

—¿Hay algo que pueda hacer por ti?

—No, en verdad, no. Gracias. Es curioso. No nos vemos desde el colegio.

—Desde que me mandaste a freír monos —bromeó él—. Confío en que hayas cambiado.

Isabel se palpó la cabeza y extrañó su cabellera larga. Miró con desgana hacia la bahía, preguntándose qué opinaría él si la viese con un corte a lo Rita Pavone.

—Ha corrido demasiada agua bajo el puente —comentó—. ¿Y tú? ¿Casado?

—Separado. Tengo una hija, Beatriz, que es arquitecta. Mi ex mujer es médica.

—Como José Miguel.

—Lo sé. Te he seguido la pista.

—A mí me llegaron rumores de que eras pintor...

—Fotógrafo. No se vive de eso, pero con lo que heredé del viejo, me alcanza. Al menos soy libre. Viajo y a veces consigo encargos de revistas.

Recordó que en un vuelo a Nueva York había leído un reportaje sobre Hong Kong ilustrado con fotografías de David. Aún conservaba la revista en la biblioteca de Fray León. Pero cada vez que otros le mencionaban a David, pasaba un trapo húmedo por la pizarra de su memoria.

—Alguien me contó que te desapareciste por un tiempo —añadió.

—Estuve varios años en Alemania, lejos de esto. Tú sabes.

Sabía a qué se refería. David era la oveja negra del curso. Se identificaba con la izquierda en ese colegio de derecha. Su padre, un economista formado en Hamburgo, había sido funcionario del régimen de Salvador Allende y había tenido que exiliarse por revolucionario. Toda la familia había terminado allá.

—Y te atreviste a volver —dijo Isabel.

—El que nace chicharra muere cantando...

—Es que no se puede vivir sin este terruño. Se lo podrá criticar mucho, pero no hay otro país como este en el mundo. En fin. Te agradezco la llamada, David —trató de finalizar la conversación que, sin saber bien por qué, comenzaba a incomodarla.

—Pues ya sabes —continuó David—. Si puedo ayudarte, solo tienes que llamarme. Te dejo mi número.

26

Siguió observando el video sin dejar de pensar en David. En rigor, varias veces creía haberlo visto en algún sitio. La primera vez le ocurrió en los jardines del college de Massachusetts, cuando pintaba en una plaza para un curso electivo; después en un crepúsculo en la Plaza Montmartre, y años más tarde en un sendero de la Villa Borghese. David se le aparecía en medio de la bruma o la muchedumbre, con melena y aspecto de bohemio, o bien como un perfil que se desvanecía en un tráfago metropolitano. Por eso, David siempre había estado presente en su vida.

Y no es que siguiese enamorada de él o fuese infeliz junto a su esposo. Lo cierto es que a este le había contado que David solo había sido un noviecito de juventud, cosa que José Miguel le había creído. Para él, la mujer debía entrar virgen al matrimonio y ser cómplice del marido, ser alguien en quien se pudiera confiar y no mantuviera secretos con terceros. Recién ahora creía entender por qué su marido tendía a ocultar su vida bajo un manto misterioso y adoptaba precauciones al viajar. En un comienzo supuso que tal vez temía la venganza de algún paciente defraudado, pero ahora estimaba que la razón podía deberse a la existencia de una amante.

Solo en una ocasión aceptó José Miguel que su posición con respecto a la virginidad era cuando menos contradictoria. Había ocurrido en casa de Alicia, en Zapallar. Allí María Jesús insinuó durante una cena que no era justo que él, un divorciado, hubiese exigido una esposa virgen. La conversación se había tornado incómoda para todos, pero era justo lo que María Jesús deseaba. Jorge, su esposo, se sonrojó, molesto por el tema. Pero María Jesús afirmó con una sonrisa irónica que él seguro había tenido amantes que le deparaban los placeres que no había hallado en la primera esposa. Se lo dijo con todas sus letras, y José Miguel se limitó a fingir que descifraba la etiqueta del cabernet souvignon que bebían.

—Nada más importante en la vida que la lealtad, Isabel —había afirmado él cuando regresaban en el convertible al departamento de Fray León.

Era natural que, al pertenecer a una generación formada en los valores de la pareja tradicional, él hubiese esperado tal cosa, pensaba Isabel. Sexo debía haber solo en el matrimonio, y a ella aún le molestaba haberse entregado de forma ligera a David. Por eso le costaba aceptar que José Miguel le hubiese sido infiel. Era un hombre mayor, creyente, dedicado a su profesión y supuestamente no tenía tiempo ni energías para llevar una vida doble. Obviamente se había equivocado.

Durante años había deseado que David desapareciese para siempre de su vida. Hubiese querido que no regresase jamás de Alemania, que su exilio hubiese sido eterno. Solo con su desaparición definitiva ella podía resurgir plena ante José Miguel. Por ello la había apaciguado saber que su primer novio vivía afuera con sus padres. Intuía, sin embargo, que solo con su muerte desaparecería la posibilidad de que alguna vez, en el estrecho círculo de la sociedad santiaguina, llegase hasta los oídos de su esposo el rumor de que David había sido su amante. Y cuán sarcástica podía ser la vida. Había sido José Miguel, y no David, quien había muerto primero, y había sido José Miguel, y no David, quien la dejaba mal parada ante las amistades.

Al rato, después de recurrir varias veces a los botones de *forward* y *play*, el video se acercó a la hora del domingo en que ella llegaría al departamento de Fray León. Era el video que mostraba la salida del ascensor al lobby de su edificio. Fue entonces que vio de nuevo a la rubia.

Salió del ascensor y cruzó el lobby con paso rápido y resuelto. Llevaba aún sus Versace e iba vestida tal como había llegado, pero ahora cubría su cabeza con un pañuelo de seda que reconoció de inmediato como el que había comprado ahí atrás en una tienda Hermes, en París. Pasó presurosa hacia la puerta, una mano sobre la bolsa, el pelo rubio asomando debajo del pañuelo.

Extrajo el video y buscó el que contenía las imágenes de esa misma hora, pero tomadas por la cámara instalada junto al portón del condominio. Lo introdujo y avanzó la cinta hasta el instante en que la mujer dejaba el lobby. No tardó en verla de nuevo. Dos minutos más tarde pasaba junto al control de acceso a los edificios, sin que nadie allí reaccionase. Vio con impotencia cómo la mujer salía a la calle, tomaba hacia el oeste y desaparecía en la sombra de los árboles situados en el extremo derecho de la pantalla. Luego, una inmovilidad de fotografía volvió a apoderarse de la escena.

Isabel aspiró profundo y colocó de nuevo el video que mostraba el ingreso de José Miguel y la mujer al ascensor del garaje. Las sienes le palpitaban con fuerza. Los oídos le zumbaban. Examinó el tramo en cámara lenta. No había duda, admitió con dolor en el pecho. A juzgar por la vestimenta, la estatura y el pañuelo, se trataba de la misma mujer. Examinó una vez más la escena... Era ella. Habían pasado varias horas desde que la pareja ingresara al departamento. Ahora, en esa cinta, su avión se aproximaba a la zona central de Chile, y José Miguel yacía quizás aún vivo en el lecho matrimonial.

27

Cuando Isabel ingresó esa tarde de jueves a la consulta del doctor Alemparte, estaba decidida a conseguir la información que precisaba sobre su esposo. El cardiólogo había sido compañero de estudios de José Miguel en la escuela de medicina, y desde entonces se reunían con cierta frecuencia con un pequeño grupo de colegas varones. Aquella amistad excluyente en verdad no la mortificaba, pues Alemparte no era de su agrado. Algo en su mirada metálica, y en la sutileza con que la evitaba, despertaba rechazo en ella. Delgado, pálido, de ojos verdes y cabellera rala, vivía solo en una casa de Vitacura. No se le conocía mujer, pero José Miguel aseguraba que no era homosexual.

Alemparte la recibió con la amabilidad esquiva y distante de siempre. La había citado para las siete de la tarde, hora en que prácticamente terminaba su consulta y por ello la sala de espera estaba vacía. La secretaria, una mujer mayor, leía una novela gráfica bajo una lamparita de la recepción. Al verlo, intuyó de inmediato que a Alemparte le incomodaba abordar un tema que él consideraba zanjado.

—¿Y para qué necesitas tanto detalle sobre el fallecimiento de José Miguel, mujer? —preguntó Alemparte. El tono la defraudó, aunque estaba preparada para algo semejante.

—Porque no me queda claro de qué murió.

—¿Cómo que no?

—Tal como lo oyes. No me queda claro.

—Pues ya te lo dije en su oportunidad, Isabel. Falleció de un ataque al corazón.

—Eso no me convence. Mi marido era sano, deportista, no tenía grandes problemas ni tensiones. Le estaba yendo bien con su profesión y en la familia todo marchaba en orden.

—No toda la gente que se ve sana, está sana —resumió Alemparte, acodado sobre el escritorio metálico, donde yacía una medalla de oro—. Además, la medicina es incapaz de anticipar el desenlace de las personas. No es una ciencia exacta, Isabel.

—¿Pero qué le causó la muerte? ¿El ataque?

Sintió que al médico le irritaba que ella siguiera averiguando. No sabía a qué atribuirlo. Tal vez se debía a su indisimulable desprecio por ella o simplemente a que le parecía una pérdida de tiempo. Pero ella no renunciaría a la verdad. Quizás José Miguel había muerto mientras estaba con la rubia en el departamento, cosa que ella necesitaba confirmar, saber con absoluta certeza. Admitió que era absurdo, pero en su opinión existía un abismo entre saber que él había fallecido en los brazos de esa mujer o solo en su cuarto. La muerte en soledad lo reivindicaba ante sus ojos, le permitía recordarlo bajo otra luz y abrigar al menos la esperanza de que al final de su existencia había pensado en ella, su esposa.

Las evasivas del médico le recordaron los años en el colegio, cuando se acercaba a sus compañeros y ellos cambiaban de tema para impedir que ella participase en sus conversaciones. Era una estrategia masculina para marginar y controlar a las mujeres, recordó Isabel. Su esposo había seguido siendo así cuando adulto. Ella desconocía, por ejemplo, los detalles del manejo financiero de la familia. Solo se enteraba de los resultados económicos finales, que a menudo le permitían remodelar alguna casa, hacer otro viaje a Europa o comprar nuevas tenidas. Pero al escamotearle en forma sistemática la información, José Miguel la convertía en menor de edad y la subordinaba, tal como lo estaba haciendo ahora Alemparte. Sus razones tendría el médico para emplear la misma estrategia, razones que ella aún no descifraba. Al fin y al cabo, él pertenecía al grupo masculino, a esos médicos amigos de su marido, a esas férreas amistades de la época universitaria que cada mes se reunían a cenar en un restaurante de la capital.

—Ya te lo dije, Isabel —afirmó Alemparte entornando los párpados—. Tu marido murió de un ataque al corazón.

—Pero ¿por qué? Si estaba durmiendo.

—Así es un ataque —comentó Alemparte, sacudiendo con incredulidad la cabeza—. No tiene por qué llegar con un esfuerzo o una emoción fuerte. Su maquinaria estaba cansada, Isabel.

—¿A qué hora ocurrió?

Él deslizó sus manos albas, de uñas bien cuidadas, sobre el escritorio, extrañado. Isabel pudo leer las siglas de la medalla dorada del médico: CH, las siglas de Suiza. Isabel pensó en Zurich y Ginebra, en el lago Constanza, en pueblos perdidos entre los valles, en tranvías que cruzaban en silencio los puentes de ciudades antiguas y bien restauradas. El mundo allí parecía en orden y perfecto, como un cuadro de Chirico, como la pulcra consulta de Alemparte.

—Si mal no recuerdo, murió poco antes de que tú llegaras —afirmó el médico—. Cerca de las tres o cuatro de la tarde. ¿Por qué?

—¿Habrá sufrido?

—Eso es lo que te interesa, ¿verdad? —la miró dejando aflorar de pronto una sonrisa amable en sus labios—. Es la mejor muerte que uno puede tener, Isabel.

—¿A qué te refieres?

—A que es un final generoso, sin gran sufrimiento.

—¿Crees que haya tenido conciencia de que moría?

—Lo más probable es que se haya quedado en la siesta. No se dio cuenta de nada. El sueño de unas horas se convierte en uno eterno...

Alemparte se humedeció los labios, miró hacia un costado, afectado por lo que acababa de decir, y probablemente de imaginar.

—¿Entonces se fue en el sueño? —preguntó Isabel viendo a la rubia en su habitación matrimonial, envuelta con José Miguel en las sábanas de su dormitorio.

—Así es. Y si estaba durmiendo, no lo notó.

—¿Y si no estaba durmiendo?

Alemparte carraspeó, movió varias veces la cabeza y dijo:

—Si estaba despierto, debe haber sentido una repentina opresión en el pecho, la sensación de que podía morir, y luego la nada...

—Muéstrame el informe completo —exigió Isabel conteniendo las lágrimas. Le pareció que Alemparte conocía la verdadera historia de José Miguel y prefería ocultarla, boicoteando el avance de su diligencia privada.

—¿Para qué lo quieres?

—Necesito verlo. Es mi derecho, ¿no?

Alemparte paseó sus ojos desde sus manos a los ojos de Isabel, de ida y vuelta, indeciso, humedeciéndose los labios, como a punto de decir algo que luego prefería callar. Sacudió la cabeza antes de ir a examinar su archivo, situado en un rincón del estudio. Extrajo una carpeta y se la pasó a Isabel diciendo:

—A mi juicio, es inconveniente que revivas esa experiencia.

Isabel revisó el informe sin saber qué buscaba. Lo único que entendió era que el deceso se había producido probablemente entre las tres y las ocho de la tarde. Mientras se esforzaba por explicar los términos científicos, el médico examinó su cabellera corta y luego su mano vendada. Isabel colocó la carpeta sobre el escritorio, incómoda.

—¿Y qué significa esto en cristiano? —preguntó.

Los ojos del médico se posaron en los de Isabel. A través de las persianas llegaba en sordina la agitación postrera de la ciudad.

—Significa lo mismo que te dije el primer día —precisó él.

—Lo olvidé. He pasado momentos terribles. Tú me entiendes. Por eso estoy aquí.

—A José Miguel simplemente le falló el corazón —Alemparte intentó un tono afable mientras ella le devolvía la carpeta—. Un infarto es una muerte generosa, Isabel.

—¿A qué te refieres con eso? ¿Hay muertes no generosas?

—Hay gente que muere después de una enfermedad larga. Esa no es una muerte generosa. José Miguel estaba disfrutando la vida y de pronto, en un segundo, ¡paf!, se terminó esa película...

Sintió unas brasas en el estómago.

—Dime solo una cosa: si yo hubiese estado junto a él, ¿se habría salvado?

—¿Pero qué te pasa, mujer? —la miró francamente irritado—. ¿Por qué ese gustito por echarse la culpa? Tú estabas en el campo, haciendo lo tuyo, disfrutando como él quería, y él murió ejerciendo su profesión, estimado y respetado por amigos y pacientes. ¿Qué más quieres?

—Es que tú simplemente no entiendes —dijo ella poniéndose de pie, sintiéndose de improviso una piltrafa.

Regresó en el coche al departamento de Fray León, diciéndose que Alemparte tenía razón, que su esposo había muerto feliz ejerciendo la profesión. Desde niño había soñado con ser médico y esa aspiración había orientado su adolescencia y sus años de estudiante. Al titularse se había realizado. Si bien en un inicio aspiraba a ser médico para ayudar a los pobres y desvalidos, con el correr del tiempo se dio cuenta de que las circunstancias le exigían ejercer la profesión de forma lucrativa o, de lo contrario, no podría exhibir el nivel de vida que de él se esperaba. Así, la cardiología terminó convirtiéndose en su obsesión y la música clásica en su mejor refugio cotidiano. Isabel hubiese sacrificado parte de su vida con tal de haberlo conocido cuando era un estudiante guiado por sueños e ideas, pero se habían encontrado cuando él era ya un profesional maduro, reservado y pragmático.

Condujo de regreso a Valparaíso convencida de que la desconfianza que acababa de exhibir ante el médico la había despojado del último resto de dignidad entre los suyos. No podía negarlo: en la consulta había quedado como una mujer que proyectaba sombras sobre su marido y matrimonio, algo que seguro Alemparte comentaría en el próximo encuentro mensual con sus amigos. De una u otra forma, la solidaridad que unía a esos profesionales terminaría por perjudicarla en los círculos en que ella se movía en la capital.

Ya en su dormitorio de Lautaro Rosas, con las ventanas abiertas hacia la bahía iluminada, llamó a Méndez por teléfono.

—Necesito verlo con urgencia —le comunicó—. ¿Le calza mañana, a la una, en el Cerro Panteón, de Valparaíso?

—¿Dónde exactamente, señora?

—En la calle Dinamarca. Frente a la puerta del cementerio.

28

Cuando Isabel llegó al gran pórtico neoclásico del cementerio ubicado en lo alto del Cerro Panteón, frente a la cárcel de la ciudad, Méndez ya estaba allí, vestido de ambo, camisa y corbata. Los adoquines de la calle Dinamarca fulguraban bajo el sol. Había sido una astucia de su parte citarlo a ese lugar alejado de la capital, donde nadie pudiera verlos, pensó Isabel al estrecharle la mano.

Lo invitó a caminar por un cerro que los porteños evitan porque alberga tres camposantos; entre ellos, el de los disidentes, fundado a comienzos del siglo diecinueve por la colonia inglesa. Allí se enterraba entonces a quienes no eran católicos, pues éstos, calificados de infieles y paganos, eran lanzados al mar o recibían presurosa sepultura en alguna quebrada cuando morían.

—Necesito de nuevo su ayuda —le dijo a Méndez.

—¿No le sirvió lo que le conseguí, señora? —Méndez observaba las fachadas de las casas y los muros de los cementerios que, por uno y otro lado, iban estrechando la calle.

—Le agradezco los videos, pero creo que usted podría ayudarme en algo más.

—Ojalá, señora.

No había nadie más en la calle.

—Es absolutamente confidencial —precisó ella—. Lo recompensaré si actúa en forma discreta.

—Ya le dije que no necesita pagarme, señora.

—Le pagaré por lo que haga. Pero también lo responsabilizaré si me entero de que se fue de boca.

—Seré una tumba, señora.

—¿Usted tiene familia, verdad?

Méndez la miró sorprendido.

—Tengo mujer y tres hijos –explicó–. Los chicos están en la escuela todavía.

—Entonces entiende la importancia de ser discreto –dijo Isabel.

—Así es, señora.

Pasaron junto a unas casas con mamparas de vidrios empavonados, y divisaron en lo alto una cruz de piedra instalada sobre un mausoleo.

—Quiero que sea franco conmigo –continuó Isabel.

—Diga, no más, señora.

Isabel se pasó la mano por el cabello corto y luego se miró sus zapatos italianos, de taco medio. Al menos hoy había dejado en casa las zapatillas, y llevaba una blusa de marca, pero igual se sentía incómoda ante el portero.

—¿Nunca vio a mi marido entrar con alguna mujer al condominio? –preguntó–. Es decir, cuando yo no estaba en casa.

Méndez bajó la vista y se detuvo.

—No tenga miedo, dígamelo –insistió Isabel–. Estamos hablando de una persona... muerta.

—En verdad, nunca vi al doctor con ninguna mujer.

—¿Está seguro?

—De lo contrario se lo diría, señora.

Reanudaron la marcha y divisaron más adelante, por sobre un muro, un ángel de mármol que desenvainaba una espada resplandeciente. Más allá pasaron ante unas casonas somnolientas, de estilo romano, con los postigos echados, a cuya sombra dormitaban unos perros. Las casas miraban hacia las tumbas, ubicadas al otro lado de la calle; el único destino cierto que nos espera, pensó Isabel.

—Le traje la copia de un video –anunció–. En él aparece mi esposo con una rubia. Entran por el estacionamiento subterráneo del edificio. Son las últimas horas de vida de José Miguel. El portero tiene que haberla visto.

Méndez escuchaba, acariciándose el bigote, sin mirarla a los ojos.

—Yo no estaba de turno esa noche —aclaró—. Eso lo recuerdo bien.

—Le creo. Pero a mí me interesa que mire el video y me diga si ubica a esa mujer.

—Seguro que no la ubico, señora.

—¿Cómo lo sabe?

Méndez se encogió de hombros, sacó un cigarrillo, lo encendió y dijo:

—Es que no tengo nada que ver con las visitas del condominio.

—No me diga eso, que no se lo creo. Necesito ubicar a esa mujer.

—¿Está segura?

—Sé lo que hago.

—¿Y por qué no llama mejor a Carabineros? —soltó una bocanada de humo.

—No estoy hablando de un delito, sino de una persona a la que quiero conocer. ¿Por qué la policía ha de inmiscuirse en algo así?

—¿Y cuál sería mi papel en esto, señora?

Habían llegado hasta donde se encuentran, frente a frente, la entrada del cementerio católico y la del cementerio de los disidentes. El católico tiene un pórtico con columnas monumentales y una reproducción en mármol de *La Pietá*, lo que contrasta con el sencillo muro encalado del cementerio disidente. A través del pórtico divisaron mausoleos, esculturas y árboles retorcidos por el viento y, al fondo, la superficie iridiscente del mar.

—Lo suyo será simple, Méndez —afirmó Isabel—: ayudarme a ubicar a esa mujer.

29

Abordé por fin el avión en el John F. Kennedy, que me llevó a Miami; allí cogí el Boeing 767 que se dirige cada noche, entre turbulencias, en una gran caravana aérea, al sur del mundo. Viajé solo, porque Cecilia planeaba seguirme días más tarde. Yo había arreglado los detalles con Tom, actualizado las materias que impartiría el semestre siguiente y justificado el viaje ante la universidad, aduciendo que profundizaría una investigación con vistas a terminar un libro crucial para obtener el *tenure*. Solo llevaba conmigo el manuscrito, un par de novelitas para leer en el verano austral, el MacBook y un maletín con mudas de ropa. El resto corría por cuenta de lo que me deparase la investigación sobre Benjamín Plá.

A Cecilia la desconcertó que yo me propusiese un objetivo tan vago, y hubiese reservado habitación en un hotel que quedaba en la calle en la que vivía Isabel, según *La otra mujer*. Mientras ordenaba el pago de cuentas ante las facturas barajadas sobre la mesa del living, me preguntó si yo seguía cayendo en el pozo de siempre. Su metáfora no deja de ser acertada. El pozo es la ficción. Pero la ficción es mi vida. En rigor, paso a diario más horas dentro de ella que de la realidad. Ha de ser el destino de quien enseña literatura y aspira a ser novelista, supongo. Mientras mi mujer convive con facturas, tarjetas de crédito y declaraciones tributarias, o el pago a las aseguradoras, yo vivo inmerso en la trama de las novelas que asedian mi cama como los caballeros medievales los castillos. Mientras ella teclea en la calculadora, yo habito en el ritmo de los poemas, junto a las fachadas de cartón piedra del teatro, en los manuscritos que me envían estudiantes; mientras mi mujer paga las cuentas al fontanero y al mecánico, yo navego por los ensayos escritos por mis colegas, los relatos de mis alumnos de escritura creativa o la música de mi iPod; mientras mi mujer rellena formularios de rebajas de Best Buy y Wal-Mart, yo imparto clases sobre literatura, veo películas experimentales y garabateo en este cuaderno que inicié después de conocer el manuscrito de Benjamín Plá.

Como se ve, soy un pez que vive en el agua de la ficción. Ya ni siquiera hojeo el *Newsweek* o el *Time*, ni busco noticias en las páginas electrónicas del *Die Zeit* o *Der Spiegel*, ni invierto tiempo en ver los noticieros de CNN o MSNBC, ni tampoco en escuchar los sesudos análisis de la NPR. Todo eso lo considero chatos tentáculos dirigidos a la realidad. La ficción inunda por completo el mundo en que habito y me hace feliz, pues es una instancia más llevadera que la real, en la que Cecilia me representa de forma generosa.

—Tengo que hablar con personas que aparecen en el manuscrito —le dije con voz de náufrago y el pasaporte norteamericano en la mano.

Me miró con detención, como preguntándose si era realmente el hombre con quien se había casado años atrás, y soltó un suspiro, supongo que dudándolo. Para ser franco, yo también lo dudo. Pero ella no pretendía enjuiciarme. Peor aún. Estaba asustada. Le bastaba con ver el tipo de proyecto que me motivaba ahora, tras mi regreso de Alemania, pues no tenía más que escrutar mi mirada encendida, mi obsesiva exploración del manuscrito, mi febril búsqueda en el mundo real de los personajes de esa novela inédita para darse cuenta de que mi vida rayaba en la locura. No la culpo. Desde fuera, ella tiene razón. Yo, por mi parte, me veo como una modesta nave, como una carabela que soltó las amarras que la ataban al muelle de la realidad y ahora se aleja cabeceando por el océano de la ficción, impulsada apenas por el viento y la corriente de la fantasía. Y lo peor es que intuyo que se trata de un viaje sin retorno y que no tiene sentido que Cecilia me espere en el muelle. Más aún, sospecho que todos mis colegas experimentan una angustia semejante al descubrirse aislados de la realidad.

—¿Te esperan allá? —preguntó Cecilia, los labios trémulos, los ojos enrojecidos. Nevaba y desde la calle llegaba el murmullo de los neumáticos sobre el pavimento húmedo.

—¿A qué te refieres?

—¿No puedes reunirte con ellos acá?

Le recordé que yo exploraba desde hace años el ámbito en que se entreveran la ficción y la realidad, y que sospechaba que ahora, durante el viaje al sur del mundo, podría hallar por fin la juntura, la pestaña, esa bisagra inmaterial que une a ambos reinos, y que publicando sobre aquello, conseguiría el *tenure*.

—Es mi gran oportunidad —afirmé, pero sentí que en mis ojos brillaba algo parecido a la locura.

—¿Realmente te fue bien en Berlín? —volvió a preguntarme, escéptica.

—Pero, claro, si encontré el manuscrito.

No me preguntó nada más, y no me importó. Total, al día siguiente yo abordaría la nave con destino a Santiago de Chile, y tanto Berlín como Nueva York quedarían anclados en el pasado, en una dimensión real, al margen de mi investigación de un manuscrito. Pensé en decirle que solo en la literatura se daba una confusión entre realidad y ficción, que nadie tomaría un cuadro realista por la realidad misma o trataría de entrar a un óleo hiperrealista sin darse cuenta de lo que hacía. Hubiese querido decirle que nunca nadie confundiría una composición de Schubert con el salto de una trucha, que nadie se sumergiría en una película olvidando que estaba sentado en una butaca, entre espectadores que comen palomitas de maíz y toman Coca-Cola. Pero preferí guardar silencio, dejarla que regresase a la realidad de sus números y dedicarme a cerrar mi maletín.

—En todo caso, te dejé fotocopia del texto en mi escritorio —le avisé antes de salir al aeropuerto. Pese a su mentalidad matemática, le gustaba estar al tanto de mis lecturas—. Pero no te entusiasmes mucho. Está inconcluso.

—¿Cómo?

—Le faltan capítulos. Queda en la mejor parte, justo cuando aumenta el suspenso.

—¿Y entonces? —sus bellos ojos oscuros no lograban disimular su desazón.

—Bueno, espero conseguir en el sur lo que falta —agregué serio, como si lo que yo me proponía fuese importante en medio de la crisis de la economía mundial—. Cuida esas páginas.

—Pierde cuidado. Las iré leyendo en el avión —dijo mi mujer y se acercó a mí a ordenarme el cuello de la camisa con la minuciosidad de una madre que despide a su hijo antes de que se marche a la escuela—. ¿Pero estás seguro de que tiene sentido lo que te propones?

Claro que todo lo que hago tiene pleno sentido, me respondí yo, mucho más tarde, sentado ya en la fila 21 del Boeing 767 que iba rajando la noche con un rugido de dragón lacerado.

30

—¿Señora Isabel?

—Con ella.

Isabel estaba en su dormitorio de la casa de Valparaíso. La luz del crepúsculo esbozaba la bahía y las jorobas de los cerros frente al horizonte.

—Le habla Méndez. Ubiqué al colega. Se acuerda de la dama.

—¿Manejó con discreción el asunto? —Isabel se acercó a la ventana con una corazonada. Abajo la vegetación del jardín inclinado se iba desperfilando en las tinieblas. Unas golondrinas electrizaron el aire, aunque bien pudieron haber sido murciélagos.

—Descuide. Usted sabe que soy discreto.

—¿Y qué logró?

—El portero de ese día no sabe cómo ubicar a la dama y no podría reconocerla de ninguna forma, pero sí recuerda el taxi en que ella se fue ese día.

—¿Se refiere a la rubia?

Isabel sintió que las piernas le temblaban. Se sentó en la cama.

—Sí, señora.

—¿Y por qué se acuerda del taxi?

—Porque a él le llamó la atención que el taxi estuviese esperando a metros del condominio, no frente a él, y porque le pareció raro que ella saliese con la cabeza envuelta en un pañuelo y anteojos de sol, y que ni mirase hacia la oficina para despedirse. Además, no recordaba haberla visto entrar al conjunto...

Claro que no la había visto, porque la rubia iba encogida en el asiento, pensó Isabel.

—¿Lograron anotar la patente del auto?

—No, la patente no, señora.

—Entonces no hay forma de ubicarla.

—Eso pensé en un inicio, señora. Pero se me ocurrió algo.

—Usted siempre tiene buenas ideas, Méndez.

—El radiotaxi que fue a buscarla es de un paradero cercano. De eso sí se acuerda mi compañero.

—¿Y entonces?

—Conseguí el nombre de la compañía. Será cosa de conversar con ellos en la central. Seguro el chofer anotó la dirección a la que llevó a la mujer. Pero yo preferiría no seguir en esto, con todo respeto.

Isabel se paseó por el dormitorio arrastrando el cable del teléfono. Se imaginó otra reunión, ahora con un chofer en un cafetín capitalino, envuelta en el humo, el olor a cerveza y música de cumbias. Pensó en la posibilidad de que alguien la viese o a la larga la chantajeasen. No existía ese riesgo con Méndez, sin embargo, pues él necesitaba conservar su trabajo en el edificio. Recordó su encuentro con él en el café porteño y la abrumó la perspectiva de celebrar reuniones semejantes.

—Prefiero que usted hable con la empresa y les pida la dirección de esa mujer —dijo Isabel, en tono decidido—. En cuanto se la dé, me la comunica y yo lo recompensaré. Ofrezca lo que sea necesario, pero no revele mi nombre. Y lo principal: que todo esto quede entre usted y yo.

31

Tuvo que cortar la conversación telefónica con su hijo, que la llamaba desde California, porque Méndez le anunciaba por el citófono que necesitaba verla urgente.

—La dirección que me pidió, señora —dijo Méndez al entregarle una hoja escrita con letra grande, en la puerta de servicio.

Isabel le pasó varios billetes, lo despidió y leyó ansiosa la dirección. Era el eslabón que le faltaba. Se trataba de un departamento de la comuna de Providencia. Se puso jeans y una chaqueta de una tela semejante a la de un saco cafetero, introdujo en su bolso la pequeña Beretta Puma que su marido mantenía en la gaveta del velador, cogió su coche y al rato estacionaba cerca de la calle apuntada por Méndez en la hoja.

Era una zona residencial arbolada, con casas de jardines y edificios. Caminó por la avenida Los Leones y la emoción la inundó al llegar a la calle donde estaba el edificio. Quedaba al fondo, cerraba la calle. Era nuevo, alto y con balcones. Clase media sólida, calculó Isabel. Una reja pintada de verde delimitaba los deslindes de la propiedad, y a través de los barrotes y la puerta de cristal del lobby pudo divisar al portero ante un mesón. ¿Cuál era el departamento de la rubia? El papel no lo indicaba, como tampoco revelaba el nombre de la mujer. Era lógico. Si el taxista solo la había llevado a esa dirección, no tenía por qué conocer más detalles de la pasajera, admitió Isabel parada en la esquina.

Con cierta satisfacción pensó que después de todo no le había costado tanto dar con la aguja en el pajar. No obstante, debía andarse con cuidado. Seguramente la rubia la ubicaba y podía estar espiándola desde su departamento. Si había sido amante de José Miguel, habría visto fotos suyas e incluso hurgado en los álbumes familiares, imaginó con escalofríos. Y si se trataba de una de esas modelos que atendían a clientes ocasionales, también era probable que supiera quién era ella. Supuso que, tras enterarse de la muerte de José Miguel, habría asistido al sepelio para observar desde el anonimato a los familiares de su amante.

Mientras esperaba el cambio del semáforo en Los Leones, cayó en la cuenta de que en la vereda de enfrente, entre una paquetería y un almacén, había un café. Era El Estrella del Sur. Cruzó el asfalto que cimbraba bajo el paso de los buses, entró al local y se instaló en una mesita situada junto a la vitrina. Desde allí podía vigilar el acceso al edificio. Tal vez de esa forma conseguiría la identidad y el número de la vivienda de la rubia. Pidió un té y al abrir el bolso en busca del dinero, la saludó el reflejo de la pistola. Se asustó al comprobar que estaba dispuesta a lo peor con tal de vengarse, pero decidió no pensar más en ello. Desplegó, en cambio, un diario que encontró a mano y se dedicó a observar. El edificio era enchapado en ladrillo, lo que le otorgaba un aspecto acogedor frente a las moles que aparecían en el sector. ¿Hacia dónde miraría el departamento de la rubia?, se preguntó.

Bebió el té viéndose reflejada en un vidrio, convencida de que la rubia no lograría reconocerla con su aspecto de artesana alternativa. Si la rubia conservaba alguna imagen suya, correspondía a una del pasado, a la época en que era la esposa de José Miguel, a los días en que era una mujer que ignoraba el tipo de hombre con quien estaba casada. La rubia jamás descubriría quién se ocultaba detrás de la mujer emancipada en que ella se había convertido.

¿Cómo abordar a una persona de quien se desconoce el nombre y la dirección?, se preguntó. ¿Revelándole la verdad, diciéndole quién era y qué se proponía, o fingiendo ser alguien diferente? ¿Y cómo se vengaría? Apretó el bolso y sintió el arma contra su pecho. Se miró las manos y se preguntó si serían capaces de asesinar. Se acordó de una novela de Patricia Highsmith en la que el asesino era una simple mortal como ella, que mataba sin premeditación ni alevosía, pero que mostraba pericia a la hora de eludir a los investigadores.

Imaginó a José Miguel yendo a recoger a la mujer a ese edificio el último día de su vida. Los vio conversar como una pareja legítima mientras el carro corría a lo largo del río, tomaba hacia el oriente, llegaba a Estoril y entraba finalmente al subterráneo del condominio. El resto lo había presenciado gracias al video.

Se sentía extenuada y humillada, y la ciudad le pareció una gigantesca selva cruel. Temió que la abandonase la fuerza y no lograra continuar la investigación para ejecutar su venganza. Pero aún la agobiaba tanto el descubrimiento de la infidelidad que no sabría cómo enfrentar a la rubia. Tal vez carecería de la lucidez y el valor necesarios para encararla. Requería pararse ante ella y confesarle la verdad antes de hacer lo que debía hacer. Al final, cualquier juez le daría la razón, pues entendería que había actuado impulsada por la desesperación y el dolor, y la absolvería por su irreprochable conducta anterior.

Alzó la cabeza del diario y miró hacia el edificio en el instante mismo en que un Dodge Dart se detenía frente a la puerta de reja que cerraba la entrada al subterráneo. Al reconocer desde la distancia la melena dorada de la mujer, se quedó sin aliento. Cuando se puso de pie dispuesta a correr en pos de ella, las piernas se le aguadaron y tuvo que volver a sentarse.

Contempló impotente cómo el automóvil se sumergía en la negra boca del garaje.

32

¿Cómo aproximarse a la rubia sin levantar sospechas?, comenzó a preguntarse Isabel al despertar por las mañanas en Fray León, ahora que había regresado a la capital, obsesionada con la idea de averiguar la identidad de la mujer y vengarse de ella. ¿Tendría esposo, hijos, o era soltera? No se atrevió a consultar sobre ella al portero del edificio porque eso despertaría suspicacias y pondría en alerta a la rubia. Pero también anhelaba conocer la razón por la que José Miguel la tenía como amante. Necesitaba averiguarlo, aunque intuía que ella no podía competir con la carne fresca que ofrecía esa mujer. Además, eso no era lo crucial. Lo crucial era saber si había existido algo más que carne en esa relación. Si la mataba de buenas a primeras, como se proponía hacerlo, jamás dilucidaría ese interrogante.

Cuando se levantaba por las mañanas en Fray León con la imagen de la rubia apernada en la memoria, iba al baño a contemplarse ante el espejo. Cincuenta años, pensaba alisándose con las palmas las mejillas, tratando de recobrar el rostro lozano de antes, azorada por la crueldad con que el tiempo esculpía huellas en el cuerpo, harta de que la vida fuese irreversible. Temió no haber disfrutado a fondo la juventud ni haber estado plenamente consciente de la fugacidad de esa etapa. Los jóvenes no tienen conciencia de su juventud, pensó, solo los mayores. Se dijo que debía resignarse al hecho de haber perdido frente a la rubia porque se trataba simplemente de dos ejércitos dispares. Repudió a su esposo por haberla sometido a una competencia de la cual ella no podía salir bien parada.

Antes de entrar a la ducha se detuvo a mirarse desnuda frente al espejo. Se vio pálida y extenuada bajo la luz mortecina del baño.

Tenía bolsas bajo los ojos, un rictus de amargura, los senos ya sin la consistencia rebosante del pasado, y hasta su cintura, antes estrecha y su gran motivo de orgullo, se había desperfilado, y su abdomen comenzaba a abultarse, y una malla, por fortuna aún apenas perceptible, de estrías se iba estampando en sus piernas. En pocos años ya no sería una mujer, sino una anciana, y no estaba preparada para ello, admitió. Solo la compañía amorosa de José Miguel le hubiese permitido ese tránsito sin traumas. Pero para su edad no estaba tan mal, se consoló mientras pensaba en Alicia y en su recomendación de leer a Séneca, en la conveniencia de retirarse a envejecer lejos del sitio donde se vivía. A los cincuenta años, su cuerpo estaba más extenuado que su alma, reconoció, pero seguía siéndole noble y fiel, y aún era capaz de sentir pasiones intensas y de brindar placeres voluptuosos.

Por las mañanas sentía que lo principal ya no consistía en vengarse de la rubia, sino en averiguar quién era, cómo vivía y a qué se dedicaba, y por qué José Miguel se había enamorado —¿realmente se habría enamorado?— de ella. Necesitaba averiguar además si se habían propuesto algo como amantes. Todos los amantes urdían un plan, tejían un sueño o pintaban una utopía. Eliminar a la rubia sin interrogarla antes era desperdiciar los secretos que ella llevaba consigo y desaprovechar la oportunidad para vengarse de forma perfecta.

Recordó las circunstancias en que había conocido a su marido y tuvo la impresión de que, al final, todo se pagaba en la vida, que esta era una rueda que con cada vuelta rompía y restablecía equilibrios. ¿No estaba casado acaso José Miguel cuando se habían conocido? ¿No era ella entonces una muchacha bella y vital, de rostro terso y cuerpo deseable, con quien Georgia, la antigua mujer de José Miguel, no podía competir? Recordó los hijos del primer matrimonio de su esposo, esos adolescentes que habían quedado de la noche a la mañana sin padre después de que ella derrumbara la familia y edificara sobre sus ruinas su propia felicidad. Supuso que esa mujer mayor, de canas, algo encorvada entonces, debió haber acariciado también la idea de vengarse. Pero se había comportado de forma magnánima. Nada de mensajes ni de amenazas ni escándalos. Simplemente se había retirado del escenario como una reina defenestrada que admite su derrota. Nunca una crítica en público a José Miguel. Por el contrario, había renunciado en forma perpetua a las asignaciones que les correspondían a ella y a los hijos, y se había dedicado hasta su muerte, ocurrida años atrás, a cuidar de ellos, sin volver a contraer matrimonio.

Solo una vez tuvo un intercambio de palabras con la ex esposa. Fue al comienzo de la relación, cuando José Miguel continuaba viviendo con Georgia y ella, Isabel, se paseaba con él por Santiago. La mujer la detuvo en un solitario patio de la universidad y, tras presentarse, la increpó:

—¿Estás consciente de lo que has hecho?

Tenía los ojos tristes y sin brillo, y se había maquillado en exceso, probablemente en un intento por disimular la diferencia de edad entre ambas.

—Soy feliz con José Miguel y él me ama. Así es el amor —fue la brutal respuesta que le dirigió a la madre de tres hijos, que buscaba tal vez al menos una palabra de consuelo entre los claveles del campus universitario mientras los pájaros trinaban desde las enredaderas.

—¿Estás segura de que se aman? Mira que la pasión dura poco —repuso Georgia.

Se sintió menoscabada por la superioridad que exudaba esa mujer que bien podría ser su madre, y reaccionó con una crueldad innecesaria:

—No solo estoy segura de que con José Miguel nos amamos, sino también de que él hace mucho que no siente nada por usted.

La atormentó recordar esa escena, que había concluido con la retirada de cervatillo herido de Georgia. Tal vez existía efectivamente la justicia divina en el mundo, pensó Isabel, cabizbaja. Porque, a la vista de lo que ahora sufría, ella había actuado en forma injusta en el pasado. Le pareció que la rubia era ella misma proyectada desde ese patio universitario hacia el presente, una suerte de sombra ante la que debía rendir cuentas. Contempló la fachada del edificio donde vivía la rubia.

Isabel comenzó a instalar ese café en su rutina diaria. Llegaba allí, ordenaba algo y simulaba hojear los diarios. Su objetivo era seguir a la rubia hacia donde fuese, ojalá a su trabajo. No era una tarea sencilla. Había fracasado en tres oportunidades: la primera, porque había perdido de vista el Dodge Dart antes de subirse a su propio auto; la segunda, porque no había encontrado un taxi, y la tercera, porque al detener un taxi, el chofer, un hombre de malas pulgas, se había negado a transportarla.

—No estoy para que me cuezan a balazos —dijo antes de dejar a Isabel plantada en Los Leones.

Mientras montaba guardia en el café, jugó con la idea de contratar a un detective, pero la descartó cuando comprendió que de ese modo solo terminaría por incluir a más gente en la investigación y complicando su venganza. Frustrada por la lentitud de la pesquisa, ya que la rubia no salía a diario ni tampoco a la misma hora, Isabel regresaba cada mañana al café con nuevos, aunque decrecientes, bríos. En algún momento tuvo la impresión de que el dueño del local, un hombre de cejas gruesas, barba y boina, con aire de intelectual, sospechaba que ella pudiese ser un agente de la policía política.

Esa espera la apartaba de la vida apacible que se había propuesto llevar como viuda. La alejaba de esa existencia estable y placentera que le sugerían el doctor Alemparte, Alicia, su suegro y sus amigas, pero la verdad es que ahora la misma espera que la atormentaba dotaba de un nuevo sentido a su vida. Además, el solo hecho de espiar a la rubia le causaba un placer morboso, semejante, pensó, al que experimentaban los emboscadores. Aquel sitio pasado a café, tinta de diarios y fritura había terminado por convertirse en su atalaya y el punto desde el que repasaba lo que había sido su matrimonio con José Miguel.

Una mañana, cuando extraía la bolsita de té de la taza, la rubia salió caminando del edificio hacia la avenida Los Leones. Todo indicaba que esta vez se proponía tomar locomoción colectiva. Isabel dejó deprisa el local, bajó las escalinatas y se acercó a la mujer con disimulo.

Sintió una opresión en el pecho al detenerse junto a ella. Podía oler su perfume, observar sus rasgos e imaginar su voz. La miró de reojo mientras permanecían atentas a los vehículos que pasaban hacia Providencia. La mujer era efectivamente más joven de lo que había supuesto, y más atractiva que en los videos. Era más alta que ella, tenía buena figura y el rubio de su cabellera era natural. Llevaba traje sastre, una cartera gris y zapatos de medio tacón de igual color. Podía ser su hija, pensó dándose unos toques en la melenita tras afincarse los anteojos de sol, y quizás por ello había atraído a su marido.

Espera a que alguien la pase a buscar, calculó Isabel. Ojalá le diese tiempo para coger un taxi y seguirla, pensó, nerviosa, mientras contemplaba el río de automóviles que fluía por la avenida. De pronto, la vio alzar la mano y un colectivo se detuvo junto a ellas. Cuando la vio acomodarse en el asiento trasero, no supo qué hacer. Sus miradas se cruzaron mientras la rubia dudaba entre cerrar la portezuela o dejarla abierta para que subiera.

Fue entonces que Isabel dio unos pasos, abordó el colectivo y se sentó junto a la rubia.

33

El taxista conducía con las ventanillas bajas, escuchando una canción de Boney M. Llegó a la avenida Providencia y tras esquivar unos baches giró hacia el oeste. El asiento trasero lo ocupaban un joven con maletín sobre las rodillas, la rubia con su blusa blanca y falda floreada, al centro, e Isabel, quien simulaba mirar los escaparates. Cuando los vaivenes la hacían rozar el brazo de la otra mujer, Isabel no pudo sino pensar en que las manos de José Miguel habían acariciado ambos cuerpos.

La estremeció esa imagen, como la estremecía imaginar que su esposo hubiese sido capaz de hacerle el amor como si ninguna otra mujer se hubiese interpuesto entre ellos. Nada sugería que él pudiera estar engañándola. Pasaba gran parte del tiempo libre en casa, escuchando a los románticos escandinavos o a Wagner y Mahler, o bien saliendo con ella a cenar o a visitar amistades. Jamás olvidaba, por otra parte, brindarle un regalo para su cumpleaños o el aniversario de bodas, y a veces hasta la invitaba a acompañarlo a las convenciones médicas. ¿Cómo era posible que al mismo tiempo se hubiese estado acostando con esa mujer que ahora viajaba a su lado, que hubiese besado sus labios y los de ella, y le hubiese hecho el amor a ella y a la rubia? ¿Cómo era posible que hubiese arriesgado su prestigio por una aventura y hubiera sido capaz de llevar una vida doble, una existencia simulada, una vida clandestina?

La voz de la rubia pidiéndole permiso para desembarcar la arrancó de sus cavilaciones. Tenía las uñas clavadas en las palmas, y no se había percatado de ello. De lado, como ignorándola, le dijo que ese era también su paradero y se bajó con ella, dejando que la mujer tomara la delantera. La siguió entre la muchedumbre y las mesas de los cafés al aire libre.

Metros más allá la vio descender por las escaleras de la galería subterránea del Drugstore. Bajó detrás, a cierta distancia. Los tacones de la rubia resonaron contra una melodía de Bert Kaempfert. Solo algunas tiendas habían abierto a esa hora. La mujer no se le escaparía esta vez, se juró con la respiración contenida, ansiosa por averiguar su paradero final.

La vio entrar a una tienda, por lo que se detuvo ante una vitrina. ¿Trabajaba allí o solo entraba a comprar algo? Desde la distancia pudo leer el letrero de neón: "Capricornio. Antigüedades y Libros". Caminó unos pasos. Era un local amplio y profundo, de paredes verde nilo cubiertas de cuadros. Los muebles en exhibición –cómodas, vitrinas, aparadores, sillones, mesas y escritorios– formaban pasillos largos y estrechos. Al fondo había anaqueles con libros.

Se acercó a la vitrina y fingió observar un cuadro al óleo que descansaba sobre un aparador. Mostraba a una mujer que leía una carta junto al ventanal de un rascacielos, en una ciudad semejante a Nueva York. La composición le recordó el famoso cuadro de Vermeer y la hizo sentir que ella era esa mujer que anhelaba noticias, así como era el cisne del pintor holandés que había descubierto en su infancia. No tardó en volver a divisar a la rubia a través de la vidriera. Conversaba con un hombre de guardapolvo azul. Parecían regatear sobre precios, él con un plumero en la mano, ella junto a una antigua caja registradora. Al rato, la rubia franqueó una puerta situada al fondo del establecimiento, pero no regresó.

Isabel supuso entonces que la mujer trabajaba en esa tienda.

34

Al día siguiente, después de examinar las cintas que le había entregado el portero de Fray León, Isabel regresó por la tarde al Drugstore. Ahora sí, después de analizarlo una y otra vez, la acompañaba una convicción definitiva: la mujer del video y la de la tienda de antigüedades eran la misma persona.

Y allí estaba ella, sentada ante un escritorio, cerca de la caja registradora, estudiando al parecer un catálogo bajo la luz de una lámpara Tiffany. El hombre del plumero daba cuerda a un reloj colocado sobre una cómoda. Según el horario del local, que estaba pegado en la puerta de cristal, debajo de las reproducciones de varias tarjetas de crédito, Capricornio cerraba en cuatro horas. Volvió a Providencia y tomó un taxi que la condujo al cine Las Lilas, que exhibía *Memorias de África*, una película basada en la novela de Isak Dinesen, que Isabel había leído y discutido con José Miguel, cuando era feliz a su lado.

Salió conmovida del cine por las semejanzas entre el drama de la protagonista y el suyo. Al leer la novela, su historia la había impresionado, pero la sentía ajena a su vida. Ahora, sin embargo, la lucha de esa mujer arriesgada e independiente, marcada por la infidelidad de sus compañeros y su abandono, le resultaba cercana. Años atrás, cuando se internaba en la noche por esas páginas, sintiendo el calor del cuerpo de José Miguel a su lado, sabiéndose protegida y amada, no existía nadie más ajeno a ella que la protagonista, que dirigía una finca en Kenia.

Nada la unía a la escritora. Ella era una mujer desdichada, irremediablemente infeliz; Isabel, en cambio, parecía tocada por la varita mágica. En aquel momento sentía que Dios, en su infinita comprensión y sabiduría, la recompensaba pese a que en su juventud había destruido una familia. Ahora caía en la cuenta de que lo que más la asemejaba a la protagonista era que había pasado gran parte de su existencia rotando como un satélite alrededor de un hombre, creyendo que en eso radicaba en el fondo la dicha femenina.

Cruzó una plaza cuyos árboles estaban envueltos en la última luminosidad del crepúsculo, preguntándose si Dios realmente la había perdonado. Tal vez la castigaba por mentirle a José Miguel y haber construido la felicidad sobre la desgracia de otros. Se sentía culpable, y reconoció que su decisión de espiar a la rubia abría una caja de Pandora de efectos imprevisibles. ¿Esa mujer era la única amante de José Miguel o una de muchas que había tenido, y de lo cual ella, ingenua y estúpida, no se había percatado? ¿No era mejor no especular más y vivir convencida de que se había tratado de una sola mujer, de esa rubia? ¿Una no era acaso dolor suficiente? ¿Dos duplicarían acaso su decepción? Pero ahora la abrasaban el rencor y el deseo de venganza. Odiaba tanto a José Miguel como a la mujer que se había entrometido en sus vidas rompiendo lo que más amaba, enlodando el recuerdo de lo que hasta hace poco era su motivo de orgullo.

Sin darse cuenta llegó hasta el atrio de una iglesia, y buscó refugio en su penumbra alta y fresca, perfumada a incienso. Cruzó las baldosas, encendió una vela y se arrodilló ante la Virgen a rogar que le derramara serenidad en su espíritu. Necesitaba recuperar la paz y la ecuanimidad, como habría sugerido el padre Ignacio. Le urgía juzgar a los demás sin mezquindad, volver a ser la mujer piadosa que había sido, y por ello, a esa imagen de ojos azules y corona dorada le pidió que le ayudara a recordar solo los momentos felices de su existencia. Total, en la otra vida, si es que la había, el olvido sería premisa para alcanzar la felicidad, pensó.

La vida eterna sería un olvido que abarcaría a todos los seres que había conocido en la Tierra, pero que no habían sido lo suficientemente virtuosos como para lograr la eternidad. Ellos serían olvidados para que otros fuesen eternamente felices. Olvidar, en lugar de recordar, sería un don. ¿Significaba eso que en algún momento ella podría olvidar a José Miguel? ¿Tenía la vida eterna por lo tanto la amnesia como bálsamo y premisa? ¿Y se merecía uno acaso vivir para siempre despojado de una parte de la memoria? ¿Y el infierno no era entonces, por lo mismo, precisamente lo contrario, la memoria completa, desatada como un vendaval, sin filtros ni ataduras, la evocación nítida que azota y hiere, pero dota de sentido a nuestra existencia y nos hace recordar hasta que duele? No quería renunciar a su memoria, le dijo a la Virgen, enlazando fervorosamente las manos, porque renunciar a ella sería renunciar a lo que había sido. Y cuando alzó la vista hacia la Virgen tuvo la sensación, dolorosa como la sospecha y los celos, que la Virgen no la comprendía.

Es mejor volver a Capricornio, recapacitó mientras se persignaba.

35

Cuando cruzó el umbral de la tienda, se encontró con que la rubia, llaves en mano, estaba a punto de cerrar la puerta de vidrio. Faltaban minutos para las nueve. No había gente en el local ni en el Drugstore. Llegó el momento, pensó mientras oprimía contra su seno el bolso con la Beretta Puma dentro. Sin testigos jamás sabrán quién lo hizo, calculó internándose por entre los muebles antiguos, abriendo el bolso, calculando que después emprendería la fuga con habilidad y discreción. En ese instante se abrió la puerta del fondo.

Era el hombre del guardapolvo azul.

—Disculpe, sé que está por cerrar —dijo Isabel volviéndose hacia la rubia. Trató de disimular su frustración—. Busco un espejo. Pero si está cerrando, puedo volver mañana.

—¿Qué tipo de espejo busca, señora? —la rubia le dirigió una mirada atenta, incapaz de escrutar sus ojos detrás de los cristales de sol de Isabel.

—Uno de Murano.

—¿Veneciano?

—Veneciano.

—Harto difíciles de encontrar —comentó la rubia—. Sufren mucho porque la luna y el marco son de espejo. Ni qué decir de las decoraciones florales que graban con tornos de piedra, ni de las flores de cristal que tallan a mano...

—He estado en Italia y algo conozco de espejos. Busco uno para el vestíbulo de mi casa.

—Lamentablemente por ahora no tengo ninguno, pero puedo conseguirle algo. Si me da unos días y un teléfono donde ubicarla...

El hombre cerró con suavidad la puerta y caminó por un pasillo apagando lamparitas.

—Deme mejor su tarjeta y yo la llamo —repuso Isabel turbada, puesto que lo que pensaba iba a tomarle solo unos instantes se había complicado de golpe con la aparición del hombre—. ¿Cómo se llama usted?

—Constanza —la rubia caminó hasta la caja registradora y extrajo una tarjeta, en la que anotó algo. El hombre del guardapolvo volvió a desaparecer detrás de la puerta del fondo—. Me encuentra casi siempre a partir del mediodía. ¿Algún límite en el precio?

—En verdad, no —dijo Isabel leyendo el apellido en la tarjeta—. Mientras tenga alrededor de 40 centímetros de ancho y algo más de un metro de altura, me interesa.

—Lo tendré en cuenta. ¿Señora...?

—Milena.

—¿Milena?

—Así es.

La rubia buscó infructuosamente los ojos de Isabel.

—Entonces, yo la llamaré la próxima semana. ¿Le parece? Y disculpe por haber llegado a última hora. Es que me urge.

—No se preocupe, señora. Cuando me llame, seguro le tendré novedades.

Salió de la tienda y caminó por el Drugstore con la sensación de que los ojos de la rubia la seguían a través de la vitrina.

36

Cerré el manuscrito de Benjamín Plá en la bandeja de mi butaca mientras por los audífonos del iPod me llegaban los acordes de "Pictures at an Exhibition", de Mussorgsky, y la nave iniciaba su descenso sobre el aeropuerto de Pudahuel, ocupando un pasadizo aéreo que, treinta años antes, tal vez también había ocupado la nave de Isabel que regresaba a Santiago desde el sur. Desde la ventanilla reconocí las estribaciones del paisaje, la superficie rugosa y yerma de los cerros, las sombras ominosas reptando por los valles, y examiné al mismo tiempo las descripciones del capítulo inicial del manuscrito. Allí estaban aún los caminos de tierra, unas mediaguas aisladas, los montículos de basura, las humaredas que ascendían al cielo entre lagunas de aguas turbias. Poco después, el avión se posó con un golpe duro sobre la pista, se desestabilizó unos instantes, pero no tardó en recuperar su prestancia de pájaro curtido. Al detenerse junto a la terminal, se estremeció como si fuera a descoyuntarse, y un timbre anunció que podíamos desabrochar los cinturones.

Ese día me instalé en un pequeño hotel afrancesado de la capital. En el pasado había sido una residencia de tres pisos de una familia acaudalada, que un inversionista de origen normando había comprado y restaurado. Está en una calle tranquila de Providencia, bien ubicado con respecto al comercio y al metro. Cada vez que vuelvo a ese país, ahora en democracia, me cuesta imaginar que decenios atrás vivía en dictadura, que hubo cárceles secretas y campos de detención, así como soplones, torturadores y personas desaparecidas, y que hoy es una nación estable, próspera y libre, donde sus militares no son ni la sombra de lo que fueron. Me alojé en una mansarda de las inmediaciones de un café donde se dan cita intelectuales para matar el tiempo entre el olor a café y pastelería. Allí me reuniría con Armando Paniagua, funcionario del Ministerio de Cultura, a quien conocí en la época de la dictadura, cuando trabajaba para una organización no gubernamental financiada por Francia. Me duché y me puse saco, camisa y corbata, porque en Chile la gente atribuye desmesurada importancia a los hábitos y la corbata distingue, y llegué al café.

Paniagua arribó con media hora de retraso, hablando por celular, dándome a entender que tenía cosas más importantes que hacer que reunirse conmigo y que nuestra cita podía ser interrumpida en cualquier instante si el ministro exigía su presencia. Parecía sugerirme que la literatura, o al menos sus funcionarios, vivía inmersa en una urgencia semejante a la de otros ministerios, como el de Defensa o del Interior, y que al final lo crucial eran las jerarquías, los cargos y los oropeles. Interpreté su pedantería como parte del carácter de la nueva clase política que nos gobierna desde el retorno a la democracia, formada por una alianza entre los moderados de hoy y los radicales de ayer, apernados al poder, dueños de un curioso cosmopolitismo nutrido tanto por la bonanza económica como por la conciencia de ser un país del último confín del mundo. Paniagua era un tipo espigado, de melena negra y rostro enjuto, desdeñoso a primera vista, pero amable en el fondo. Se sentó frente a mí. Vestía corbata y saco carmelita.

—Nadie conoce al sujeto por el que preguntaste —me dijo después de ordenar un cortado—. Si se cree J. D. Salinger, lo hace a la perfección. Nunca nadie lo ha visto.

Conozco mejor a Paniagua desde una recepción ofrecida por la embajada chilena en Washington, donde él remataba una gira para suscribir acuerdos de colaboración con colleges norteamericanos. No soy santo de su devoción, desde luego, porque vivo en el imperio y me defino políticamente como independiente, y él pertenece a una izquierda radical en la oratoria, pero conservadora en la práctica diaria, que habla de los pobres, pero viaja en ejecutiva y se hospeda en hoteles cinco estrellas, razón por la que nos necesitamos mutuamente. Suelo conseguirle invitaciones a congresos académicos en Estados Unidos, que él disfruta porque engrosan su currículum y billetera, y lo hacen sentirse importante; publica a cambio algún ensayito mío o de colegas aliados en insignificantes revistas culturales de esta capital.

—Si Plá fue escritor, desapareció de forma magistral —insiste chequeando de nuevo la pantalla del celular.

Me sorprendió que Benjamín Plá tampoco existiera en el país de donde al parecer procedía, pero no se lo comenté a Paniagua.

—Pensé que al menos aquí alguien lo ubicaba —me limité a decir, frustrado.

—¿Es bueno el manuscrito, al menos? —me pregunta mientras vertía azúcar en el cortado.

—Intrigante.

—¿Por qué?

—Tendrías que leerlo.

—¿De cuándo es?

—De hace como treinta años.

—La prehistoria misma. Bajo la dictadura se escribió mucho libro que nunca vio la luz —dijo Paniagua barriendo el local con su mirada—. En la literatura no existe la justicia. Al menos, la amnesia en literatura es democrática —agregó molesto por una gota que manchó su pantalón mientras se llevaba la taza a los labios—. Escribimos para el olvido. Al final, nadie recuerda nada.

—¿Quién podría ayudarme a encontrar a Benjamín Plá?

—Déjame investigar con más tiempo —dijo en el momento en que entraban al local unos jóvenes que integraban un grupo poético adversario al de Paniagua. Pasaron a nuestro lado ignorándonos olímpicamente. En cuanto averiguaran quién era yo, me convertirían en uno más de sus enemigos irreconciliables. Este es un país estrecho y montañoso, que se equilibra de forma precaria entre la cordillera y los acantilados marinos, y por ello es incapaz de brindar espacio a tantos egos. El éxito de los demás es visto con suspicacia y despierta envidias viscerales. No se puede vivir en un balcón angosto, inclinado, pensé.

De pronto, el saxofón de Stan Getz sonó como una deidad liberadora de tensiones.

—¿Conoces a un sacerdote llamado Ignacio Irigoyen? —pregunté yo con un dejo de esperanza.

—¿Y eso a qué viene?

—¿Lo ubicas?

—Fue el confesor de las ricachonas del Barrio Alto —dijo Paniagua tras pasarse la servilleta por los labios—. Murió el año pasado, llevándose deliciosos secretos de la ciudad a la tumba. Le falló el corazón, algo raro, pues no creo que tuviera uno. ¿Por qué ese interés?

—Hablaron de él en un cóctel en Berlín.

—¿Y qué decían?

—Que era influyente.

—Influyente y todo, su cuerpo está tres metros bajo tierra y su alma en el infierno —afirmó Paniagua con frialdad—. Simpatizó con la dictadura. Pero volviendo a Benjamín Plá: si averiguo algo, te lo haré saber —anunció mirando de soslayo a los poetas adversarios mientras su celular sonaba—. Tengo que irme —agregó tras examinar la pantalla—. Me espera el ministro por un proyecto de teatro para comunidades mapuches que están alzadas contra Santiago.

37

La ruta entre Santiago y Valparaíso es una cicatriz gris y recta, de dos pistas por lado, dividida por una barrera de contención, que une la cordillera de los Andes con el océano Pacífico a través de viñedos y túneles. Mientras contemplaba, a la mañana siguiente, ese paisaje desde la ventana de mi bus, me alegré de dejar atrás el cielo ocre de la capital, su odioso mundillo cultural y el estancamiento de mi investigación. Me habían bastado dos días para corroborar mi impresión de que la modernidad convirtió a Santiago en una metrópoli asediada por la competencia y el individualismo, atormentada por lo que le falta para convertirse en una metrópoli de verdad, y envenenada por su aire mortífero.

La noche anterior había cenado en un restaurante peruano con Horacio Fritz, un poeta y profesor jubilado de una universidad santiaguina, que me llamó para conversar sobre colegas. Mientras caminábamos por las calles arboladas de Providencia en un estado de melancolía nutrido por el pisco sour y la botella de cabernet sauvignon que nos habíamos despachado en el peruano, y comparábamos a los universitarios de hoy con los del setenta, desembocamos, sin darnos cuenta, precisamente en la callejuela que presenta el manuscrito de Benjamín Plá como el sitio donde se alza el edificio de Constanza.

Intuí que se trataba de un mensaje poderoso que no debía ignorar, una casualidad que no era tal, como tampoco había sido casualidad el hallazgo del manuscrito por parte de Simons, ni mi viaje a Berlín, ni que él me entregase a mí esas páginas que habían terminado cambiando mi vida. No le conté a Fritz sobre la impresión que todo aquello me causaba, porque el poeta, como era su costumbre, no terminaba de celebrar su último poemario y de repetir las reseñas escritas sobre él por leales amigos, pero yo estaba azorado. Se trataba de la misma calle corta y sin salida, de árboles viejos y vereda estrecha, próxima a la intersección de la que habla el texto. Me sentí trasladado de golpe al interior de la trama del manuscrito. Solo reparé en un cambio, esencial, por cierto, que me consternó: el edificio de Constanza había sido derribado y en su sitio, al final de la calle, se levantaba ahora uno nuevo, de cristal y acero, donde no residía ni había residido una mujer llamada Constanza, según nos informó el portero que, como en la novela, leía delante de una pizarra telefónica.

Cuando volvimos caminando hacia Los Leones —Fritz seguía hablando de sus poemas y de la última esposa que lo había abandonado por un poeta más joven y apuesto—, vi las dos paqueterías de que habla la novela y, entre ellas, el café que ahora se denomina Sandborns y que es indudablemente el sitio desde el cual Isabel espiaba a Constanza. Le dije a mi colega que necesitaba una botella de agua, por lo que entramos allí, y pude comprobar que la disposición de las mesas y las vitrinas concordaba a la perfección con lo descrito por Benjamín Plá. Pude ver, o mejor dicho, imaginar la mesa a la que Isabel solía sentarse a espiar a la rubia.

Aquel día quedé desconcertado porque en la tarde, antes de salir a cenar con Fritz, había tenido una experiencia, esta vez decepcionante, en relación con el manuscrito. Me había acaecido después del almuerzo en un local vegetariano de Providencia, cuando viajé en taxi a la calle Fray León, donde vivía Isabel, de acuerdo con el texto.

El automóvil llegó hasta las inmediaciones de la calle San Damián y dobló por Fray León, donde encontré o me pareció encontrar al menos dos complejos de edificios que se asemejan a los descritos en la novela en medio de un terreno con jardines y árboles. Exceptuando los árboles, ahora desde luego más altos y frondosos que en el relato, y la posición de algunas construcciones, el resto del espacio se asemejaba a la descripción entregada por Benjamín Plá. Alentado por la coincidencia, le pedí al taxista que me esperase mientras yo acudía a la construcción baja, revestida de ladrillos, que corresponde a la administración del condominio y que se halla, al igual que en la novela, junto a la puerta de acceso. Y efectivamente había allí también, como en el manuscrito, cámaras de seguridad instaladas en lo alto del techo plano.

Seguro de haber dado con la persona clave, pregunté con voz trémula por Isabel, aunque sin saber su apellido, desde luego, ya que Benjamín Plá nunca lo menciona en el texto. Mi actitud despertó de inmediato sospechas, cuando no inquietud, en un portero que sabía muy bien que estábamos en un país donde la delincuencia mantiene aterrada a la población. Con un aire parecido a Méndez, me aseguró, como era de suponer, que allí no vivía nadie con ese nombre.

—¿Tal vez conoce a una Isabel, viuda de un cirujano? —insistí.

El portero me miró con mayor desconfianza a través del vidrio. Yo podía estar recabando información para planear un atraco. Yo podía ser alguien que con aspecto de persona seria simulaba buscar a una persona para recolectar datos sobre el condominio.

—No, aquí no vive nadie con esas características —respondió el portero, impaciente porque yo me fuese a otra parte.

—¿Y no trabaja aquí un señor Méndez?

Era mi esperanza. Tal vez el hombre que le consiguió los videos a Isabel aún trabajaba allí. Esta vez el portero lo pensó un rato, se centró con aire de importancia el nudo de la corbata y dijo:

—Nunca he conocido aquí a nadie con ese apellido. Y llevo años aquí.

Regresé al taxi ofendido por el trato y le ordené al chofer que me condujera al Drugstore, donde descendí las escalinatas y recorrí la galería de ida y vuelta en busca de Capricornio. Tal como me lo temía, no encontré la tienda. Volví a cruzar esa dimensión irreal que proyecta la luz del pasillo subterráneo, pero esta vez lo hice de forma pausada, atento a cuanto registraban mis sentidos, y de pronto creí reconocer el sitio donde pudo haber estado Capricornio hace años y que hoy es una papelería tipo Hallmark, que vende cuadernos, lapiceras y tarjetas de cumpleaños. Entré.

—¿Capricornio? —repitió la dependiente enarcando las cejas—. Que yo sepa, esta papelería ha estado aquí toda la vida, señor.

—Ah, sí, esta tienda está aquí desde siempre —agregó otra muchacha.

Los jóvenes habitan en un presente eterno, eso lo percibo también en mis alumnos de Manhattan. Para ellos, cualquier local que haya estado cinco años en un mismo sitio lleva allí una eternidad. Si la ciudad se encargaba de borrar sus huellas y, por otra parte, desaparecían sin rastro los sitios y los personajes del manuscrito, las cosas se complicaban y amenazaban mi proyecto y, por ende, mis posibilidades de publicar algo contundente para obtener el *tenure*.

En rigor, gran parte de mis conocidos anhela transitar por la vida como un asesino precavido, vale decir, sin dejar huellas. Yo, en cambio, estoy obligado a dejar huellas por doquier, a engrosar en forma permanente mi currículum vitae mediante la asistencia a conferencias académicas, a impartir charlas y clases, la elaboración de ensayos; en pocas palabras, dejando improntas para que al final suba mi salario.

Cuando fui periodista supe de hombres que hacían lo contrario de lo que yo tengo que hacer. Salían un día de casa a buscar cigarrillos, pero no regresaban nunca más, desentendiéndose de la mujer y los hijos, de los impuestos y las deudas, esfumándose del mapa. Sin embargo, la desaparición no siempre obedecía a que se fugaban con una amante o los habían asesinado. A veces se trataba de seres que, en medio de una crisis hogareña o laboral, sucumbían ante la abrumadora obligación de tener que mantener a la familia y se marchaban con lo puesto y unas monedas para el bus en el bolsillo. Supongo que pasaban el resto de la vida borrando pistas, a diferencia mía, devenido recolector y guardián perpetuo de mis propias huellas y excrecencias intelectuales.

En dos oportunidades logré dar con estos curiosos casos de desaparecidos. Vivían en el mismo Buenos Aires, y a veces solían espiar a su familia desde cafetines del barrio, premunidos de bigotazo, anteojos y sombrero. Añoraban hacer de nuevo el amor con la esposa, abrazar a los hijos, organizar un asado con los amigos o llevar la mascota al parque, pero ya no podían escapar de la dimensión secreta que los mantenía prisioneros como si fuesen almas en pena. Eran invisibles para los demás, pero ellos podían ver y oír a los suyos, aunque no hablarles ni tocarlos. Eran muertos en vida. Hasta sus rostros, pálidos y demacrados, tenían un aspecto cadavérico. Tal vez algo semejante le había ocurrido a Benjamín Plá, me dije, y él seguía vagando por allí, a pasos míos, disfrazado de otro, eludiéndome.

Una vez en Valparaíso, la lentitud con que viajaba el viejo taxi coreano que abordé en el terminal de buses me permitió contemplar la ciudad que seguía cayéndose a pedazos, mientras en algunos cerros se abrían restaurantes, cafés y hoteles para turistas extranjeros. Al menos no cometí el error de dejar el alojamiento al azar. Desde Nueva York había tenido la precaución de reservar cuarto en el Zerohotel, una bella casona del siglo diecinueve, refaccionada, que se alzaba en Lautaro Rosas, precisamente en la calle de Isabel.

Mientras el coche subía por los adoquines, leí el titular de un vespertino que desde un estanquillo anunciaba otro asalto con rehenes en la ciudad. La violencia campeaba también en Valparaíso, a pesar de que, a través de la ventanilla, los barrios no parecían amenazantes. Por el contrario, ante mi vista desfilaban pasajes estrechos, escaleras enrevesadas, frontis pintados, perros dormitando en las esquinas y mucha ropa tendida en cordeles, un espectáculo más bien exótico y alegre, como de neorrealismo italiano, que alegraba el alma y me hacía envidiar a los porteños. Y aunque la gente de Valparaíso sigue al forastero por lo general con mirada fija y reservada, sabe al rato ser afable y generosa, como tienen que serlo los sabios habitantes de una ciudad maltratada por el destino. Fue allí, por lo demás, donde Isabel investigó y fraguó su venganza, y donde ella y Benjamín Plá tal vez continúan viviendo.

38

−¿Orestes?

Era Armando Paniagua. Desde mi cuarto en el Zerohotel, con mis Nike puestas en el antepecho de la ventana, veía yo cómo la tarde se derramaba parsimoniosa sobre la superficie del Pacífico. Coloqué mi vaso de Chivas Regal sobre la mesa de madera.

−Estuve averiguando sobre Benjamín Plá −continuó Paniagua.

−¿Alguna novedad?

−Nadie del ministerio lo conoce, lo que es sumamente raro. Pero si la novela está ambientada en Valparaíso, lo indicado es que indagues en los locales donde se reúne la bohemia. Por ahí puede estar la hebra...

Yo conozco Valparaíso, pensé. O creo conocerlo. O al menos pienso que lo conocí bien en una época, pues nací y me eduqué aquí, crecí en él y lo vi decaer, y después me fui al exilio, como tantos otros. Me marché, lo reconozco, huyendo de los militares de entonces y de la influencia melancólica, cuando no paralizante, de la ciudad. Pero solo los porteños pasan por la vida volando como si fuesen pájaros, solo ellos viven con la bahía, los barcos, los techos de las casas y las torres de las iglesias a sus pies, solo ellos respiran convencidos de que la vida es un juego de perspectivas cambiantes y que el ser humano es una mariposa, una golondrina o una pompa de jabón que se merece contemplar desde todos los planos.

Es cierto que la ciudad ha cambiado mucho, más aún para quien lleva decenios apartado de sus cerros y su viento, pero sigo siendo porteño y conozco, por lo tanto, cuáles son los sitios tradicionales en los que se congregan sus escritores y poetas. Por eso me hospedaba donde lo hacía, en el viejo Valparaíso, en esos cerros donde había nacido prácticamente la ciudad, y no en la moderna Viña del Mar, por eso me alojaba cerca de los recintos de la bohemia, de los cafés y bares con vigas a la vista, pisos de madera y ventanas que miran a la bahía, por eso me gustaba explorar esas escaleras de concreto que bajan zigzagueando o esos pasajes lóbregos en que se cultivan sombras y agapantos.

—¿Te refieres al Café Riquet y al J. Cruz? —dije haciendo tintinear el hielo en el vaso.

—Y también al Bar Inglés y el Cinzano, y al Hamburg y el Café del Poeta —añadió Paniagua, como si yo no conociese Valparaíso—. Seguro en esos sitios alguien podrá darte pistas. Como capitalino no conozco bien las picadas de los poetas porteños, menos ahora que apareció tanto local nuevo con el turismo de los transatlánticos. Yo que tú comenzaría por uno de esos lugares. Y si me entero de algo más, te llamo.

Se lo agradecí y colgué. Paniagua era un tipo con el que se podía contar. Le interesaba mantener buenas relaciones conmigo porque, pese a su antiimperialismo, gozaba las invitaciones de Estados Unidos, y estaba al tanto de lo último del cine y la narrativa de ese país, al que amaba y odiaba al mismo tiempo. Congenio con ese tipo de izquierdistas dotados del diáfano sentido de la oportunidad, que despotrican contra el imperio, pero aman sus becas, que abjuran del poder, pero añoran puestos ministeriales y agregadurías en embajadas. Esas debilidades parece que de pronto los convirtiesen en seres menos severos, más amables y flexibles, tolerantes con los que piensan diferente.

Es un sector que disfruta del poder y sus prebendas en democracia, lo que los aburguesó y convirtió en almas flexibles, tolerantes y vividoras, en seres con quienes se puede dialogar en una atmósfera libre de resentimientos. Algo semejante ocurre con los revolucionarios que pregonaban hace cuarenta años la vía armada y hoy son prósperos empresarios. Si entonces exigían la expropiación de los medios de producción y la instauración del socialismo radical, hoy exhiben barriga, visten trajes Armani, celebran la iniciativa privada, adquieren cuadros de pintores eximios y se afanan por casarse con las hijas de la más rancia oligarquía.

No era mala idea la de Paniagua, me dije vaciando el vaso de whisky, gratamente instalado en el sillón frente a la ventana, bajo la generosa amplitud de puntal alto de mi habitación, listo para explorar esa noche los sitios a los que hace referencia el manuscrito de Benjamín Plá, porque intuí con preocupación que si no hallaba el sendero hacia el escritor, jamás lograría franquear la puerta del misterio.

39

Estimando que Constanza tardaría en llamarla por lo del espejo, el sábado por la mañana Isabel acudió a la misa de las ocho en la iglesia de San Luis Gonzaga, cerca de Lautaro Rosas. Después iría a la caleta El Membrillo a buscar pescado fresco, alguna corvina grande, para cocinarles a sus amigas. Le entusiasmaba la idea. Hacía mucho que no compraba directamente de los pescadores, algo que la cautivaba, pues sus botes con franjas verdes y amarillas le recordaban las vacaciones de la infancia a orillas del Lanalhue, donde disfrutaba con sus padres de la natación y los paseos a caballo en unas bestias chúcaras, con las cuales lidiaba a rebencazo y se sentía amazona.

Al salir de la iglesia, la acarició la brisa que subía del Pacífico. Estaba de buen ánimo. El sermón del cura le había ayudado a morigerar sus sentimientos. Ya no sentía lo mismo del día anterior, cuando en una fuente de soda cercana había esperado a que Constanza saliera de la tienda para seguirla y aprovechar una calle oscura para ejecutar la venganza, para cometer el hecho, como decía Shakespeare. Sin embargo, al verla pasar detrás de las vidrieras, le había faltado el coraje para levantarse y matar a un ser de carne y hueso, no ya a la imagen de un video o un recuerdo.

Ahora, después de la misa, caminó hacia el plan de Valparaíso recordando que esa tarde llegarían sus amigas a verla. Les prepararía corvina al papillote con ensalada de tomate y cebolla, aderezada con aceite de oliva y sal gruesa, y de postre un mote con huesillos que planeaba comprar en el supermercado. Sería una sorpresa. Nada de invitarlas a un restaurante de Viña del Mar, nada de traer a María para que cocinase, todo lo prepararía ella misma. Y después que le ayudaran a lavar los platos y a poner en orden la cocina.

En todo caso, ellas seguirían preocupadas por su pobre amiga viuda. Las desubicaba la extraña metamorfosis de su aspecto, que ahora fuese una ermitaña medio proletaria, refugiada en Valparaíso, llevando otras vestimentas y otro corte de pelo, apartándose de sus amistades, aunque lo que más les molestaba seguramente era el manto de misterio con el que envolvía sus otras actividades. Sin embargo, Isabel sentía que todo comenzaba a cambiar también en su interior. Si al comienzo temió que sus amigas se enterasen de la reunión con el portero, ahora eso ya no le importaba. Por el contrario, ahora le parecía apasionante explorar mundos que antes, cuando José Miguel vivía y ella era una mujer sumisa, le estaban vedados.

En esos días en que tomaba somníferos, empezó a acariciar la idea de pintar escenas de la ciudad para ocuparse de otros temas. La concentración en Constanza la iba a perjudicar en extremo, se dijo. La pintura sería su terapia. Como las escaleras la cautivaban, se propuso pintar la Subida Yelcho del Cerro de La Merced, el Pasaje Ramón Ángel Jara del Cerro Cordillera y la escalera Héctor Calvo del Cerro Bellavista. Eran rincones descubiertos durante sus paseos por Valparaíso, que la atraían por su carácter y aire misterioso, y los claroscuros y la atmósfera que ella recrearía mediante sus pinceles.

Como estudiante del college de Massachusetts había tomado dos cursos con el pintor John Le Roy, un profesor joven y apuesto, a quien, recién ahora caía en la cuenta, nunca le había seguido la pista. Tal vez se había convertido en un artista de renombre y ella lo ignoraba, pensó. Sí, buscaría entre sus cajas los apuntes de las clases de Le Roy, quien enseñaba a manejar el estrés mediante la pintura. A ella le fascinaba salir a pintar temprano los domingos, cuando la ciudad aún dormía y el canto de las aves recorría las callejuelas empedradas del pueblo. Buscaba alguna plaza o una fuente que le sirviera de escenario, o bien la fachada de un bar o una librería con las cortinas metálicas bajas. Nada mejor que pintar en la calle, premunida de un jarrón de café, mientras sus compañeras dormían. El matrimonio temprano y la responsabilidad como madre y dueña de casa terminaron, sin embargo, por convertirla al final en una mujer sin título, al servicio de su esposo y de Nicolás. Hasta el gusto por la pintura lo había perdido. No solo carecía del cuarto propio, del que hablaba Virginia Woolf, sino también del tiempo propio para dedicarse a lo suyo, a pintar o leer como hubiese querido.

Entró al dormitorio, se despojó del vestido que había llevado en la misa, porque el padre así lo exigía, y se puso jeans, zapatillas y chaqueta de lino, y sintió que volvía a ser ella de nuevo. El tiempo apremiaba, se dijo. No se había dado cuenta de que era tarde. Debía ir y volver y preparar el almuerzo a la carrera. Cruzó la ciudad y estacionó cerca de la caleta pensando en que la irrupción del hombre del guardapolvo en la tienda había arruinado su venganza. Constanza, blanco de su ira y frustración, se había circunscrito a partir de ese instante a unos ojos que la miraban con curiosidad, a un timbre de voz armonioso y gentil, y a unas manos de uñas cortas, que gesticulaban en exceso. ¿Qué haría ahora? ¿Cuántos secretos suyos arrastraba esa mujer consigo? ¿Había huido al notar que José Miguel moría o se había despedido sin sospechar nada?

Fue al acercarse a los botes de casco aún húmedo, asentados en la cálida arena de la caleta, cuando escuchó que alguien pronunciaba su nombre a su espalda.

Cuando se volteó, casi no pudo creerlo. Era David, su primer novio, su amor de Atacama, ahora ya un hombre canoso y delgado, con gafas de armadura metálica a lo John Lennon. Le sonreía como si aún estuviesen en el colegio.

40

Fue lo más maravilloso que le había ocurrido en estos meses. Volver a ver a David esa mañana en que el sol desperdigaba cristales en el Pacífico y las gaviotas graznaban sobre su cabeza antes de planear mar adentro fue como regresar a las sábanas tibias que se abandonan en una fría noche invernal para ir al baño. Se abrazaron y se besaron en las mejillas y rieron y así se esfumaron la caleta y su gente, la brisa fresca y salina, preñada de evocaciones de veranos pasados junto al mar de la adolescencia.

—¿Me reconociste a la primera, David? —le preguntó y se sintió incómoda con su melenita corta y la vestimenta informal que se había zampado a la carrera, con las zapatillas compradas en el puerto, los jeans de marca desconocida y la chaqueta de lino vieja.

—Te venía siguiendo —le dijo él, y descubrió que allí estaban, como siempre, el brillo de su mirada, las arrugas que desde muchacho le sitiaban los ojos, la barbilla estrecha y su cabellera lisa, ahora cenicienta, y sus manos anchas que se aferraron a sus brazos.

—¿De veras? ¿Desde cuándo?

—Desde que me dejaste por otro, mujer infiel —exclamó sonriente—. Estás igualita. No. No igualita. Estás más bella y atractiva que nunca. Si hasta los años te han venido bien.

Se emocionó al escucharlo y recordar las mañanas en que examinaba con desaliento ante el espejo las huellas que el tiempo imprimía en su cuerpo.

—Solo te falta decir ahora que soy como el vino —reclamó mientras no dejaban de reír y la gente subía desde la playa con bolsas cargadas de pescados y machas.

—Estás preciosa, mujer. Si hubiese sabido que a esta edad ibas a ser así, te hubiese ido a buscar con pistola en mano a la casa de tu esposo.

La invitó a servirse algo en los restaurantes de la caleta. Caminaron por la avenida Altamirano contemplando la bahía, recordando a compañeros y maestros del colegio, hablando de sus padres, que vivían en Santiago, y de los de Isabel, ya muertos, hablaron de tantas cosas compartidas en el pasado, pero sin abordar lo más importante, lo que los hacía cómplices, su amor juvenil y cuanto había ocurrido en él, como si hubiesen sido solo buenos amigos y la noche atacameña un sueño.

—¿Y tu hijo? —le preguntó él, saltando de los recuerdos al presente.

—Especializándose en Stanford, y en líos con mujeres.

—Es la edad, no te preocupes. ¿Y tú? ¿Cómo estás tú, de verdad?

—Voy remontando la cuesta —admitió ella y vio cómo David limpiaba los espejuelos con la parte inferior de la camisa y engurruñaba los ojos al igual que en el colegio. Se veía estupendo para su edad: delgado y alegre, viril como siempre—. ¿Y tú, divorciado?

Iban ahora de vuelta a la caleta buscando un restaurante que los protegiese del sol abrasador.

—Divorciado y de mala manera —aclaró.

—¿Qué pasó?

—Al final, ella se casó con un coronel. Un tipo, por cierto, siniestro. En fin, no viene al caso. Lo cierto es que me engañaba, y yo, el bruto, fui el último en enterarme.

Tal vez le correspondía contarle que a ella le había ocurrido algo semejante, pensó Isabel, pero se contuvo, pese a que David se lo confesaba de buenas a primeras, como si al hacerlo sobrellevase mejor el dolor que debía atormentarlo. Si bien habían pasado por una experiencia semejante, ella era incapaz de reconocer su derrota en público, aunque sospechaba que algunos estaban al tanto de ella.

—¿Pensaste en vengarte? —le preguntó.

—Al comienzo, cuando mi mujer se marchó, pensé en matarla a ella, primero, y después a él. Pero ya ves, todos seguimos vivos —se sacudió las manos.

—Debe haber sido duro —comentó pensando en Constanza.

—Hoy no siento ya nada —dijo David y se detuvo para acodarse en la baranda de la avenida, frente a las rocas y el estremecedor oleaje del Pacífico—. Fue tan grande la desilusión que ni siquiera la increpé cuando volví a toparme con ella. Es más, ni siquiera le pregunté por qué lo había hecho.

—¿Querías saberlo?

—Sí, pero al final no me importó. Solo siento desprecio por ella.

En eso radicaba la diferencia, pensó. David renunciaba a la respuesta que ella jamás obtendría de José Miguel. David no deseaba conocer el motivo de la infidelidad, aunque estaba en condiciones de arrancarle una confesión a una mujer que tal vez vivía en la misma ciudad. Ella, en cambio, que anhelaba conocer en detalle las razones de la traición, no tenía modo de interrogar a la persona amada que la había traicionado.

—¿Y cómo reaccionaron tus hijos? —preguntó.

—El mayor nunca más quiso hablar con la mamá. Y esto fue hace cinco años.

—¿Y el otro?

—Liliana, la abogada, mantiene la relación con su madre y conmigo. No culpa a nadie. Dice que así es la vida.

Entraron a un restaurante vacío, y se ubicaron junto a una ventana. El menú estaba escrito con cal en el vidrio. Pidieron café.

—¿De verdad me perseguías? —le preguntó ella. Admitió que era una pregunta ingenua, alentada por una esperanza indisimulable.

—Te persigo desde que me dejaste —afirmó él mirándola a los ojos. Estaban frente a frente, separados por la mesa de mantel a cuadros blancos y rojos.

—¿Es una declaración de amor?

David echó a reír.

—Bueno, ya no creo mucho en el amor —comentó.

—¿Tienes pareja?

—Mejor ni hablar de eso. Un fracaso detrás de otro. ¿Y tú?

—Acabo de enviudar, David.

Él calló sintiéndose torpe, supuso Isabel. Pero ella no quería silencio en esos instantes. Añoraba el silencio en otros momentos y de otra gente, y por eso había escapado a Valparaíso, pero la presencia de David requería palabras. Se tomaron el café contemplando por entre las letras de cal el arribo de más botes a la caleta. En cuanto llegaban a la arena, los curiosos se abalanzaban sobre ellos para comprar pescados y mariscos.

—¿Qué hacías por acá? ¿Buscabas algo fresco también?

—Estudio el lugar para unas fotos que me pidió una viña que está exportando mucho a Estados Unidos. Tengo la cámara en el auto. Tú sabes, lo de siempre, pescado, mar y vino blanco. ¿Y tú? ¿Vas a cocinar?

Le habló de sus amigas mientras regresaban a la avenida Altamirano.

—Lamento lo de José Miguel —dijo David y sus palabras le sonaron a despedida. Su tono le sugirió que deseaba volver a lo suyo, concentrarse en las fotos. Siempre había sido así, egoísta, metódico e individualista. Solo lo suyo era importante. Así lo habían educado sus padres, que lo consideraban un genio, y lo celebraban como hijo único, apuesto e inteligente, recordó Isabel. Él siempre lograba lo que se proponía, y lo obtenía simulando indiferencia ante lo que más le interesaba. Así la había conquistado a ella, dándole a entender que no le interesaba mucho.

—¿Realmente te has recuperado?

¿Qué pretendía con esa pregunta? ¿Rastrillar en el fondo de su alma?, se preguntó, adolorida. ¿O estaba al tanto de todo y solo fingía ignorancia para obtener su confesión frente al oleaje encrestado del Pacífico?

—Al menos ya veo luz al final del túnel —respondió Isabel conteniendo las lágrimas antes de volverse hacia él y darle un beso de despedida en la mejilla.

41

A las once de la mañana del miércoles siguiente sonó el timbre. Isabel dejó la terraza, donde leía el diario, y cruzó el pasillo hacia la puerta de casa. Iba consternada por la noticia que daba cuenta de varios subversivos muertos en un enfrentamiento con las fuerzas de seguridad en la capital. La impresionó que fuesen jóvenes y que ninguno se hubiese rendido. Pensó por un instante en el militar, al parecer coronel, que se había casado con la mujer de David, y en que ese hombre lidiaba tal vez con casos en los que arriesgaba su vida. Cuando abrió, se llevó una sorpresa. Ante ella estaba Constanza. Le traía varios espejos en el carro.

—Qué bueno que vino —exclamó Isabel nerviosa. A pesar de que anímicamente se había preparado para el encuentro, le pareció que era incapaz de fingir ante esa mujer.

Constanza descargó tres espejos que venían envueltos en frazadas del furgón estacionado frente a la casa. Los llevó al interior de la vivienda, los puso en la sala de estar, apoyados contra el Steinway de cola y los develó con pericia. Isabel escrutó la mirada de la anticuaria. ¿Había visitado con anterioridad la casa? No pudo leer nada definido en sus ojos. Temió, sin embargo, que la mujer la reconociese por alguna foto que le hubiese enseñado José Miguel mientras examinaba con envidia los brazos blancos de la rubia, el escote de su blusa, que sugería unos senos contundentes, y las caderas realzadas por el jeans ajustado. No cabía duda de que tenía un cuerpo atractivo y que el suyo ya no lograba disimular el embate de los años. No pudo sino imaginar a José Miguel acariciando a esa joven que ahora, perfumada con notas frescas, se desplazaba por ese espacio que también había pertenecido a José Miguel.

—¿Qué le parece este espejo? —preguntó Constanza.

—Precioso —repuso, y era cierto. Brillaba como nieve en día despejado y ampliaba la sala.

—¿Dónde lo quiere? ¿Sobre la mesa?

—¿Usted cree que va bien ahí?

—Se verá soñado —dijo Constanza poniéndolo sobre la mesa—. Le llora a la sala. Me gusta su casa. Está restaurada con elegancia. ¿Quiere ver los otros?

¿Realmente no había estado allí con anterioridad?, se preguntó Isabel observando cómo la rubia acomodaba el espejo y se alejaba unos pasos. Isabel se vio en el espejo avejentada, con los hombros caídos, huérfana de la prestancia, el estilo y la seguridad de antaño. Además, estaba canosa y pálida. De pronto divisó a su lado el reflejo de Constanza, su cabellera copiosa y sedosa como la de las modelos de los comerciales, su rostro lozano y la boca recta. No creía que hubiese visitado antes esa casa, concluyó, porque habría sido incapaz de disimular de modo tan perfecto su emoción al estar allí de nuevo. ¿Pero por qué no iba a poder actuar magistralmente alguien que había abandonado al amante moribundo? ¿Por qué no podría estar representando toda esa inocencia que exhibía ante ella?

—¿Qué me dice? —preguntó Constanza mirándola a través del espejo.

—Me gusta, pero no estoy segura —repuso rehuyéndola con su mirada.

—Si se lo imagina colgado un poco más alto, calza perfecto. ¿Quiere ver los otros? —empezó los preparativos para exhibir el segundo espejo.

¿Cómo era posible que no la reconociera?, se preguntó Isabel. Pero no solo no la reconocía, sino que además actuaba como si no conociese esa casa. ¿Y por qué debía reconocerla a ella, a la viuda? Después de todo, el look alternativo la hacía verse diferente, como una artesana de izquierda opositora al régimen militar, decían sus amigas. Después de todo, la rubia se habría ocupado de José Miguel, no del aspecto de su esposa, ahora viuda.

—Qué casa más bella —comentó Constanza—. ¿Con vista al mar, verdad? —Isabel pensó otra vez que, por la edad, podía ser su hija. Al menos tenía la edad de las chicas que atraían a Nicolás.

La condujo a la terraza a través de la casa a sabiendas de que guiaba ahora a su enemiga por el interior de su hogar. Afuera las encandiló el Pacífico refulgiendo bajo el cielo limpio.

—¡Un oasis! —exclamó Constanza mientras observaba con deleite las fachadas de las casas de comienzos del siglo diecinueve que bajaban escalonadas hacia la bahía—. Parece que estuviésemos en otro país.

—¿Otro país? Lo que está viendo usted es el país real, la ciudad real.

—Puede ser, pero el sosiego parece de postal, demasiado inocente, para mi gusto. En fin, da lo mismo, es una casa maravillosa. La felicito. Yo nunca me iría de aquí. No se puede comparar esto con la vida en el infierno capitalino, entre edificios, tacos de automóviles y el aire envenenado.

—¿Usted tiene hijos?

—Uno, de cinco años. Va al jardín infantil.

—Son los que más sufren con la contaminación —afirmó Isabel con la boca seca.

—Y yo trabajando, en lugar de estar con él. Pero así es la vida —agregó—. Algún día pienso irme de la capital.

Volvieron al estar. Isabel supo que no iba a ser capaz de consumar lo que se proponía y que necesitaría para ello una ocasión más propicia. Con seguridad en Capricornio sabían dónde se encontraba Constanza y por lo tanto no podría borrar las evidencias de la venganza y se complicaría ante los investigadores. Además, admitió para sí misma, una cosa era odiar a la mujer que conocía a través de videos, y otra matar y ocultar ese cuerpo joven, que volvía a quedar enmarcado junto al suyo en el espejo veneciano.

—Constanza, me gustaría entregarle un cheque en garantía para que me deje los espejos por unos días. No sé aún cuál le viene mejor a la sala. ¿Le parece volver la próxima semana?

42

—Te sugerí que dejaras eso, Isabel, que no jugaras con la memoria de tu esposo. Solo lo perjudica a él. Fue un gran hombre.

Isabel se cruzó de brazos y miró al doctor Alemparte desconcertada por encima del escritorio. Acababa de sorprenderlo en la clínica, después de una cirugía. Vestía aún delantal de mangas cortas y la mascarilla de tele le colgaba del cuello.

—¿Y yo no cuento? —reclamó.

—Tú eres parte de la imagen pública de él. Tu prestigio depende del prestigio suyo. Así es la vida —repuso el médico con los codos sobre la superficie metálica del escritorio. Su mirada era conminatoria—. No sigas nadando contra la corriente.

—Necesito conocer hasta el último detalle para estar tranquila. Mientras intuya que hay otra gente, ajena a mi matrimonio, que sabe más que yo de mi vida, no descansaré.

Alemparte sacudió la cabeza y se desprendió de la mascarilla. La medalla de oro colgaba ahora sobre su delantal con las siglas helvéticas. La palidez de su rostro la acentuaba el tubo de neón del techo. Isabel sabía que era un hombre, eficiente y agudo, acostumbrado a reprimir sus sentimientos, y le chocaba que ahora ella tratara de tocarle la fibra sentimental.

—Suena muy bien todo lo que me dices, pero la verdad que buscas solo va a minar tu vida —puntualizó clavándole sus ojos claros—. ¿Y para qué? ¿Para ser feliz? ¿Y por qué no recordar mejor al José Miguel que todos conocimos, al gran amigo, al padre cariñoso y al esposo ejemplar, amante de su familia?

—Amante de su amante, querrás decir.

—No te metas en suposiciones. Te destruirán. Ni siquiera sabes si existió otra mujer.

—Ya sé que hubo alguien.

—Si lo hubo, fue un desliz, una nube pasajera. Un mal paso que da cualquiera. No es justo juzgar la vida completa de una persona por un error. Además, estamos hablando de mujeres fantasmas, que solo envenenan tu alma.

Isabel apretó el bolso contra su pecho y sintió la Beretta, de la que ya no se despegaba, hincándose en su piel. Ahora entendía la reserva del amigo de su esposo. Quería ocultar el escándalo que estallaría si trascendía que José Miguel había muerto junto a una mujer que no era su esposa, al lado de una prostituta. En ese sentido, él tenía razón. La verdad destruiría a José Miguel y de refilón la perjudicaría a ella. La sociedad lo condenaría, a pesar de que todos sabían que muchos hombres destacados tenían amantes. ¿Debía ella entonces negarse a conocer la verdad para proteger el prestigio de quien la había engañado? Se acercó al escritorio de Alemparte y afirmó enfática:

—No es un fantasma de lo que hablo, sino de una mujer de carne y hueso. Y vine a verte porque necesito ayuda y porque creo que tú sabes más de lo que me cuentas.

—Explícate —Alemparte se introdujo la medalla debajo del delantal y enlazó las manos, serio.

Le detalló la historia tal como había ocurrido, le mencionó lo del papel con el chicle y el casete, pero le ocultó que ya había encontrado a la amante. Necesitaba conseguir más datos sobre Constanza, pero no quería dar pasos que terminaran involucrándola en la eliminación que planeaba de la mujer. Alemparte escuchó sorprendido, lo que a Isabel le hizo suponer que él desconocía la vida paralela que llevaba su amigo.

—Lo lamento de veras, Isabel —comentó él cuando ella terminó de hablar. Isabel se preguntó si realmente él estaba siendo sincero, solidario con su amigo hasta después de la muerte—. Jamás lo hubiese imaginado de José Miguel. Pero no busques a esa mujer. Tal vez esas huellas no son lo que imaginas. Yo sé cuánto te amaba a ti y a su familia.

—No trates de consolarme. Ahora necesito tu ayuda.

—¿En qué sentido?

—Sé que tienes formas de averiguar el paradero de esa mujer.

—¿A qué te refieres?

—A tus contactos. Ellos pueden ayudarme.

—¿Mis contactos? —Alemparte se acarició la barbilla.

—José Miguel me dijo un día que tú tenías contacto con la policía...

Alemparte sonrió con ganas.

—¿A eso te refieres? Oye, no pienses que es alguien importante. Y no creo que nadie de la policía se ocupe de los maridos infieles. Imagínate...

—Me ayudaría cualquier información.

—¿Para qué quieres saber más? —preguntó—. ¿Qué sacarás con eso? Solo sufrirás más. Ya te dije. José Miguel te amaba a ti y a su familia. Fue un profesional intachable. Deja su prestigio tranquilo —hizo una pausa—. A ver, no me digas que buscas a esa mujer para confrontarla.

—Así es.

—Pero estás loca. No le conviene a nadie. Ni a ti ni a la memoria de José Miguel. Además, no sabes en qué puede terminar. Hay gente agresiva. Cuídate.

—Quiero saberlo todo sobre ella —dijo Isabel con la barbilla trémula—. Esa mujer se pasea por esta ciudad con un secreto mío a cuestas. Me robó mi esposo e invadió mi intimidad. Ella lo sabe todo sobre mí, y yo lo ignoro todo sobre ella. Necesito información sobre su persona.

—¿Para qué?

La mirada de Isabel se deslizó por las paredes blancas de la consulta.

—¿Es que no me entiendes? —preguntó, indignada.

—Tienes su nombre, me imagino —dijo Alemparte con un bolígrafo en la mano.

—Solo el de pila —mintió Isabel, no estaba dispuesta a compartir esa información con Alemparte si no le daba garantías de que le conseguiría los datos—. Constanza.

—¿Y cómo quieres averiguar algo sobre ella, entonces? —reclamó él sonriendo burlón, y arrojó el bolígrafo sobre la mesa—. ¿Sabes cuántas Constanzas hay en este país?

43

Al día siguiente, después de almorzar con su suegro, Isabel regresó a la casa de Valparaíso decidida a deshacerse de la ropa y los zapatos de José Miguel. Era una forma de romper definitivamente con él, al menos en lo material. Se preparó un café y de inmediato comenzó a descolgar del clóset ternos y trajes, y le dijo a María, su empleada ocasional de Lautaro Rosas y esposa del jardinero, que podía llevárselos.

—¿Está segura, señora? —preguntó la mujer secándose las manos en el delantal, alarmada—. Son los ternos del caballero…

—Llévate la ropa y también los zapatos. Haz lo que quieras con eso, pero llévatelo ahora mismo.

—¿Seguro, señora?

—¿Qué esperas? ¿No te das cuenta de que el señor está muerto y que no volverá más?

Con la ayuda de su esposo, María se pasó la tarde trasladando ropa al furgón de un familiar. Ambos estaban felices y agradecidos. Por la noche, Isabel sintió alivio al encontrar despejado el clóset. Necesitaba diluir su presencia, deshacerse de su fantasma, acostumbrarse a la soledad para averiguar qué tipo de persona había sido realmente José Miguel.

Se asomó a la ventana y contempló el níspero donde los zorzales habían armado un nido y la emocionó descubrir tres huevos moteados en él. Se quedó viendo cómo los zorzales regresaban al nido trazando en el aire un rodeo alrededor de un árbol cercano. Cuando uno de los pájaros se echó a empollar, Isabel prefirió alejarse para no importunarlo y vaciar las gavetas de la cómoda de José Miguel. Para los empleados, la cosecha allí sería pródiga en calcetines, prendas interiores y camisas, pensó. Era bueno que fuera así. La situación económica estaba dura, había una crisis y aumentaba el desempleo. En una gaveta encontró de nuevo la caja de madera en la que su esposo solía guardar mancuernas, prendedores y antiguos relojes de pulsera.

Nunca había hurgado en esa dimensión de José Miguel que no le concernía. Estaba revestida en su interior con tablillas de madera que olían a sándalo. José Miguel la había comprado en Ginebra. Entre las prendas, casi todas de oro, estaban el anillo de su primera comunión y el de la graduación como médico, un reloj Piaget de cadena, que había pertenecido a su padre, y la argolla de su primer matrimonio, algo que no habría imaginado que su esposo hubiese conservado. Y dentro de la caja halló un pequeño cofre metálico, pesado, con forma de ostra, que dejó sobre el velador.

—Terminamos, señora. ¿Podemos irnos? —la interrumpió María. Su esposo la observaba desde el umbral del dormitorio, cargando un fino traje de José Miguel sobre el hombro.

—¿Se llevaron todo? —preguntó.

—Todo, señora, muchas gracias. Si queda algo, nos lo llevamos mañana.

—Entonces pueden irse —repuso ella caminando hacia la ventana.

Desde allí vio que un zorzal se acomodaba ahora en el nido y el otro emprendía el vuelo. Isabel sonrió enternecida y fue al barcito a prepararse un whisky en las rocas.

44

La niebla matinal envolvía los contornos y los ruidos de la ciudad, y dejaba pasar de cuando en cuando el pitazo de un barco y el eco de cadenas del puerto. Isabel llegó a un teléfono público de la calle Almirante Montt y marcó el número de la tienda Capricornio. Constanza contestó al otro lado.

—Necesito conversar con usted —le anunció. Había colocado un pañuelo entre su boca y el aparato.

—¿Quién habla?

—Se trata de José Miguel. Dejó algo para usted.

Un taxi subió atronando por el adoquinado de Almirante Montt e Isabel presionó el auricular con la palma de la mano. La neblina acabaría envolviendo todo con su silencio lechoso. Era uno de aquellos días en que los porteños se tornan taciturnos y melancólicos, como si la ausencia de luminosidad presagiara desgracias.

—¿José Miguel? —repitió Constanza.

—Usted sabe a quién me refiero.

—¿Quién habla?

—Eso no importa.

—¿Cómo que no?

—A usted le conviene verme. La espero mañana —afirmó sin dejar de falsear su voz.

—¿Quién es usted?

—Ya le dije que eso no importa. José Miguel le dejó algo. Si no quiere recibirlo, se lo entrego a su viuda.

Nuevo silencio. La ciudad seguía sumergiéndose en la viscosidad de la camanchaca.

—Mañana es imposible —respondió Constanza—. ¿Puede esperar hasta el fin de semana?

¿Necesitaba ese tiempo para alertar a alguien?, se preguntó Isabel, preocupada.

—Dos o tres días más me dan lo mismo —afirmó—. Pero no me deje plantada.

—¿Dónde nos vemos?

Su disposición a reunirse fue la confirmación que necesitaba. Era, en el fondo, la confesión que requería. De no haber sido la amante de su esposo, habría rechazado la cita.

—¿Le parece en el Cerro Panteón, en Valparaíso?

—¿El cerro de los cementerios?

—Efectivamente. No puedo salir de esta ciudad.

—¿Está segura?

—Es un lugar tranquilo —Isabel miró hacia la frutería de la esquina, en cuya puerta había cajones con manzanas y lechugas frescas—. Estaré bajo el pórtico principal con un sobre con documentos en la mano. ¿El domingo, entonces, a las nueve de la mañana?

45

Por la mañana temprano visité la casa de mi infancia. Hace tiempo que no lo hacía. En realidad, ya no quería verla por el calamitoso abandono en que se encontraba. Pero lo que vi me afectó aún más de lo imaginado. Se habían robado el candado y la herrumbrosa cadena que aseguraba las puertas de la reja, de modo que ahora cualquiera podía entrar al jardín donde las enredaderas trepaban los muros levantados frente al mar por un comerciante italiano a comienzos del siglo veinte.

Ascendí los peldaños que conducen al porche y encontré la mampara abierta y sin sus vidrios empavonados. Sentí escalofrío al franquear el umbral. Del piso solo quedaban las vigas de pino Oregón que antes sostenían las tablas y en las paredes descascaradas había manchas de humedad. En rigor, la casa era una mandíbula desdentada. Caminé equilibrándome sobre los travesaños y llegué al living de techo combado, donde ya no quedaban muebles y los sismos habían derribado la pared que lo separaba del comedor de diario. Una gaviota echó a volar desde una lámpara mientras yo, envuelto en evocaciones, percibía la brisa con olor a huiros que soplaba por los vanos.

Atravesé pasillos y entré a la cocina, donde los cerámicos aún lucían intactos. Se habían llevado, sin embargo, el refrigerador y el horno, e incluso la campana de absorción de olores, y la pintura de las paredes se descascaraba como la piel de una serpiente. Subí al segundo piso, donde aún colgaban cortinas, y recorrí los dormitorios vacíos. El de mis padres, amplio y alto, con una gran ventana y un balcón; el mío, herido por las grietas del último terremoto; el de las visitas y el de mi hermano fallecido cuando niño, y me interné más allá por los baños, la sala de costura y el patio de luz, y descendí por la escalera de servicio que da cerca de la cocina. Bajo ese techo habían transcurrido mi infancia y juventud, y ahora apenas quedaba el esqueleto de lo que había sido mi hogar.

Subí al mirador, desde donde se divisa la ciudad con sus torres y campanarios, el fuerte de la marina y las palmeras centenarias de algunas plazas y me topé con la misma destrucción vandálica. Salí al jardín y me senté junto a las rejas oxidadas, sin atreverme a bajar al subterráneo, que era mi coto en la niñez, y que ahora, sospecho, habitaban arañas, murciélagos y ratones. Permanecí quieto escuchando el balanceo de las pencas de las palmeras y el chirrido de unos goznes oxidados, sintiendo que todo se había perdido para siempre. Por esas ruinas ya no circulaba el eco de las voces de sus antiguos moradores, solo el rumor del mar y los pitazos de los barcos, y constaté que en ese espacio la idea del *tenure* en una remota universidad del norte del planeta era simplemente una carcajada estentórea y lamentable.

Delincuentes, aprovechadores, zánganos, okupas habían destruido ese mundo que habitaban mis primeros recuerdos y que representaba el país donde había nacido. Pensé en el manuscrito de *La otra mujer*, en que también sus páginas atesoraban tiempos idos, irrelevantes para muchos, pero valiosos e imprescindibles para otros, y me dije que quizás la guerra principal en el mundo se libraba entre la amnesia y la memoria, y me juré que yo de ningún modo abandonaría a su suerte esos espacios que Benjamín Plá había recreado con palabras, decenios atrás, para salvarlos del olvido, o de lo contrario ocurriría lo mismo que había sucedido con los míos.

46

Contemplo la ciudad y el mar desde el Paseo Gervasoni, junto al ascensor del Cerro Concepción, que sube y baja con la alegría de un niño travieso por la ladera de su abismo, mientras Coldplay canta "Viva la vida" en mi iPod, y en Estados Unidos Barack Obama intenta reactivar la economía y yo examino mentalmente una y otra vez la treta que empleó Isabel hace treinta años para acercarse a Constanza, cuando la sedujo hasta su propia casa, que se eleva no lejos de aquí, frente a la bahía luminosa, envuelta por los ecos de las resonancias metálicas y el hálito del Pacífico.

Algo flota en este puerto que me recuerda otras ciudades de pasajes y escaleras, de recovecos y rampas, con vistas panorámicas y sitios enclaustrados, de terrazas y balcones, de habitantes reconcentrados y distantes. Algo comparte esta ciudad con Alejandría, Lisboa y La Habana, pero también con Visby, Génova y Samos, algo profundo como una respiración acompasada o un languidecer paciente y sabio. No vale la pena seguir lamentándome por la decrepitud en que se halla la casa de mi infancia, porque los vándalos ya carcomieron su cuerpo y su memoria, y lo que perdura son simplemente mis recuerdos.

Abordo el destartalado ascensor Turri y bajo al plan de la ciudad preguntándome por qué, si yo me aparté de esta ciudad hace tanto, aún no logro destetarme de ella. ¿Qué pócima inocula este Valparaíso a sus moradores y visitantes, qué imágenes indelebles lega, qué perspectivas enloquecidas contagia, que uno no logra desprenderse de esta bahía y sus cerros? ¿Cómo puedo ser hoy aquí un extranjero y portar al mismo tiempo en mi memoria imágenes nítidas de esta ciudad como si nunca la hubiese abandonado? Llega el carro a la calle Prat y no he sido capaz de hallar respuesta.

Anoche exploré, sin mayor fortuna, algunos de los bares que Paniagua había sugerido. Los conozco todos. En la barra del Bar Inglés encontré a un profesor de derecho romano, un hombre delgado y de ancestros italianos, que bebía grapa. Le pregunté si conocía a Benjamín Plá. Él se pasó el dorso de la mano por su calva, dijo que nunca había escuchado semejante nombre y que ya no abundaban poetas en ese local, devenido refugio de oficinistas y abogados.

Mientras terminábamos otra grapa me sugirió ir al J. Cruz, donde podría encontrar información sobre la persona que buscaba. Me explicó que él leía novelas y poemas, pero que no era escritor ni poeta, solo abogado, e incluso menos que eso, subrayó, apenas un maestro universitario. Me fui trastabillando por las calles flanqueadas de bares y botillerías hasta alcanzar la penumbra de un pasaje donde revolotean murciélagos y se encuentra un restaurante que, por sus muros gruesos, vitrales altos y cielo abovedado, parece el refectorio de un monasterio. Una clientela vocinglera devoraba allí chorrillanas, bebía cerveza y cantaba a coro canciones de Los Iracundos.

—Aquí viene mucho poeta —me advirtió un mozo—. Pero llegan por la madrugada. Recitan, comen, beben y lloran con facilidad. Después se quedan tirados en el pasaje hasta que los despierta el sol.

Lo cierto es que salí del J. Cruz en cuanto probé un trozo de pernil. Iba desanimado porque nadie conocía allí tampoco a Benjamín Plá. Aunque todos afirman que Valparaíso es ciudad de poetas, a la hora de buscarlos uno no encuentra a ninguno, al menos no en los sitios en que uno supone que se reúnen.

—Lo mejor es que vaya al Parque Rubén Darío, de la avenida Altamirano —me recomendó el Diantre, un payador que vendía artesanía en el Paseo 21 de Mayo y que esa noche estaba en el pasaje, guitarra al hombro, esperando cantar en el J. Cruz—. Allí se reúnen cada domingo, a eso del mediodía. Celebran maratónicos recitales de sol a sol. Son los campesinos de la palabra.

Volví tarde al hotel, alentado eso sí por las palabras de un vendedor de tortillas de rescoldo instalado en la Plaza Sotomayor. Mientras me recalentaba una tortilla, aproveché de preguntarle por los poetas de Valparaíso.

—No frecuento a gente tan distinguida —aclaró el hombre de bufanda al cuello—. Pero sé de un poeta que conoce al dedillo a sus colegas de esta ciudad.

—¿Cómo se llama?

—Tempkin. Todd Tempkin.

—¿Inglés? ¿Norteamericano? ¿Australiano?

—Porteño.

—¿Y dónde lo encuentro?

—Acostumbra a desayunar en los cafés del centro. Lo sé porque es cliente mío en la Plaza Aníbal Pinto.

Busqué su nombre en la guía y lo llamé a primera hora del día siguiente por teléfono. Tampoco ubicaba a Benjamín Plá, aunque sí un sitio donde yo encontraría a gente que podría conducirme hasta él.

—Ve al Cinzano un jueves, después de medianoche, y pregunta con disimulo entre los tangos por "la bóveda" —me dijo con voz afable y sosegada—. Es donde se reúne el Cenáculo de los Poetas Fantasmas. Si esos carcamales no han escuchado de Benjamín Plá, es porque no existe.

47

Hasta la galería de paredes rocosas que se extiende bajo el Cinzano no llegaban los acordes de tangos que animan al restaurante en la noche porteña. Solo el resuello fresco del fondo marino y un entrevero de voces lejanas circulaban por el túnel iluminado con antorchas, que yo crucé a tropezones.

—Es aquí —me señaló el hombre con pata de palo y parche en un ojo que me guiaba entre jadeos portando una vela—. El plan de Valparaíso está zurcido de galerías de la época de los corsarios, algo que la gente ignora, dada, como es, a recorrer más bien las alturas.

Creí que soñaba cuando entré a una sala en penumbras donde había figuras arrebujadas en abrigos, sentadas alrededor de una mesa con candelabros, platos con humeantes pimientos asados y botellas de orujo. Nuestras sombras danzaban en los muros.

—Es el profesor de Estados Unidos, amigo del poeta Moltedo —anunció la voz cascada del hombre a la cabecera de la mesa. Se puso de pie y su mano huesuda estrechó la mía y me invitó a tomar asiento a su derecha. Luego, mientras escanciaba orujo en mi vaso, me explicó que se llamaba Armando Luces y que era poeta desde la infancia, al igual que Pablo Neruda y Gabriela Mistral, aunque a diferencia de ellos, jamás había publicado algo.

—A su salud —gritó una mujer desde el otro extremo de la mesa, y todos alzamos los vasos y bebimos.

—Presido el Cenáculo de los Poetas Fantasmas —continuó diciéndome el poeta Luces—. Aquí nos damos cita para recitar nuestros últimos versos. Somos fantasmas porque hemos vivido en el silencio. No hemos gozado de la popularidad de Neruda ni Mistral, ni de Gonzalo

Rojas o Nicanor Parra. Somos viejos y en verdad ya no alimentamos ilusiones. Sabemos que escribimos no para caer en el olvido, sino para continuar sepultados en él, para que nunca nadie nos lea ni nos cite ni pueda olvidarnos, porque solo puede olvidarse al poeta que se leyó. ¡A su salud!

Esta vez vacié el vaso y el orujo me incendió las entrañas y despejó mi cerebro. Se instaló un silencio opresivo entre nosotros y me puse a pensar que un manuscrito oculto en un departamento de Berlín Oriental me había llevado hasta allí. En verdad, ahora yo había dejado atrás el mundo de las clases, de los exámenes y las reuniones de profesores, las horas de atención a estudiantes y los ensayos escritos por colegas de Estados Unidos, todo aquello que conformaba la realidad, con el exclusivo propósito de investigar algo que tal vez era simple ficción. ¿Cómo justificaría a mi regreso ante mis colegas lingüistas y teóricos de la literatura ese alejamiento del mundo real por culpa de la seducción que ejercía sobre mi persona una fantasía inconclusa, escrita decenios atrás por alguien que al parecer ya no existía?

He sido siempre un irresponsable, me dije recordando con escalofríos a Anke, los vericuetos del Tacheles y los túneles abandonados que horadan el suelo de Berlín y parecen alcanzar hasta mi ciudad natal. Todo esto me lo busqué yo mismo, admití para mi pesar, arrepentido de haber cruzado continentes enteros para terminar en la catacumba del Cinzano.

—Estoy aquí porque busco a un escritor llamado Benjamín Plá —comencé diciendo.

48

Isabel esperaba entumida de frío bajo el pórtico neoclásico del cementerio del Cerro Panteón. Contra el pecho llevaba el bolso de cuero en que solía portar la Beretta. La neblina, atascada en las calles, apagaba ecos y cortaba la piel como una gillette.

Temía que Constanza no acudiera a la cita. Los indicios encontrados en el carro y el dormitorio, las escenas de los videos, la juventud y belleza de Constanza, todo eso la enardecía y descontrolaba. Y en cuanto recordaba que la rubia había dejado el edificio mientras José Miguel moría entre las sábanas, le volvían a entrar los deseos de matarla.

Al menos no había nadie más en el cementerio, pensó Isabel mirando los mausoleos y las estatuas. Más allá, la ciudad desdibujada por la neblina, sorbía sus propios ecos y ralentizaba el desplazamiento de vehículos. Se juró que si Constanza no llegaba, la iría a buscar a la tienda al día siguiente. Aún le parecía inconcebible que ella no la reconociese. Si había estado con José Miguel en Fray León, debía haber examinado al menos las fotos de la sala de estar y del dormitorio, en las que ella aparecía junto a su esposo e hijo. Y José Miguel tenía que haberle descrito sus características y hábitos durante las conversaciones. Como mujer, Constanza debía haber sentido al menos curiosidad por saber cómo era la esposa de su amante.

¿No es eso lo que suelen hacer los adúlteros? ¿Mostrarse fotos de sus cónyuges, comentar sobre sus gustos, explicar por qué engañan a su pareja?, se preguntó. Así era, al menos, *Madame Bovary*. Era imposible que la rubia no hubiese querido ver su rostro ni conocer su historia. Los amantes sienten curiosidad por la vida de los seres a quienes estafan. Si los asesinos vuelven al lugar del crimen, los amantes siempre exploran el espacio donde viven sus víctimas. Pudo imaginar a ambos acostados en la cama del departamento, trazando planes para un futuro en conjunto. Pudo imaginar el desconcierto de la rubia al notar que su amante se sentía mal. Pudo imaginar que José Miguel le pedía que se fuera y lo dejara solo, que él llamaría al servicio de urgencia. Y pudo imaginar a Constanza huyendo de la vivienda, oculto el rostro detrás de sus anteojos y su pañuelo, para no verse involucrada en un escándalo. Por eso le resultaba extraño que la anticuaria no la hubiese reconocido.

¿Qué pasaría si la mataba?, se preguntó con una frialdad que la espantó. La calle desierta se difuminaba en la niebla. Era fácil librarse de esa mujer, pensó. Le bastaría ahora con revelarle quién era y luego disparar. De pronto la espantó tomar conciencia plena de lo que estaba tramando. Las piernas comenzaron a temblarle y sintió que las cosas giraban en torno a ella como el día en que entró por primera vez a Capricornio, o la mañana en que la rubia llegó a su casa. Apoyada contra el pedestal de La Pietá, cerró los ojos y escuchó el estampido de su disparo opacado por la niebla, y luego vio el cuerpo que se desplomaba como un muñeco de trapo, la mancha de sangre que teñía los adoquines, su huida frenética hacia el coche de vidrios perlados por la camanchaca.

Nunca darían con ella en un país con tanta muerte no esclarecida, pensó. Nunca darían con ella porque nadie sabía que ella poseía esa pistola. José Miguel le había dicho que el arma no estaba registrada. Además, al asesino nunca lo buscarían entre gente de su clase. Solo Alemparte podría eventualmente atar cabos, sospechar que existía una extraña coincidencia entre la muerte de la mujer y la búsqueda que ella llevaba a cabo, pero no la denunciaría. Él intuiría que se trataba de su venganza. Podía confiar en su complicidad, aunque él anduviese ahora, como se lo había prometido, indagando sobre Constanza. Y en el caso de que algún investigador le pisara los talones, un buen abogado de la plaza se encargaría de desviarlo por otros derroteros.

De lejos le llegó el eco de un taconeo presuroso sobre el empedrado.

49

No había nadie más alrededor del pórtico del cementerio aquella mañana en que los pájaros guardaban silencio. Constanza dirigió una mirada fugaz al sobre manila que Isabel llevaba bajo el brazo.

—¿Señora Milena? —exclamó desconcertada.

—No me llamo Milena. Soy Isabel.

—¿Isabel? ¿Por qué me citó a este lugar?

—¿No me reconoce? ¿No sabe quién soy?

Constanza frunció el ceño, extrañada.

—Claro que sé. Usted es la persona que se interesa por los espejos venecianos —afirmó.

—Y también soy la viuda de José Miguel.

—¿Qué José Miguel?

—No finjas. Tú lo conociste bien. Has estado en Fray León.

Constanza se mordió los labios, sin apartar los ojos de Isabel. Se echó el cabello sobre una oreja y luego, incómoda aunque sin perder la prestancia, introdujo las manos en los bolsillos de la chaqueta y trató de reprimir su nerviosismo. La ciudad continuaba sumergida en la bruma.

—¿Usted es entonces una impostora? —preguntó.

—Usted es la impostora.

Constanza retrocedió unos pasos. Detrás de ella la calle estaba atrapada en la luminosidad espuria que se descolgaba del cielo, difuminando perfiles.

—No huya —ordenó Isabel, enfática—. ¿No tiene nada que decirme?

—¿Qué quiere que le diga?

Isabel palpó el cierre del bolso que colgaba de su hombro. Esa joven que la desafiaba en la soledad matutina inyectaba en ella un terrible deseo de venganza. Calculó que le bastarían los movimientos ensayados en casa para recuperar su dignidad.

—¿Qué quiere que le diga? —repitió Constanza.

—Que lo siente, al menos —dijo Isabel, y pensó que su tono era el de una mendiga. Las palabras no remediarían nada, no le devolverían a José Miguel ni restituirían su matrimonio. ¿Y qué podían importarle su dolor y su tristeza a quien le había usurpado la felicidad que José Miguel era capaz de brindarle? Recordó a su madre, la noche de lluvia en que le avisaron que acababa de morir en el campo porque hubiese querido preguntarle qué hacía una mujer digna en las circunstancias en que ella ahora se encontraba. Maldijo el aislamiento del campo del sur, la tormenta sin fin, aquel paraje junto al lago, desde donde su padre no había logrado transportar a la moribunda al hospital porque los caminos estaban anegados. Y maldijo el día en que su padre, desquiciado por haber visto con impotencia cómo su mujer moría en sus brazos, se suicidó en Santiago.

—José Miguel la quería —dijo Constanza con una mirada que la desarmó—. Hablaba mucho de usted.

—No me venga con cuentos.

—Si no quiere creerlo, allá usted —la vio sacar un paquetito del bolsillo de su chaqueta y echarse un chicle a la boca. Recordó con ira el papel manchado de rouge.

—¿Desde cuándo se conocían?

—Esto no tiene sentido —repuso Constanza, dispuesta a marcharse.

—Usted no va a ninguna parte —advirtió Isabel, cruzándose en el camino. Estaba perdiendo la calma, y el peso de la Baretta en el bolso la contagiaba de confianza.

—Es mejor que me deje ir.

—No vas a ninguna parte —Isabel la aprisionó por la muñeca—. Respóndeme. ¿Desde cuándo se conocían?

—Desde hace casi un año —Constanza apartó con suavidad la mano de Isabel—. Nos conocimos en una recepción. Lo acompañé a un par de viajes de negocios.

—¿A dónde?

—A Bogotá y Buenos Aires. Para mí tampoco ha sido fácil.

Temió no poder contener las lágrimas. Recordó los últimos viajes de José Miguel a congresos, los días en los que el chofer lo llevaba y traía del aeropuerto y ella esperaba en casa, o en Valparaíso o en el campo. Así que no se trataba de compromisos de trabajo. Él viajaba con esa mujer mientras ella lo imaginaba en reuniones.

—Nunca quise hacerle daño a usted ni destruir su matrimonio —dijo Constanza.

—¿Ah, no? ¿Y qué pretendías?

—Es mejor que me deje ir.

—No lo haré si no me lo dices.

De lejos llegaban ecos apagados. La ciudad era un rumor impreciso en la camanchaca.

—Comenzó como una aventura y luego se fue… consolidando. Conversábamos mucho.

¿Conversaban mucho? ¿Qué más hacían? ¿Acaso el amor mientras hablaban de ella y planeaban su futuro y escuchaban a Amanda Lear cantando sobre una muchacha que le vendía su alma al diablo? ¿Y acaso ella no había conversado toda la vida con su esposo? Recordó las conversaciones en el carro, en el living de Fray León, en la terraza de Valparaíso, ante la chimenea de la casa del campo, en los viajes. Pero luego evocó los últimos meses de José Miguel, sus silencios prolongados, su desconexión paulatina de las conversaciones que sostenían, su conversión en un náufrago que alejaban las olas en la noche.

—Lo dejaste abandonado como a un perro.

—No, Isabel, él estaba bien cuando me fui.

—¿No estás casada, acaso?

—Eso no le incumbe a usted.

—¿Ah, no? Seguro que lo estás. Pero no te preocupes, pronto lo averiguo. ¿No te causa remordimiento estafar a tanta gente?

—Así es el amor —respondió Constanza pasándose una palma por el pelo, dirigiéndole a Isabel una mirada cruel que le recordó la que ella le había dirigido decenios atrás a Georgia.

—Amor, amor —repitió Isabel con ira—. José Miguel simplemente te usaba. ¿Me ves? Ya no soy la mujer de hace veinte o treinta años, es cierto, pero lo que José Miguel buscó en ti fue solo carne fresca, un pasatiempo para sentirse joven y seguir junto a mí, a quien sí amaba.

—Entrégueme mejor lo que José Miguel me dejó. No voy a discutir con usted. ¿No fue para eso que me hizo venir?

—¿Pero qué te has imaginado, estúpida? —gritó Isabel y descorrió el cierre del bolso—. ¡Tú atreviéndote a exigirme cosas!

Unos pasos se escucharon por un extremo de la calle envuelto en la bruma.

—Me da lo mismo lo que usted diga o haga —afirmó Constanza, envalentonada—. ¿Piensa acusarme a mi esposo? Hágalo. Me importa un bledo. José Miguel planeaba irse a vivir conmigo. Yo me opuse. Si le interesa saber por qué, cálmese primero y llámeme después. Pero así no se habla conmigo. Que disfrute el paseo por el cementerio, Isabel.

50

Subió en el ascensor del Espíritu Santo al Cerro Bellavista y vagó por sus calles que miran al océano sin atreverse a regresar a la capital. Sentía que en el departamento aún la aguardaba Constanza en los espejos. Pasó frente a una cancha de fútbol de tierra, junto a una comisaría de Carabineros, protegida por uniformados con metralleta, parapetados detrás de sacos de arena, y contempló desde la distancia La Sebastiana, la casa que había pertenecido al poeta Pablo Neruda y que ahora lucía desierta y abandonada. Pidió un té en una fuente de soda pensando que había actuado pésimo ante la rubia y que nada de lo planeado había resultado.

Volvió a Santiago porque tampoco estaba de ánimo para pernoctar en Lautaro Rosas, y se instaló en un hotelito cercano a la Estación Mapocho, una inmensa lúcuma junto al río. Ahora sí su metamorfosis personal le resultó completa: no solo se vestía como una mujer venida a menos, sino que también se alojaba en un barrio de cantinas y prostitutas. Salió a pasear y entró al edificio de la estación en penumbras, sin trenes, un esqueleto de dinosaurio a la deriva. Su techumbre de acero, alta y combada, ofrecía ahora refugio a mendigos y palomas, y retazos de un cielo sucio. A lo lejos, los raíles despedían destellos contra el crepúsculo. Caminó por los andenes desiertos, donde nunca desembarcarían pasajeros, sintiendo que la idea de que José Miguel hubiese planeado dejarla por otra le retorcía el estómago. Dejó la estación y caminó a lo largo del caudal espumoso del río, y regresó al hotel y se acostó, extenuada.

La despertó un silencio de ultratumba, que hería sus tímpanos, el silencio más profundo y siniestro que había percibido en su vida. Miró su reloj. Eran las once de la noche. Faltaba para el toque de queda, pero ya la ciudad había dejado de emitir señales. Era como si Isabel se hubiese vuelto sorda o buceare en un lago y solo escuchara la presión del agua contra los oídos. Se asomó a la ventana. Los transeúntes se habían esfumado, y un perro dormía junto a un auto estacionado. No había nadie en la calle. En cuanto volvió a acostarse, la imagen de Constanza retornó a su cabeza. Imaginó que la sorprendía en una callejuela oscura del puerto y que la apuñalaba en el pecho, y que aunque su cuerpo se derrumbaba sangrando sobre los adoquines, ella seguía asestándole puñaladas. Despertó sudando y llorosa. Había estado golpeando la almohada.

¿Realmente José Miguel había planeado dejarla?, se preguntó en el baño, mientras bebía agua de la llave. ¿Significaba que mientras ellos viajaban escuchando a Mahler o Wagner y el paisaje se desplegaba amable ante sus ojos, su marido urdía planes amorosos a su espalda? ¿Significaba que sus manos oscilaban entre su cuerpo y el de Constanza, que sus labios pasaban de la boca de la desconocida a la suya? No se trataba de una aventura circunstancial, como había esperado en un comienzo, sino de una relación estable, en que pulsaban recuerdos y sueños comunes. Vio las manchas de la vejez ya inscritas en sus manos, y reconoció que no podía competir con la lozanía de Constanza, tal como Georgia no había podido competir con la suya.

Ella también había sido joven y bella, y también había tenido la mirada radiante y las carnes firmes, pero ya nada de eso importaba porque pertenecía al pasado. Ilusamente había creído que las parejas se amaban a partir del presente y de los recuerdos, a partir de lo que eran, habían sido y aspiraban a ser, tontamente había creído que el amor abarcaba todo, los lados de luz y de sombra, los momentos de pasión y reposo, las palabras y los silencios del otro. Entendió que José Miguel solo vivía en el presente, en un presente carente de memoria y gratitud, y que por eso había sido incapaz de amar los signos que el tiempo tallaba en su rostro de mujer, en sus pechos, antes enhiestos, en su abdomen, hasta hace poco consistente, en sus muslos, en el pasado perfectos. Un latigazo de ira la azotó al pensar que su esposo la había puesto a competir cobardemente con una mujer que bien podía ser su hija. Y ella, sin notar nada, ingenua como era, había seguido girando alrededor suyo, haciéndolo sentirse vital, dándole en el gusto, brindándole toda su ternura, mientras él planeaba la fuga. No debía extrañarse después de todo. ¿No había actuado de la misma forma frente a Georgia cuando ellos se habían conocido?

Pero estaba convencida de que José Miguel no siempre había sido así. La aventura con la rubia no solo era reciente, sino también la única, pensó. Vio a su esposo en otros momentos. Lo vio sentado a la mesa con velas del restaurante Cap Ducal, de Viña del Mar, cuando le anunció que se irían a vivir a Fray León, pues el banco acababa de aprobar su crédito. Lo vio la mañana de primavera en que la invitó a Nueva York para celebrar los veinticinco años de matrimonio. Lo vio pálido y ojeroso en la cama de la Clínica Alemana, después de una operación a la próstata, la primera vez que sintió que José Miguel, ahora de cabellera plateada y sin el fulgor acostumbrado en sus ojos, entraba a una vejez sin retorno.

Volvió a levantarse y miró por la ventana hacia la calle que seguía desierta. Por el este, filamentos de fuego recortado sobre los picos de los Andes anunciaban la alborada. Tomó el teléfono.

Al otro lado respondió la voz de la mujer.

—Usted gana —masculló Isabel—. Conversemos de nuevo...

51

Se encontraron días después en el Paseo Yugoslavo del Cerro Alegre, con el museo de arte a sus espaldas y el Pacífico frente a ellas. Era una mañana radiante, de cielo límpido, en la que las gaviotas planeaban sobre sus cabezas y una brisa amable subía del mar a los cerros refrescando escaleras y secando la ropa colgada de cordeles.

Isabel ya estaba al tanto de por qué la capital había callado de improviso un par de noches atrás: un grupo armado tendió una emboscada al general en una carretera cordillerana, de la que el máximo líder escapó por milagro, abandonando autos incendiados y un reguero de escoltas muertos. La represalia no se hizo esperar. En los últimos días había habido enfrentamientos entre fuerzas de seguridad y supuestos subversivos, con un saldo de varias víctimas civiles, por lo que las hasta entonces tranquilas noches porteñas se volvieron siniestras durante el toque de queda. En esas horas rasgadas por balaceras, chirridos de neumáticos y sirenas policiales, Isabel extrañó la seguridad que antes le transmitía José Miguel roncando a su lado.

–Le pido disculpas por cómo la traté. Entiéndame. Estoy destruida –dijo Isabel en cuanto se acercó a Constanza, que portaba una bolsa y una cartera.

En los cerros, una delgada pátina aquietaba los fulgores de los techos de zinc. Un vendedor de pescado pasó voceando con el canasto de mimbre sobre la cabeza y se perdió después por la boca de un pasaje.

–¿De qué quería hablarme? –preguntó Constanza.

Sintió que la rubia instalaba una jerarquía cruel y absurda entre ambas. La amante era la ofendida, mientras la esposa, la auténtica víctima, quien debía disculparse. Trató de recobrar la calma diciéndose que estaba allí para averiguar la verdad, no para ajustar cuentas, pero el nerviosismo la hizo sentirse menoscabada ante la joven.

—Constanza, usted debe imaginarlo. Quiero que me cuente la verdad.

—¿La verdad? ¿Por eso fue usted a la tienda? Le va a resultar dolorosa la verdad y quizás por eso no debí haber vuelto.

—Está aquí porque sabe que de no venir, yo le revelaría todo a su marido.

—Me da lo mismo.

—No es cierto. A todos les interesa conservar la pareja, más aún si hay hijos de por medio. A mí sí me da igual, yo ya lo perdí todo. Pero usted todavía tiene mucho que perder.

—¿Me está amenazando?

—Soy una mujer herida, solo quiero parlamentar.

Un anciano con boina se acercaba a paso lento con un diario bajo el brazo, seguido por un perro de raza indefinida. Esperaron a que pasara y luego caminaron hacia el sur, pasando frente al museo.

—¿Qué necesita saber? —preguntó Constanza.

—¿Es cierto que José Miguel planeaba irse con usted?

Constanza se acomodó la cabellera sobre los hombros.

—Me lo propuso en un viaje.

—¿Cuándo?

—En Buenos Aires, hace meses. Nos hospedamos en el Marriot, frente a la Plaza San Martín.

Podía ser cierto, pensó Isabel. Ella se había propuesto acompañar a José Miguel en esa oportunidad. Se trataba de una convención médica. Planeaba alojar con su esposo en ese hotel, pero él le había rogado a última hora que viajasen mejor en otra ocasión, cuando no estuviese tan recargado de trabajo. Después la había llamado para avisarle que postergaría el regreso a Santiago porque el ministro de Salud necesitaba su asesoría ante unos estadounidenses. Recién ahora conocía la verdadera causa para prolongar el viaje, concluyó.

—Allí me regaló este anillo —una piedra relumbró en la mano de la rubia—. Me aseguró que lo nuestro iba en serio.

Sintió como si le pasasen un esmeril por las paredes del estómago. La mentira del viaje, la prolongación de la estadía, el anillo fulgurando en la mañana y la indiferencia de esa mujer, todo aquello la enfurecía y entristecía al mismo tiempo. Tuvo que apoyarse en la baranda del paseo para disimular un mareo. La vida era definitivamente cruel.

—¿Ese anillo se lo regaló José Miguel? —preguntó sintiendo náuseas.

—En Buenos Aires —Constanza le sostuvo la mirada.

Isabel intentó ordenarse la cabellera como si aún la llevase larga y la vida le sonriera. Se miró las manos y se avergonzó de sus uñas mochas y sin pintura, y de sus zapatillas de lona con suela de cáñamo.

—¿Qué busca con todo esto? —Constanza la miró con lo que hubiese jurado era compasión—. ¿Averiguar algo que es mejor ignorar?

Reparó en que días atrás Alemparte había pronunciado exactamente las mismas palabras y en que su suegro le había planteado antes algo parecido. Una confabulación para acallar a la viuda incómoda, pensó. Todos recomendaban sepultar las sospechas y fingir que nada había acaecido.

—¿Por qué no le cuenta a su esposo que le es infiel? —preguntó.

—Que le fui infiel.

—Da lo mismo. Usted lo mantiene en el engaño.

—Ese pasado al que usted se refiere ya no existe.

Isabel continuó caminando junto a la baranda, la tibieza del sol sobre su nuca, sorprendida por la frialdad de Constanza.

—Usted no amaba a José Miguel —afirmó—. No puede haberlo amado. No la veo afectada por su muerte.

—Cada uno ama a su manera.

—¿Se habría marchado con José Miguel, abandonando a su esposo y a su hijo? —preguntó con delicadeza. No quería herirla, temía que se fuera.

—Es una pregunta hipotética. Lo mejor habría sido que usted tampoco se hubiese enterado de nada, Isabel.

—Tal vez.

—Usted no conoció bien a su esposo.

Fue un puntapié en el vientre. Se pasó una mano por el rostro como apartando una telaraña viscosa y resistente.

—¿Ah, sí?

—Es lo que creo. Solo saltó a la cancha cuando creyó que lo perdía ante otra mujer.

—¿Me está sugiriendo que debí haber ignorado los indicios de que José Miguel me era infiel? ¿Qué debí haber cerrado los ojos ante el casete, el papel con las manchas de rouge y los videos?

—¿Usted no tiene un hijo grande, acaso?

—Nicolás...

—¿Cree que vale la pena empañar la etapa en que fueron felices como familia por esto? Nada de lo que usted se imagina prosperó. ¿Cómo se sentiría usted si no se hubiese puesto a indagar este asunto? Hay cosas peores, mucho peores. Mire lo que ocurre estos días en el país...

Trata de ridiculizar mi dolor, pensó Isabel. La conminaba a olvidar para ser feliz, la amnesia como dicha o tal vez solo como consuelo.

—A usted le resulta fácil —replicó—. Después de todo, lo dejó solo cuando estaba por morir.

—Usted tampoco estaba con él cuando murió.

No estaba preparada para una respuesta de ese calibre. Guardó silencio.

—Usted necesita olvidar, porque lo sabe todo —continuó—. Yo, en cambio, primero necesito saber para tratar de olvidar después. Peor es ignorar.

Constanza miraba hacia el Pacífico. Las aletillas de su nariz se expandieron acogiendo el aire perfumado a algas que soplaba por la ciudad.

—Usted vuelve a hablar de un hombre que ya no existe —reclamó—. Y quiere además saberlo todo sobre él. Eso no es lo mejor para usted.

—Eso solo yo puedo saberlo.

—No crea —dijo Constanza mientras se despojaba del anillo y se lo entregaba—. Es mejor que usted se quede con esto. Al final de cuentas, le pertenece.

Luego se alejó caminando hacia el ascensor de El Peral.

52

–¿Doctor Alemparte? Es Isabel.

–¿Estás bien?

–Dentro de lo posible –hizo una pausa–. Ya conseguí el apellido de la mujer.

–Yo ya pensaba que te habías olvidado de ella.

–No podría. ¿Seguro me conseguirás los datos? –Isabel se sentó en el borde de la cama. Más allá de la ventana, la bahía era un arenal de diamantes que la hicieron enfurruñarse.

–Dime primero: ¿conversaste con ella?

–No me atreví –mintió sin inmutarse. Si llegaba a matarla, posibilidad de lo que a ratos dudaba, no era bueno que él la vinculase con el crimen.

–Dame el nombre completo.

Se lo dio.

–Si tenemos suerte, en unos días tendré novedades y te las haré llegar a Fray León.

–Mejor a Lautaro Rosas. Estaré aquí, en Valparaíso.

–¿Por qué allá?

–Esa casa guarda menos recuerdos.

No era mentira, pero tampoco era toda la verdad, pensó Isabel. En rigor, en Valparaíso no solo se distanciaba de José Miguel más que en el departamento de Fray León, sino que junto al Pacífico pintaba más y mejor. La ciudad con sus cerros y calles inclinadas le ofrecía paisajes y perspectivas más interesantes que la monótona planicie contaminada de Santiago, aunque desde hace algunas semanas comenzaba a sentirse más atraída por la posibilidad de hacer retratos de personas, que por los paisajes. En rigor, las miradas humanas –fuese la de la peluquera del puerto, la de un pescador de El Membrillo o la de David, con sus anteojos a lo John Lennon– transmitían mucho más que las vistas de la bahía. En verdad, la azarosa vida de la gente del puerto la seducía más que las fachadas señoriales de las casonas de Valparaíso.

–Entiendo. Pero no es bueno que pases sola mucho tiempo –opinó Alemparte, preocupado–. ¿Te visitan tus amigas?

–Es cuando mejor aprovecho el tiempo. Estando sola, leo, escucho música, veo películas. Siempre tengo algo que hacer. Lo cierto es que me muero por saber más de esa mujer. No sabes cuánto te lo agradezco.

–Isabel...

–¿Sí?

–Hay un detalle importante.

–Dime.

–Pero de esto ni una palabra a nadie. ¿Me lo prometes?

–Te lo juro –en el vidrio de la ventana vio el reflejo de su rostro ojeroso, sus pómulos marcados, su melena mínima, apegada al cráneo.

–¿Puedo confiar en tu discreción?

–Absolutamente.

–¿Seguro?

–¿Quieres que lo jure por mi hijo?

–Por favor, sé discreta. Quiero repetir que todo esto lo estoy haciendo solo por ti.

–Eso lo sé y lo aprecio.

–Por eso, cuando recibas la información, léela y destrúyela. Confío en tu palabra.

53

Subí en el funicular del Cerro Concepción envuelto en la precaria luminosidad de su único bombillo y crucé el Paseo Gervasoni mientras las luces del puerto parpadeaban como luciérnagas. La noche olía a gladiolos y me recordaba otras noches, las de cuando yo era niño y recorría los pasajes de los cerros porteños sintiéndome cómplice de sus declives y recovecos. Bajé una escalera pronunciada y desemboqué en el Paseo Gálvez, que se estrecha y oscurece al serpentear entre casas de ventanas enrejadas y fachadas de zinc.

En una esquina, Numancia Gómez, la poeta mayor, ahora jovial y bien acicalada, a quien había tenido el gusto de conocer en la caverna del Cinzano, me besó en la mejilla con ímpetu desbocado y entusiasta. Luego enganchó su mano en mi brazo y continuamos la marcha encogiéndonos bajo el aleteo de los murciélagos que sobrevolaban la ruta sinuosa del Gálvez. Numancia conocía al presidente honorario del Cenáculo de los Poetas Fantasmas, demasiado decrépito para asistir a sus sesiones.

—Pero Tristán Altagracia podrá ayudarte, pues se sabe al revés y al derecho la biografía de los poetas y escritores olvidados de la ciudad —me había confidenciado Numancia mientras saboreábamos en la caverna del Cinzano el último orujo con aroma a yerbas y una porción de exquisitos pimientos asados—. Tiene una memoria prodigiosa y guarda un archivo con los poemas y relatos de creadores porteños, que jamás han sido publicados.

—¿Conserva todo en un archivo? —pregunté entre los comentarios de los viejos, que recobraron la locuacidad después de la medianoche.

—Es la tarea del presidente honorario —precisó ella chupando con fruición la colita de un pimiento, placer que encendió aún más sus mejillas. Los rostros de los comensales oscilaban como siniestras geografías por efecto de las velas, inundando de aire fantasmagórico la reunión—. La literatura clandestina no solo la conforma aquella que fue prohibida por el régimen —agregó Numancia con voz apenas perceptible—, sino también aquella que nunca vio la imprenta por la indiferencia de los lectores.

Mientras nos sumergíamos en el Gálvez, que se tornaba más tenebroso en la medida en que avanzábamos, sentí que la rozagante humanidad de Numancia latía vigorosa a mi lado, exudando Agua de Colonia 4711, temblando de emoción por el hecho de ayudar de tan lejos.

La casa quedaba cerca del Zerohotel y de la que había sido, al menos en la novela, la vivienda de Isabel, aunque resultaba complicado llegar hasta ella. El Gálvez es un pasaje misterioso, que sube y baja, que de pronto se quiebra en un ángulo imposible y luego se estira como un alambre viejo, que por un extremo es amplio como una avenida y por el otro estrecho como una garganta. Solo lo conocen quienes viven allí, que no son muchos, pues varias de sus casas están en ruinas, ya sea porque las derribó un terremoto, fueron abandonadas o desaparecieron debido a incendios.

Una mujer encorvada, de delantal blanco y cofia, nos abrió la mampara y saludó con familiaridad a Numancia. Tras conducirnos por un salón con piano, columnas dorias y cortinajes, nos guio hasta una sala alargada, sin ventanas y en penumbras, donde apenas cabía un camastro. Me llevó tiempo vislumbrar al anciano esquelético y de larga melena alba que dormía allí.

—Es Tristán Altagracia —murmuró Numancia con ternura. Se sentó en el borde del catre, que chirrió lastimero, y acarició la mano cubierta de manchas del anciano, quien nos ofreció de pronto sus ojos azules enormes y somnolientos que nos escrutaron durante unos instantes.

—¿Qué pasa? —preguntó el hombre tratando de incorporarse.

—Este profesor de Nueva York vino a consultarle algo, don Tristán —anunció la poeta con voz trémula, como si le dirigiese la palabra a una deidad—. Yo, con su permiso y si no le molesta, me retiro...

54

—Yo sabía que usted iba a venir un día —afirmó el viejo cuando estuvimos solos.

—¿Que yo iba a venir? —repliqué azorado.

—Bueno, que usted u otra persona vendría. Da lo mismo. Siempre supe que alguien llegaría a preguntarme por Benjamín Plá.

—¿Lo conoce?

Tristán Altagracia tragó saliva y se paseó una mano por el cuello flácido.

—Claro que no.

—¿No?

—No. Y la razón es sencilla: Benjamín Plá es un ser lúdico que se oculta quizás detrás de ese seudónimo.

Me aterró lo que afirmaba. El viaje, mi investigación, la solicitud de fondos al director de mi departamento, mi prestigio ante los colegas, la consecución de la plaza definitiva, en fin, todo lo engulliría la camanchaca porteña que emerge en *La otra mujer* si el autor del manuscrito no existía o era inubicable. En el departamento aceptarían mi teoría, porque allí cualquiera desarrollaba su teoría sobre la literatura, pero lo que no tolerarían es que mi teoría se desvaneciese por completo.

—¿Es por eso que nadie lo conoce? —me animé a preguntar desconsolado.

—Es una historia larga que ya se la contaré.

De lejos llegó un pitazo de barco que hilvanó la respiración acongojada del anciano.

—Es tremendo, pero nadie sabe nada de ese hombre —masculló.

—Sospecho que murió en los estertores de la dictadura, que es cuando recibimos la caja con los manuscritos firmados con su nombre.

—¿Más manuscritos?

—Poemas. No novelas.

—Me interesan.

—Algún familiar debe habérnosla enviado como donación. Es lo usual, es lo que hacen los familiares de los poetas o narradores porteños que mueren sin haber sido jamás publicados.

—O a lo mejor la envió él mismo para no salir del anonimato en una época difícil —especulé yo.

—No lo creo —el viejo se mordió el labio inferior como buscando las palabras precisas para convencerme—. Debe haber muerto, de lo contrario nos habría contactado. Ningún poeta deja a la deriva sus poemas. Un poeta es como un padre con sus hijos: los crea, los forma, los sigue y anhela que lo sobrevivan, y siempre vigila sus vicisitudes.

—¿Pero no era también novelista? —pensé en la imagen que yo me había formado de Benjamín Plá. Lo vi consultando en Manhattan un papiro de *La Odisea,* luego en Berlín Oriental esperaba, con el manuscrito bajo el brazo, a que su amante regresase de Praga.

—Era fundamentalmente un poeta. Escribió poemas que jamás fueron publicados. Fue un ejemplo de nuestra cofradía. De eso estoy seguro. Pero si bien Benjamín Plá era poeta, redactó una novela, una sola, en toda su vida. Esa que conocemos.

—¿Viajó mucho, no?

—Por Europa y Estados Unidos. En uno de esos viajes comenzó a escribir el manuscrito que usted encontró, me imagino —viró la cabeza y fijó sus ojos en los míos.

—Sí, *La otra mujer*, pero está inconcluso... —me senté en su cama, que volvió a rechinar. El anciano olía a alcanfor.

—Por eso supe que usted vendría. Usted u otra persona, entiéndame bien —una lucecilla de satisfacción apareció en sus pupilas—. Usted busca la continuación del manuscrito. ¿O me equivoco?

—Necesito saber cómo termina esa novela, por qué quedó inconclusa y qué relación guarda con la realidad de la que habla.

—Me llena de ilusión escuchar eso —aseveró el viejo alisando la frazada con sus manos cubiertas de lunares—. ¿Puedo saber a qué se debe tanta curiosidad?

—A que soy académico.

—¿Escritor también?

—Algún día espero sí poder escribir cuentos o novelas.

—¿Y académico dónde? —preguntó frunciendo el ceño.

—En Nueva York.

—Debí haberlo supuesto. La academia norteamericana es la única del mundo capaz de financiar investigaciones como la suya.

Un aullido lastimero apuñaló la noche, y luego nos alcanzó un rumor ronco, como de un camión que avanzara por una calle adoquinada.

—Está temblando —comentó tranquilo el anciano.

Paseé los ojos por los muros de la habitación. La tierra se sacudió suave en un comienzo, más fuerte después, y la construcción crujió entera como si respondiera al sismo con la única voz que era capaz de articular. Recordé los terremotos de mi infancia, la época en que no les temía y eran parte de mi vida cotidiana como el Pacífico o los Andes, y constaté espantado que había perdido definitivamente las amarras que me unían a la tierra en que nací. Ahora sí navegaba yo en la noche infinita de los desarraigados.

—No se asuste. Somos un país de terremotos —afirmó Tristán con frialdad—. Es nuestra forma de vivir. Un día nos despeñaremos todos juntos al océano, mi dilecto profesor. Es el único proyecto verdaderamente nacional y colectivo que tenemos. También debiera escribir sobre eso.

—¿No será mejor salir de aquí? —pregunté. Era una pregunta retórica porque el miedo me había agarrotado los músculos y estaba imposibilitado de mover un pie. El ruido subterráneo me recordó la mañana en que la Gran Manzana recibió el desplome de las Torres Gemelas con el rumor atroz de sus entrañas.

—Si fuese terremoto, ya no alcanzaríamos el jardín —repuso el anciano—. Antes nos aplastaría esta techumbre carcomida por termitas. Ahora lo crucial es que poseo la continuación de *La otra mujer*. Y es preferible que se desentienda del temblor y me escuche si realmente le interesa saber por qué yo lo estaba esperando.

55

No fue Constanza quien apareció en la casa de Valparaíso a recoger los espejos, sino el dependiente de guardapolvo azul que trabajaba en Capricornio. Isabel decidió conservar el espejo más grande, que lucía bien colgado encima de la mesa. Después de contar que su jefa se encontraba indispuesta, el hombre, que al parecer poco entendía del arte de los espejos, se limitó a envolver en frazadas las piezas que llevaría de vuelta a la tienda.

¿La llamaba para averiguar qué le ocurría?, se preguntó Isabel una vez que el empleado se hubo retirado. Estuvo a punto de hacerlo, pero al final cambió de parecer, insegura y molesta por la forma en que se precipitaban los hechos. Si bien experimentaba a ratos un odio irrefrenable contra la rubia por su desconsideración y cinismo, por su capacidad de seguir campante por la vida aunque había destruido un matrimonio, al rato no le quedaba sino admitir que durante el último encuentro las cosas habían emergido bajo una luz diferente. Le parecía que Constanza era y no era la culpable de lo ocurrido, así como ella era víctima y no era víctima de la historia. Tuvo que admitir además que carecía de la frialdad criminal de los personajes de las novelas de Patricia Highsmith para cumplir su plan en cuanto las circunstancias fuesen propicias.

Vio los zorzales empollando en el nido mientras del Pacífico ascendía el rumor de motores cuajado de graznidos de gaviotas. Nuevamente reinaba la paz en el país, o al menos así lo parecía, pensó, una paz imprescindible tras los enfrentamientos entre la policía y los subversivos. Sin embargo, sentía miedo. Por primera vez sentía miedo cuando la noche se posaba sobre la ciudad y, con ella, las interminables horas del toque de queda. Temía que de pronto, en la oscuridad, irrumpiesen agentes policiales en su casa. Las fuerzas armadas y de seguridad siempre habían estado de su parte, activas y vigilantes, preparadas para aplastar a los extremistas que aún no se resignaban a la pérdida del poder. Pero ahora las antiguas explicaciones no le parecían ya del todo convincentes. Era cierto que el país necesitaba a los militares para recuperar su estabilidad y la convivencia nacional, pero el miedo que sentía ahora, viviendo como una porteña más, la agobiaba en extremo.

Pensó en llamar a David. En el colegio, él coleccionaba billetes y estampillas, y tal vez pudiese darle una pista. Pero recordó que durante la conversación en la caleta de pescadores él le había dicho que hace mucho no se dedicaba a esos hobbies. ¿O se trataba de las siglas de otra mujer? No podía descartarlo. Que hasta el momento solo apareciese una sola amante en la vida de José Miguel no significaba que existiese sola una. Quien engañaba una vez, era capaz de engañar otras veces. Tal vez si volvía a conversar con Méndez y a revisar otros videos, podría descubrir nuevas pistas, se dijo, estimulada en un inicio por su propia curiosidad, aunque después le pareció que ya no disponía de la vitalidad para iniciar una nueva investigación ni tampoco para pasar horas viendo videos frente a una pantalla.

Desde el banco, con el anillo entre las manos, se quedó contemplando la bahía, y en el jardín divisó un gato negro que dormía a la sombra de un muro.

56

—¿Por qué me está haciendo seguir?

Isabel se pasó la servilleta por los labios, estupefacta. Constanza le había pedido el día anterior que se reuniesen en el Café Riquet y acababa de sentarse a la mesa.

—No entiendo de qué me habla —tartamudeó.

—Quiero saber por qué me hace vigilar.

—No sé a qué se refiere, Constanza, en serio.

—No se haga la tonta. No crea que me va a intimidar.

Hacerla seguir era lo último que podría pasársele por la cabeza, se dijo Isabel mirando hacia los lados para cerciorarse de que nadie estuviese escuchándolas. No, ella sería incapaz de ordenarle a alguien que siguiera a esa mujer. Eso implicaba compartir su secreto con otros, revelar sus planes, ponerse la soga al cuello. Lo que le había solicitado al doctor Alemparte era otra cosa.

—¿Por qué cree usted que la hago seguir? —preguntó con parsimonia.

—Porque hay unos tipos que me siguen sin disimulo. Los contrató usted.

—Nunca haría algo semejante. Usted sabe que soy franca y directa. Por eso fui a buscarla a Capricornio y la cité a conversar.

—Sí, hizo todo eso, pero mintiendo. Fingió que estaba interesada en los espejos, pero me buscaba a mí. Ese es un estilo ambiguo que no me tranquiliza, precisamente.

Prefirió no responder y saborear el té que le habían servido. Admitió que le había entregado el nombre de Constanza a Alemparte y supuso que él podía encontrarse detrás del seguimiento. Gracias a su amistad con un policía, el médico había logrado tal vez no solo pedir datos sobre la rubia, sino también hacerla seguir. La suposición la estremeció porque ponía en riesgo a Constanza. Recordó el furioso cisne de Asselijn, que protegía su nido con las alas desplegadas, y las noches de insomnio en Lautaro Rosas desde el atentado al general, y el pavor que le causaba el ulular de las sirenas de vehículos que surcaban las tinieblas sin placa. No creía, sin embargo, que amigos del doctor Alemparte fuesen capaces de cometer una barbaridad contra una mujer sola y desprotegida como Constanza.

—Puede estar segura de que nadie la sigue por encargo mío —aseveró, colocando lentamente la taza sobre el platillo.

—Por favor, no me vaya a hacer eso —la sorprendió el tono implorante de Constanza. Ya no era el cisne del holandés, sino una mendiga, una de esas mujeres que en los semáforos en rojo se acercaban a los autos con la mano estirada—. Yo le conté todo lo que usted quería saber, pero no me amenace con ese tipo de gente.

Estaba trémula y lívida. Temió que el doctor Alemparte hubiese confundido el encargo y, en lugar de solicitar datos sobre ella, hubiese instruido que la siguiesen.

—¿Qué tipo de gente era? —preguntó.

Constanza aguardó a que el mozo le sirviera agua y se alejase, y luego dijo:

—Usted lo imagina. Usted sabe en qué clase de país vivimos.

—¿Qué tipo de gente era?

—Da lo mismo. Son todos iguales y se desplazan en furgones sin patente durante el toque de queda.

Isabel miró hacia la escultura de Neptuno que refulgía junto a las palmeras de la Plaza Aníbal Pinto. Por unos instantes sintió el deseo de darse un chapuzón en el agua cristalina de la fuente para que la deidad la purificara. De pronto, como si una puerta se golpeara, comprendió que al entregar el nombre de esa mujer al doctor había cruzado un umbral que ya no admitía regreso.

—No tengo contacto con ese tipo de gente —afirmó sin convicción.

—¿Por qué no iba a tenerla si su esposo admiraba la dictadura?

La aseveración la sorprendió.

—¿Se da cuenta lo que está diciendo? —Isabel paseó la mirada por las mesas adyacentes, donde la gente conversaba o leía los diarios de la mañana—. No se contentó con tener una aventura con mi esposo. Ahora quiere desprestigiarlo.

—En fin. Usted tiene que saberlo mejor que yo, mal que mal estaba casada con él.

—No intente chantajearme ni enlodar el nombre de José Miguel.

—Usted fue quien usó el chantaje para hacerme venir a estos encuentros —repuso Constanza, tensa—. ¿Puede decirme de qué más me va a acusar? ¿Su próximo paso es ordenar que me maten aprovechando los antiguos lazos de su esposo?

Quiso responderle, pero la anticuaria se levantó y salió del café.

57

—Volvió a casa atormentada y lo primero que hizo fue llamar al doctor Alemparte.

—¿Me tienes novedades? —le preguntó.

—Estoy en una reunión. ¿Puedo llamarte más tarde?

—No quiero importunar. Solo dime si esos datos que me prometiste los consiguen a través de archivos o del seguimiento de personas.

—¿A qué viene esa pregunta?

—Quiero saberlo.

—¿Contactaste a la mujer?

—No.

—Bien. Lo mejor es que te alejes de ella.

—Pero dime, ¿la persiguen para obtener esos datos?

—Recuerda que soy médico, no policía, y que fuiste tú quien me pidió esa información. Pero no me exijas explicaciones de tipo policial.

—¿No la persiguen, entonces?

—No creo.

—¿Seguro?

—¿Qué es seguro en esta vida, querida?

—Dime otra cosa: ¿José Miguel tenía alguna relación con esa gente?

—¿A qué gente te refieres?

—A la gente que te suministra la información.

—No sé, la esposa eres tú y tú debes saber mejor que yo qué amistades tenía él. Aunque es evidente que no estabas al tanto de todas sus amistades...

—No seas cruel. Me refiero a la gente que recolecta esa información.

—Si no lo sabe la esposa, ¿por qué lo voy a saber yo?

—Porque eras un buen amigo de José Miguel, mierda.

—Cálmate, por favor. Debes entender que la amistad entre los hombres no es como la de las mujeres. Nosotros no nos reunimos a hablar de sentimientos ni de intimidades.

—No me vengas con esas.

—Escúchame, Isabel —dijo Alemparte. Isabel pudo imaginar sus ojos claros recorriendo las paredes desnudas de su consulta, su cabellera bien peinada, su cadena con medalla al cuello—. Lo primero es que te calmes, lo segundo es que te comportes discretamente y lo tercero es que te dejes de especular.

—No especulo. Hablo de cosas reales.

—Pero fuiste tú la que llegaste a la consulta con esas tonterías y tú la que me pidió que te consiguiera información sobre esa mujer. Y no quiero más líos, harto estoy de todo esto. Deja de preocuparte de tu marido y reorganiza tu vida. Vas a terminar perjudicándolo. Te llamaré si hay novedades. Adiós.

58

David Guevara la esperaba en el comedor del Club Valparaíso, al que ella entró gracias a un santo y seña que él le había hecho llegar con un mensajero a su casa de Lautaro Rosas. Vestía traje oscuro y andaba de cuello y corbata, peinado y afeitado, aunque demacrado, como si hubiera pasado mal la noche o estuviese enfermo.

—Este sitio no estaba en mis registros —comentó Isabel mientras un mozo de chaqueta blanca los situaba en una mesa con mantel blanco junto a un ventanal empavonado que daba a la avenida Brasil.

—Esto es un club de la masonería —explicó David bajando la voz. Eran hombres de terno y corbata, de mediana edad, con aspecto de profesionales—. No es fácil entrar aquí. Un amigo accedió a conseguirme una reserva.

—¿Eres masón? —preguntó Isabel.

—No, pero tengo amigos masones en la capital, que me contactaron con alguien de acá.

Ordenaron pisco sour y aceitunas de aperitivo. En su juventud, David había sido un rebelde, un izquierdista convencido, y algunos decían que lo seguía siendo, pero gracias a las conexiones sociales de su familia, sorteaba con cierto éxito la celosa vigilancia del gobierno.

—¿Por qué me citaste aquí? —preguntó Isabel.

—Primero pidamos algo —dijo David tratando de calmar su inquietud con una sonrisa.

El menú comprendía una empanada al horno, sopa de pantrucas y pollo al cognac, con arroz blanco, y de postre leche asada. Acompañaron el almuerzo con media botella de un cabernet sauvignon.

—Te invité porque necesito tu ayuda —dijo David en voz baja.

—¿De qué se trata?

—Tengo una amiga que precisa alojamiento en Valparaíso.

—¿Es amiga tuya o novia tuya?

David sacó un pan de la panera, lo partió en dos y dijo:

—Es una mujer mayor. Busca alojamiento.

—¿Por cuántos días?

—Tres o cinco, no más —se llevó el pan a la boca.

Saboreaban el pisco sour cuando el mozo les sirvió las empanadas.

—¿Y en qué anda tu amiga? —Isabel bebió largo.

—Es un asunto delicado, no debes comentarlo con nadie. ¿Me lo prometes?

—Prometido.

—Confío en ti, entonces.

—¿El asunto se vincula con lo que está ocurriendo…?

—Exactamente.

Saboreó la empanada con un sorbo de vino. Concluyó que David seguía siendo el mismo de su juventud, el mismo ser irresponsable y egoísta de siempre, y se dijo que estaba cansada de tantos secretos. Todos guardaban secretos, José Miguel, Constanza, Alemparte, ella, medio país. Recorrió con la vista el comedor y le pareció que los comensales también parecían conspiradores. Por primera vez entraba a un edificio masónico, acción que escandalizaría a sus familiares, católicos observantes, y que su esposo hubiese censurado.

—Si te complica, no te preocupes. Aquí no se ha dicho nada. Si tienes dudas, lo entenderé —afirmó David, conciliador.

—¿Para esto me contactaste en la caleta de pescadores?

—¿A qué te refieres?

—A que si fue casual ese encuentro o si me venías siguiendo para pedirme justamente lo que me estás solicitando ahora.

—La verdad es que ese encuentro fue absolutamente casual —afirmó David, serio—. Pero en relación con lo que está pasando, ahora ese encuentro me parece providencial.

—¿Y por qué me pides eso a mí? ¿Por qué crees que puedes confiar en mí? —pensó en Alemparte y en que ella, de cierta forma, había entregado a la rubia.

—Lo hago, pues simplemente confío en ti.

—¿Mera intuición masculina?

David bebió del vino y dijo:

—Confío en ti porque eres la persona ideal: no tienes historia política comprometedora, eres la viuda de un hombre de reconocida trayectoria conservadora y perteneces a familias que, de una u otra forma, apoyan esto…

Hubiese preferido otra respuesta, se dijo Isabel. Hubiese preferido escuchar que confiaba en ella por lo que habían sido y porque no todo lo que en un momento los había unido se había desvanecido. Definitivamente estaba perdiendo el control sobre su vida, pensó. Hasta antes de la muerte de José Miguel sentía que cabalgaba por el mundo con las riendas firmes en las manos y que contaba con un itinerario de la cuna a la tumba, y eso le brindaba la seguridad y la convicción de que así era la vida. Sin embargo, después del accidente que le había arrebatado al esposo y modificado la vida, estaba convencida de que el azar era la deidad que regía la vida e imponía en el universo un caos endemoniado, que debía aceptarse con resignación.

—¿Tengo que responder ahora? —preguntó.

—Preferiría que lo pensaras un poco —David colocó su mano sobre la de ella, y ella no la retiró—. Y como te dije: si no aceptas, no pasa nada. Lo que sí te ruego es que nunca lo comentes con nadie.

59

Dos días más tarde, a las 3.20 de la mañana, Isabel recibió un sobre manila bajo la puerta de la casa. Supo la hora exacta en que lo habían deslizado, porque una balacera no le permitía conciliar el sueño. Se había pasado horas recordando la última conversación con David, en el Club Valparaíso, y con Constanza en el Café Riquet. Conocer la hora de la recepción del sobre le permitió al menos concluir algo crucial: los mensajeros eran agentes de la policía. Nadie más se atrevía a desplazarse a esas horas por una ciudad en toque de queda.

El lamido de neumáticos sobre el pavimento húmedo de Lautaro Rosas la había sacado del lecho. Se había deslizado en puntillas hasta la cocina, y a través de los postigos distinguió una sombra que subía al carro de vidrios polarizados que aguardaba con el motor en marcha y luego se alejó sigiloso. Isabel recogió el sobre del piso, lo dejó encima de la mesa de la cocina sin atreverse a abrirlo, y comenzó a prepararse un té, temblando en la penumbra. Se persignó al darse cuenta de que, en rigor, era una misiva enviada por el diablo. La calle estaba desierta y en silencio, las luces de los postes fulguraban sobre el pavimento mojado y la lluvia perlaba los vidrios de los coches estacionados afuera. A través del aire espeso le llegó la tos lejana de un enfermo. Permaneció junto a la taza y el sobre cerrado, sin atinar a nada.

Al rato unos pasos en el exterior la hicieron encogerse de miedo. Los faroles de Lautaro Rosas estampaban un rectángulo luminoso sobre el piso de la cocina. Isabel recordó que, desde la calle, cualquiera podía echar a través de los postigos abiertos un vistazo hacia la vivienda. Y aquella noche los postigos estaban abiertos.

Los pasos se acercaban. ¿Quién se atrevía a caminar desafiando el toque de queda mientras las fuerzas de seguridad buscaban a los autores del atentado al general? Según la prensa, subversivos habían sido abatidos por la policía y otros habían caído en ajustes de cuentas internos entre quienes apoyaban el atentado y quienes lo consideraban un error que permitiría al gobierno reprimir cuando todos estuviesen en sus casas y los carros sin chapa circularan por las calles sembrando el terror.

Los pasos seguían acercándose. Ella sudó de miedo, acodada a la mesa, frente a la ventana que daba a la calle. No tardó en verlos. Eran tres, altos, fuertes, de terno y pelo corto. Pasaron en silencio cerca de ella, al otro lado de los barrotes de la ventana. Le pareció que uno echaba un vistazo a la cocina y soltaba un comentario a sus compañeros.

Esperó con la respiración contenida, mareada. Los pasos se detuvieron más allá. Isabel se aproximó a la ventana para espiar. Pensó que si los hombres forzaban la puerta, ella escaparía al jardín y se ocultaría en el sótano. Un agente encendía ahora un cigarrillo. Los otros esperaban en silencio. Al rato se acercó un auto. Isabel regresó a la mesa, sintiendo que la detendrían por cooperar con David.

Irresponsablemente se había involucrado en una situación que, como opinaba el doctor Alemparte, no le convenía. Había algo extraño en todo eso. ¿Por qué Constanza se había vuelto tan nerviosa de pronto? ¿Realmente solo porque le temía? ¿Qué castigo existía para la amante de un hombre casado, como para que la anticuaria perdiera los estribos? Ninguno grave, desde luego. ¿Y por qué la rubia seguía reuniéndose con ella si sospechaba que pretendía perjudicarla? El temor de Constanza emanaba de algo que trascendía su aventura con José Miguel y que ella aún no vislumbraba.

¿Le temía porque efectivamente la asociaba a ella, a Isabel y a José Miguel con la policía del régimen? ¿O porque pensaba que esta le seguía los talones por otros motivos? ¿Sería también insurgente? Le costaba creerlo. José Miguel jamás se habría vinculado con alguien así. Sintió las manos frías. Había sido ella, sin quererlo, quien había guiado a los agentes hacia la rubia. ¡Cómo le hacía falta José Miguel! Le bastaría con sentir su cuerpo tibio entre las sábanas para conciliar el sueño y olvidar las preocupaciones. Sus amigos tenían razón: una jamás debía abandonar el círculo al que pertenecía, porque el mundo estaba plagado de amenazas y era imposible atravesar de vuelta los muros protectores que una brincaba, guiada por la pasión amorosa o política.

Había abandonado su mundo de siempre, su exclusiva residencia de viuda ilustre, su círculo de amigas de toda la vida y ya se hundía en tierras movedizas. Todo comenzó por sospechar del esposo, por desconfiar a partir de un casete y un papel manchado con rouge. Todo comenzó por no obedecer las sugerencias del padre Ignacio, por mudarse de barrio y cambiar de aspecto, por mezclarse con Méndez en un cafetín y contactar a la rubia, y aceptar que David la involucrara en una aventura que en otro tiempo habría rechazado con un portazo. Al final, todo eso se lo merecía por querer nadar contra la corriente. Convenía rebelarse y ser una misma de vez en cuando, vivir según los ideales que se enarbolaban por un tiempo, pero era una soberana estupidez tomarse los principios como un dogma, arrojar el estilo de vida por la borda y renegar de sí misma.

Afuera los hombres seguían montando guardia. Podía escuchar sus suelas en el pavimento. ¿Acaso el romántico de David aspiraba a que ella, en medio de la pesadilla que atormentaba al país, escondiese a una subversiva en su casa? Estaba loco. Ella, Isabel, temblaría de pies a cabeza, tartamudearía bañada en sudor y confesaría todo si uno de esos hombres parados en la penumbra la interrogaba… No, David podía irse al diablo con su sensibilidad social y sus lealtades hacia gente que ella no conocía ni quería conocer. Que cada uno asumiese su propio destino y sus propias responsabilidades en la vida, sin involucrar a los demás en ello. ¿No era eso lo que ella había hecho, y no era por eso que estaba ahora allí, temblando de espanto, rogando que los agentes se marchasen?

Le volvió el alma al cuerpo cuando escuchó los portazos de un automóvil y un motor que se alejaba. Instantes después oyó disparos y luego sirenas. Regresó al dormitorio con la carta en la mano. Se tomó unas tabletas para dormir y, ya en la cama, entre las sábanas húmedas, rasgó el sobre.

60

La fuente de soda estaba al lado del ascensor Monjas. Isabel escogió una mesa junto a los peldaños de concreto que bajan hacia la vereda, y ordenó un té. Había llegado puntual, pero David no estaba ahí. Solo había algunas mesas ocupadas, y en una del fondo, erizada de botellas de cerveza, un grupo de hombres jugaban al dominó, fumando y hablando a gritos. Desde una radio portátil llegaba una canción de Buddy Richard.

Esa mañana, Isabel había estado a punto de leer el informe que le había hecho llegar el doctor Alemparte, pero finalmente lo había guardado entre su lencería, en el ropero, pensando que solo si leía esos datos sobre Constanza, estaría cerrando un pacto con esa gente.

—Me alegra que hayas vuelto —le dijo David tras tocarle un hombro y besarla en la mejilla. Acababa de bajar de un bus.

—Pero vine a anunciarte algo que te disgustará —dijo Isabel con brusquedad.

David no dejó de sonreír. Tomó asiento y ordenó un café en el instante en que un camión eclipsaba una canción de Paul Anka y escupía una nube negra, que inundó el local de olor a aceite quemado.

—¿Qué pasa? —preguntó David cuando volvió a escucharse el ruido de las piezas del dominó deslizándose sobre la mesa de madera.

—No puedo hacerlo, David —dijo Isabel—. Lo he estado pensando desde que me lo pediste, pero no puedo simplemente. Tengo miedo.

Él extrajo un cigarrillo, lo encendió, lanzó una bocanada y mantuvo la vista fija en la lumbre.

—Me da un miedo atroz –agregó ella–. Cuando por la noche suenan las sirenas y pasan los coches sin patente frente a mi puerta, me muero de miedo. Y no tengo nada que ocultar. No puedo, David, quisiera ayudar, pero el miedo me lo impide.

De la radio llegaba ahora una canción cantada en árabe por alguien que Isabel nunca había escuchado.

—Es Cheb Khaled –explicó David–. Me recuerda Fez. Un día tengo que volver al mundo árabe a tomar fotos.

Isabel saboreó el té sin saber qué decir. David soñaba con fotografiar a gente y paisajes exóticos, y ver elecciones libres, el fin del exilio y la condena del general, en fin, soñaba con todas esas utopías en cierta medida irresponsables, al igual que en la época del colegio. David no maduraba, diría José Miguel, y tal vez con razón. A lo lejos ladró un perro. Una pareja de estudiantes entró al local, pidió cigarrillos y volvió a salir deprisa, lo que perturbó a David. Los persiguió con la vista hasta que se alejaron, como si viéndolos desaparecer pudiese exorcizar un peligro.

—Gracias por ser honesta –dijo poco después, solemne.

—¿Me das las gracias?

El estremecimiento del local indicó que al lado el funicular echaba a andar nuevamente.

—Tal como lo oyes –despidió otra bocanada–. Algunos nunca responden. Prefiero la franqueza. Al menos así sé a qué atenerme. No es fácil aceptar un pedido como este en momentos en que los refugios escasean. Pero te entiendo. Hay que meterse en esto sólo si uno cree que puede controlar el miedo.

—Quisiera, pero no lo logro –repitió ella mientras colocaba una mano sobre la de David, pero la retiró al recordar la carta que la esperaba en una de sus gavetas. Esa carta y David estaban en polos opuestos, admitió sonrojándose, sintiéndose culpable de una traición que quizás aún no había consumado.

—Olvídalo.

—¿Que lo olvide?

—Olvida que te lo pedí. No lo comentes con nadie —dijo él, pausado, mientras le acariciaba el dorso de la mano. El otro carro del funicular bajaba rechinando desde la cima del cerro. Los jugadores de dominó celebraron algo y las piezas volvieron a raspar la superficie de la mesa—. Tal vez pierdes el miedo y me avisas. Ahora tengo que irme.

—¿Adónde? —preguntó ella, alarmada, percibiendo que la vida de David se internaba por una dimensión secreta y a la vez peligrosa.

—Hay que estar en perpetuo movimiento porque el cerco se estrecha —dijo él al aplastar el cigarrillo contra el cenicero de concha de loco—. Quédate aquí por unos quince minutos. Y cuando te vayas fíjate si te siguen, y si alguien lo hace trata de descolgarte de ellos de alguna manera.

Dejó unos billetes sobre la mesa, salió del local después de besar a Isabel en la mejilla y se encaminó con paso ágil hacia el plano de la ciudad. En cuanto se esfumó, lo siguieron una mujer mayor, con collar de piedras rojas, y un muchacho de aspecto universitario. A Isabel el último sorbo de té le resultó amargo.

61

—¿Entonces usted tampoco sabe dónde puede estar Benjamín Plá?

Sus ojos azules se colgaron de los míos, y luego el anciano tosió y escupió en un pañuelo que portaba en una manga del piyama. La enfermera no tardó en asomar la cabeza para preguntar si se sentía bien. El hombre farfulló algo y ella, si entendiese la jerigonza, cerró la puerta, pero supuse que nos espiaba desde el otro lado.

—Benjamín Plá es solo una caja de cartón con el manuscrito y varios poemas inéditos, que recibimos hace un tiempo en el Cenáculo —afirmó Tristán Altagracia después de reintroducirse el pañuelo bajo la manga—. Ignoramos quién la mandó y no conocemos a nadie con ese nombre. Por lo que hay en la caja, escribió solo una novela.

¿Dónde estaría Benjamín Plá?, me pregunté. Y pensé en las mil pupilas de la ciudad que hacen guiños desde los cerros, pensé en las calles y en los recovecos, en las casas suspendidas sobre las quebradas, en la espesa red de pasajes y escaleras, en ese laberinto inclinado sobre el Pacífico que puede ocultar a cualquiera para siempre. Y me dije también que Benjamín Plá podía estar muerto.

—¿Entonces no hay forma de hallarlo?

—Cuando leí el texto en prosa me di cuenta de que narraba la continuación de una historia iniciada en otras páginas y supuse que el relato proseguía a su vez en otra parte. De un apunte al margen, escrito en tinta verde, puede inferirse que se trata de la continuación de páginas que Benjamín Plá abandonó a comienzos de los ochenta.

—¿Que abandonó dónde?

—Eso es lo que no sé. Pero si usted halló el texto inicial en Berlín y yo en Valparaíso, eso puede significar muchas cosas.

—Pero también visitó Nueva York. Algo pudo haber dejado también allí. Habría que ubicar la continuación de la parte que usted tiene.

—Para eso hay que armarse de paciencia, mi amigo. Quizás dentro de un cuarto de siglo alguien da con usted y le anuncia que halló la continuación de lo que buscamos ahora. Le ocurrirá como a mí, estará viejo, desdentado y enfermo, pero aún alimentará esperanzas. Solo hay que dejar que pase el tiempo. Los caminos de los manuscritos inéditos son inescrutables como los designios de los dioses.

—¿Seguro que no aparecen más datos sobre el autor en su texto?

—Seguro —dijo el viejo.

—¿Y cómo sabe que todos los textos le pertenecen a Benjamín y no a diferentes autores?

—Porque las correcciones de la novela están escritas con la misma letra y la misma tinta verde con que Benjamín afinaba poemas.

Un rumor sordo emanó de las entrañas de la tierra sirviendo de preludio a un temblor. El reloj de la mesita de noche cayó al piso. El miedo congestionó mi rostro y me hizo callar.

—Se nota que usted ya no pertenece a esta tierra —comentó el anciano. Y tenía razón. Yo me había convertido en otro, no sé en quién, pero en alguien diferente—. Lleva demasiado tiempo fuera. Cuando aquí tiembla, la gente sigue hablando como si nada, a menos que comiencen a derrumbarse las cornisas. Todo lo demás, mi amigo, constituye simplemente la música de fondo de nuestras existencias. Hay que amar demasiado a este país para seguir en él.

—O sea que usted tampoco ha leído el manuscrito completo —comenté poco después, tratando de volver al tema. Las paredes de la casa se quejaban al seguir las ondulaciones de la tierra.

—¿Cómo lo iba a leer? Solo existe un texto, el original, dividido al parecer en varias partes. La primera la tiene usted, la segunda yo, e ignoramos quién posee el resto, que supongo guarda el desenlace.

—¿Entonces está seguro de que hay más?

—Lo supongo porque la mía no es el final. Pero también puede ser que Benjamín Plá jamás haya terminado la novela, y por lo tanto la parte mía es el final. Ahí sí que estaríamos jodidos —comentó el anciano enlazando sus dedos—. La novela, como la vida, termina en cualquier página.

Ahora entiendo por qué el Cenáculo, reunido en las catacumbas del Cinzano, había guardado silencio ante mi pregunta sobre la existencia de Benjamín Plá. Y ahora comprendía también por qué Numancia me había conducido donde Tristán Altagracia. Era probable que este hubiese preguntado a menudo a sus colegas por el autor de *La otra mujer.*

—¿Y realmente usted no tiene idea de dónde pueden estar esas otras partes? —me puse de pie y recogí el despertador, que seguía funcionando, y lo coloqué sobre la mesita de noche.

—He esperado mucho tiempo a que alguien apareciera con todo lo que falta y apareció usted, trayendo al menos una parte del rompecabezas. Si existen otras, eso solo lo saben las estrellas. Pero no hay que desesperar. Cada día tiene su propio afán.

Al menos las palabras del poeta me concedían la razón y dotaban de sentido a mi investigación. De algún modo sugerían que yo no estaba volviéndome loco a causa de la enclaustrada vida académica que llevaba en Manhattan ni de las vicisitudes de ese viaje por tres países. Pensé en mi casa de la infancia que se alza frente al mar, esa construcción que tarde o temprano será derribada para dar paso a un edificio que aniquilará mi historia familiar, y mi puente hacia el país donde nací. Pensé también en Cecilia, en que cruzaría el continente para hacerme compañía, y en Tom, el jefe del departamento, que creía en mi proyecto y apoyaba con lealtad mi postulación al *tenure*, pese a la oposición de algunos que, según rumores, no veían con buenos ojos mis inclinaciones escriturales.

—¿Usted tiene la segunda parte, entonces? —insistí.

Tristán Altagracia asintió, haciendo crujir su plancha dental.

—¿Puede prestármela? —yo iba estrechando el cerco. Necesitaba percibir la porosidad entre los deslindes de la ficción y la realidad.

—¿Qué cosa?

—El manuscrito. Si puede prestarme su manuscrito.

—Antes tiene que traerme el suyo —replicó el poeta.

Supuse que en esa casona se almacenaban los manuscritos inéditos de los miembros del Cenáculo, sus poemas jamás impresos, jamás recitados ante público alguno, apenas recitados en el misterioso gremio que sesionaba en las catacumbas porteñas. Y entre ellos estaba seguramente el texto que me había hecho surcar de un hemisferio al otro.

—Pierda cuidado. Le traeré mi parte —prometí. Luego le pregunté de refilón—. ¿Y me puede prestar también los poemas?

—Puedo prestárselos, aunque de a poco. ¿Para qué los quiere?

—Pueden ayudarme a descubrir la identidad de Benjamín Plá.

—Lo dudo.

—¿Por qué?

—Son herméticos como los que escribió Pablo Neruda cuando era un imberbe en el Lejano Oriente.

No supe qué responder. Gonzalo Rojas, Jorge Teillier o Claudio Bertoni no eran herméticos para mí; por el contrario, gozaba su poderosa claridad. Afuera los perros continuaban aullando.

—¿Sabe en qué pienso? —me preguntó el poeta al rato.

—En Benjamín Plá —apunté.

—En cierto sentido pienso en él y también en todos nosotros. Pienso que es triste que un poeta tenga que desaparecer primero para que los demás comiencen a leerlo —balbució Tristán Altagracia.

62

Una sonajera de huesos anunció que el poeta de la melena blanca se ponía de pie. De hombros filudos y piernas arqueadas, alto y contrahecho, se me pareció de pronto a las ilustraciones de Doré de *El Quijote*. Se envolvió en una bata sucia y me indicó que lo siguiera. Empleaba un bastón para caminar. Atravesó el pasillo, luego la sala de estar, donde la poeta se había quedado dormida en un sillón, y salió a la fragancia nocturna de la terraza. Ante nosotros se desplegó el jardín en penumbras con esculturas de mármol y plantas aletargadas bajo los árboles.

—Es por aquí —dijo Tristán Altagracia al bajar el último tramo de las escaleras. Unos mastines negros emergieron de las sombras con las mandíbulas babeantes y nos olisquearon, antes de que una orden del anciano los devolviera a la oscuridad.

Mientras cruzábamos el jardín, Altagracia recobraba energía y elasticidad. Dimos la vuelta a la casa, que colinda con las empinadas escaleras del Pasaje Gálvez, y a través de una enredadera divisé los peldaños que descienden a Urriola refulgiendo como si fuesen de acero. Un poco más allá nos detuvimos ante una puerta baja, de tablas gruesas, semejante a la de una película de Carlos Saura que ocultaba el esqueleto de un soldado de la guerra civil española.

—Aquí está lo que busca —precisó el poeta mientras intentaba introducir una llave en el candado de la puerta. Su melena era ahora una cascada bañada por la luna.

El candado cedió tras un forcejeo que arrancó gruñidos a los mastines y poco después me hallaba franqueando un umbral que jamás lograría describir en mis ensayos académicos ni en las reuniones con mis colegas del departamento. Lo que yo experimentaba esa noche no tenía explicación, menos para gente del norte, acostumbrada a una racionalidad que en el sur o en la ficción no tiene cabida. Altagracia sacó una linterna de su bata y paseó su espada de luz por el subterráneo, ese espacio polvoriento y opaco como un óleo abandonado. Estábamos en una sala donde se amontonaban sillas y mesas rotas, refrigeradores oxidados y armarios vacíos, marcos sin telas, cajones sueltos y hasta un par de árboles artificiales de Pascua, que descansaban contra un caballo de carrusel.

—¿Qué le parece? —me preguntó Altagracia.

Una telaraña se me enredó en la boca y no pude responder. Después percibí la delicada corriente de aire que agitaban las alas de un murciélago sobre mi cabeza.

Atrapados entre la indiferencia de los lectores y la certeza de la cercanía de su muerte, los miembros del Cenáculo exploraban la dimensión que los aguardaba a la vuelta de la esquina.

—Venga por acá —murmuró Altagracia, desplazándose con la agilidad de quien no padece de las rodillas ni del corazón. Más aún, yo hubiese jurado que el anciano levitaba entre los muebles rotos y los espejos de azogue desgastado.

Llegamos ante una puerta de barrotes, clausurada con cadena y candado, que dejó pasar un aroma de profundidades recónditas.

—Es el mar —afirmó Altagracia oliendo aferrado a los barrotes.

Estábamos lejos del mar y en altura, en rigor, en un subterráneo cavado en la ladera de un cerro alto, hasta donde no podía ascender el aire marino, pero allí uno inhalaba la inconfundible fragancia del océano.

—Huele a cochayuyos —dije apoyando la frente contra un barrote.

—Es que esta galería baja al mar —explicó Altagracia entusiasmado—. Se cruza más abajo con otras galerías, también con la que conduce al Cinzano. Escuche...

Guardamos silencio. Me llegó el chillido de murciélagos y, tras aguzar el oído, voces lejanas, casi imperceptibles, que subían entreveradas con el rumor del oleaje, y que luego decrecían hasta desvanecerse en la oscuridad.

—¿Por aquí se llega entonces al Cinzano? —pregunté, incrédulo.

—A una red de túneles que albergan bergantines que naufragaron hace siglos frente a Valparaíso. Es lógico. El plano actual de la ciudad era mar antes. Donde hoy tenemos plazas, antes se hundían veleros. Mire ese mueble —añadió Altagracia apuntando su rayo de luz hacia un estante con carpetas que se alzaba al fondo, más allá de los barrotes—. ¿Sabe qué es eso?

—Una biblioteca.

—Anda cerca...

—Un archivo.

—Exacto. Allí están los manuscritos inéditos del Cenáculo —afirmó haciendo castañetear como una calavera su mandíbula—. Y esa carpeta de tapas rojas, que ve en un extremo, contiene la segunda parte de *La otra mujer*. En cuanto usted me traiga la suya, yo le prestaré la nuestra.

63

Tres días más tarde, después de pasar por la panadería de Almirante Montt, Isabel compró los diarios en un quiosco cercano y encontró una noticia en primera plana que llamó su atención. Tres subversivos habían muerto la noche anterior en la capital en un enfrentamiento con fuerzas de seguridad. Tuvo una intuición que la aturdió por unos instantes. En las páginas interiores estaban los retratos de los abatidos, a quienes se sindicaba como cómplices del atentado al general. Examinó los rostros y en ese segundo tuvo una certeza que le produjo escalofríos: la mujer de la foto era la que había seguido a David en el cafetín del ascensor de Monjas.

Compró varios diarios y los hojeó consternada. Supo que si le hubiese ofrecido refugio, la mujer estaría viva. Según los diarios, la mujer, madre de un universitario, había recibido adiestramiento militar en Cuba y pertenecía a una banda terrorista que operaba en el país.

¿Y David?, se preguntó Isabel. ¿Dónde estaría? ¿Lo habrían detenido también? Se devolvió por Almirante Montt al teléfono público que había frente a la panadería, y llamó al número de su primer amor con el corazón en la boca. Nadie respondió. Su departamento estaba en el Barrio Alto, en Santiago, no lejos de Fray León. Si no respondía, era sencillamente porque no estaba allí. Regresó a casa diciéndose que no debía llamarlo desde su hogar porque tal vez a ella también la seguían.

Se sentó en la terraza. La bahía y los techos de zinc relumbraban bajo el sol de la mañana. Por primera vez el gobierno le causaba pánico. Por primera vez sentía que había atravesado un punto sin retorno. El corazón le bombeó con fuerza. ¿Dónde estaría David? ¿Y si lo habían detenido y lo estaban torturando, ¿quién iba a exigir su libertad? Pensó en el doctor Alemparte, en sus contactos con la policía, en que tal vez él podría ayudarlos, después de todo.

¿Lo haría? La acusaría de estar loca. Primero se le había acercado para involucrarlo en el caso de infidelidad de su gran amigo, y luego aparecía pidiéndole ayuda para salvar a su primer amor, un subversivo, involucrado con terroristas. No, se dijo, no tendría sentido solicitarle nada porque al hacerlo estaría denunciando a David, confesando la causa por la que ella temía lo hubiesen detenido.

Le pareció que su vida completa se despeñaba. Si hasta la muerte de José Miguel su existencia avanzaba por rutas pavimentadas y señalizadas, si había gozado de un itinerario preciso en la vida, sorpresivamente, a partir de la muerte de su esposo, todo se complicaba y la condenaba a ella a una soledad pasmosa. ¿Qué podía hacer? ¿Cómo había llegado a esa calle sin salida? Pensó en la falsedad de Constanza, en la infidelidad de José Miguel, en sus planes para deshacerse de la amante. Todo eso se tornaba ahora secundario, de otra época, como sus recuerdos de los primeros terremotos, la graduación del colegio o la celebración de su boda. Admitió que había perdido el control sobre su propia vida y que ignoraba cómo recobrarlo. Del cisne de Asselijn se había convertido en una flor trémula y desordenada, en un títere de la incertidumbre.

Miró hacia el níspero que crecía bajo la ventana del dormitorio y vio el nido de los zorzales perfilándose apenas entre el follaje. Divisó la cabeza de uno de los pájaros que empollaba y al otro que vigilaba desde un árbol cercano. No todo era muerte y desgracia, al menos, porque allí, en ese árbol, pese a los peligros, seguían palpitando la vida y la esperanza, pensó agradecida.

64

Noches más tarde, mientras se retorcía insomne en la cama preguntándose hacia dónde la arrastrarían las circunstancias que afrontaba desde la muerte de su esposo, Isabel se atrevió a leer el mensaje que contenía el sobre que le habían deslizado una madrugada bajo la puerta. Lo leyó frente a la ventana del dormitorio, cuando los zorzales dormían y la ciudad languidecía en esa siniestra tarja de tiempo que era el toque de queda.

Solo después de beber un whisky a las rocas, como solía hacerlo José Miguel cuando regresaba de cirugía, dio el paso. Intuía que al leer esa información reservada sobre quién había sido la amante de su esposo ingresaba en un espacio tenebroso, sin nombre ni límites, y perdía la inocencia involucrándose con quienes dominaban el país.

La página era amarillenta y una secretaria meticulosa la había doblado en tres. Venía mecanografiada con faltas de ortografía y letras borrosas, que pedían a gritos una nueva cinta. No eran más de treinta líneas y su estilo era escueto, como si el resumen sobre Constanza hubiese sido redactado a la carrera y sin entusiasmo. O como si alguien se hubiese encargado de censurar el texto. Le llamó la atención que no llevase timbres ni firmas.

Presentaba a Constanza como administradora de la tienda de antigüedades, propiedad de un hombre mayor que no acudía al establecimiento. Agregaba que la anticuaria simpatizaba con "la resistencia al régimen militar", y más abajo figuraban datos sobre sus estudios escolares (en un colegio privado) y universitarios (Universidad de Chile), y descripciones sobre su labor como anticuaria graduada en historia del arte. Pero lo realmente importante aparecía más abajo, después de la dirección de la vivienda y de Capricornio, y de la patente de su automóvil. Allí el informe decía que Constanza era viuda —no casada como Isabel erróneamente había supuesto—, y que el niño, del cual le había comentado en Lautaro Rosas, era hijo de ella y de un sujeto ya fallecido, y que asistía a un colegio de la comuna en que residía.

Se paseó descalza por el dormitorio con el informe en las manos, pensando en Constanza, en que tenía un hijo y era viuda, y en que por eso no se había inmutado cuando la había amenazado con denunciarla al esposo. Ahora entendía también por qué esa mujer había terminado siendo un auténtico misil contra su matrimonio. Supuso que había buscado a José Miguel para olvidar al hombre que había perdido y que tal vez seguía amando, así como ella, Isabel, aún amaba al hombre que la había traicionado. Era entendible que Constanza anhelase iniciar una nueva vida con otro hombre y que el escogido hubiese sido su esposo. Sintió una punzada en el estómago y la sensación de que perdía el equilibrio. Se sentó en el borde de la cama y se dijo que si el informe revelaba que Constanza era opositora al régimen, ¿cómo podía entenderse con José Miguel, que lo respaldaba desde sus inicios?

Encendió la hornilla de la cocina y le prendió fuego a la hoja. A ello se debía que Constanza le hubiese reclamado que su esposo apoyaba la dictadura. Mientras la llama consumía un extremo del papel, pensó que en el fondo ella era la culpable de que la policía hubiese puesto su mira en la mujer. Le pareció extraño, sin embargo, que la autoridad no supiese mucho sobre Constanza, pero seguramente ahora reforzarían su vigilancia sobre ella. Concluyó que había sido por culpa de los celos que ella había instalado la relación de los amantes ante la nariz de los agentes. Ahora quemaba el papel no solo porque el doctor Alemparte se lo había exigido, sino también porque no quería tener vínculo alguno con esos hombres que espiaban a la gente. Al ver el papel chamuscado creyó que estaba libre de todo compromiso, y se dijo que el médico era un puente al infierno que ella había estado a punto de cruzar.

Al día siguiente iría a ver a Constanza. Necesitaba consultarle de nuevo. Anhelaba averiguar de una vez por todas cómo habían logrado entenderse si en política y música eran como el agua y el aceite.

65

La sorprendió que en un día de semana, y tan temprano, a las seis de la tarde, la tienda de antigüedades estuviese cerrada. Había vuelto hasta ese sitio para entablar un diálogo con Constanza. Sentía la necesidad de comunicarse. Sentía que ella, Isabel, había cambiado, que la vida le enseñaba y que no era ya la misma, que se encontraba en un claro del bosque, en condiciones de mirar alrededor suyo con independencia y valentía.

Hablar con su suegro o sus amigas del alma lo consideraba ahora despilfarrar el tiempo, porque la existencia de ellos transcurría al margen de los temas que a ella la agobiaban. No solo eso, también habitaban en un país diferente, que no sufría del mismo modo el toque de queda ni escuchaba con el mismo miedo las sirenas policiales ni temía el allanamiento intempestivo de sus casas por parte de los agentes, ni se veía obligado a buscar refugio nocturno bajo otros techos. Ella había abandonado para siempre ese país despreocupado, frívolo y próspero, protegido por los muros del poder, la riqueza y los abogados influyentes. Se había librado de él la clara mañana en que se había cortado el pelo como un muchacho y había comprado la indumentaria alternativa en un bazar del barrio del puerto.

Si en un comienzo aquella nueva apariencia le resultó ajena y la hizo extrañar la antigua, la que había construido desde niña y consolidado en su juventud, la que todos aprueban y le había posibilitado casarse con un profesional destacado y formar una familia, ahora sentía que ya no era —ni quería ser— la mujer que había sido, que ahora era otra mujer, libre y resuelta, indiferente al qué dirán y capaz de entender lo que pasaba en el país. Isabel ya no solo pintaba paisajes de la ciudad y del campo, sino que retrataba también a gente corriente, y plasmaba en una tela el rostro de ojos oscuros y piel curtida de su jardinero, o la melancólica alegría de una peluquera o el desamparo de los niños que pedían pan en las puertas. En cierta forma, su miedo, ese miedo que nunca antes había sentido, era el puente que la había conducido a la otra orilla, al otro país, a una verdad que antes ni sospechaba. Ahora ni el propio José Miguel podría reconocerla, lo que era bueno porque nada entonces habría pasado en vano.

Nicolás, por otra parte, seguía en Stanford, ocupado de sus estudios y líos de faldas, ajeno a cuanto acaecía en el último confín del mundo, postergando sus compromisos con la novia chilena, lo que al final traería un costo social, que a ella ahora le daba lo mismo porque no planeaba retornar a esos círculos. Si continuaba por ese camino, Nicolás terminaría como su padre, frívolo e insensible, cínico e hipócrita, calculó Isabel, herida en el alma. Y de David sencillamente no tenía noticias, reconoció mientras caminaba de regreso por la galería subterránea y escuchaba en su cabeza la voz aguardentosa de Amanda Lear cantando "Mother, look what they have done to me". No, nada más había vuelto a saber de David y eso pese a que ella había regresado varias veces al café junto al funicular y a la caleta El Membrillo en un intento vano por toparse con él.

Tampoco en la revista en que había visto años atrás un reportaje fotográfico de él conocían su paradero o tal vez simulaban no conocerlo. Tuvo la impresión de que su llamada había despertado la desconfianza entre los periodistas y que se cerraban ante su consulta como una almeja tocada por una mano. Tal vez temían que fuese una agente de la policía política, de modo que lo protegían mediante silencios y vaguedades, lo que la irritó y emocionó al mismo tiempo. ¿Qué sería de David? Llevaba días buscando con angustia su nombre en los diarios y los noticieros, pero nadie lo mencionaba, lo que de alguna manera la aliviaba. Se estremeció al imaginar que podrían estar torturándolo en un calabozo por haber protegido a la subversiva.

Ella misma, que no tenía nada que ver con política, también podría haber caído en manos de la policía si le hubiese ofrecido refugio a esa mujer, pensó. Y ahora que subía la escalinata del Drugstore hacia Providencia, sola y sin saber adónde dirigirse, admitió que carecía de fortaleza y que confesaría todo bajo la presión de una tortura. Ella era como Galileo Galilei, a quien la mera visión de los instrumentos de la tortura lo hizo retractarse. Debía ser honesta consigo misma, no estaba hecha para soportar dolor. Estaba hecha para disfrutar la vida, para asistir a reuniones sociales, para ser una buena esposa y una buena madre, para definir el orden en sus tres viviendas, o leer, escuchar música y pintar al óleo. Ahora, por ejemplo, la atormentaba recordar a la mujer mayor, cuya foto aparecía en el diario, saliendo del café detrás de David. Intuyó que su remordimiento nunca más le permitiría vivir en paz consigo misma. Si solo le hubiese otorgado refugio a esa mujer, ella estaría viva, reconoció conteniendo las lágrimas.

Llamó al departamento de Constanza desde una cabina telefónica. No atendió nadie, algo que la inquietó. Necesitaba hablar con ella más que antes. Al fin sabía quién era esa rubia y por eso estaba en condición de decirle algunas cosas y de exigirle explicaciones. Pero no debía olvidar lo esencial, que Constanza era la amante, una mujercilla que se había interpuesto en su camino, y que ella, Isabel, era la esposa legítima de José Miguel.

Entró a un café y pidió un té. Desplazarse entre la capital y la costa agudizaba su inestabilidad, pero mucho peor era vivir entre dos mundos, entre aquel que conocía desde su niñez que había transcurrido detrás de las verjas de las residencias del Barrio Alto, donde todo se veía pulcro, bien mantenido, con fachadas pintadas y donde los jardines florecían, y ese otro mundo que acababa de conocer en Valparaíso, que la empujaba hacia una dimensión insospechada y tenebrosa, donde abundaba el miedo ante los agentes de la policía política. Para sus amistades del primer mundo, el toque de queda significaba calma y seguridad; para el otro era las penumbras que toleraban la arbitrariedad. Volvió a la calle y llamó de otra cabina al departamento de Constanza. Tampoco tuvo suerte.

Mató el tiempo mirando escaparates. Los diarios de la tarde informaban que se había registrado otro enfrentamiento en la capital, esta vez entre subversivos. Se trataba de otro ajuste de cuentas con víctimas fatales. Hojeó un diario y le dio la impresión –aunque de esa impresión no podía estar ya segura– de que tras el fracaso del atentado al general los insurgentes comenzaban a despedazarse entre ellos. El gobierno recomendaba a la población buscar refugio temprano en casa, denunciar a sospechosos y confiar en que la autoridad desarticularía las células terroristas. La ciudad olía a pólvora, la gente regresaba deprisa a sus hogares y un helicóptero artillado sobrevolaba el centro. ¿Cómo seguir creyendo lo que contaba el gobierno?, se preguntó al recordar a la mujer de la foto saliendo de la fuente de soda porteña.

No se dio cuenta de cómo había regresado al Drugstore. Halló una cabina telefónica y llamó a la casa de Valparaíso. Atendió la empleada, quien le dijo que todo estaba en orden y que nadie había preguntado por ella. Llamó después a Capricornio a pesar de que, al otro lado del pasillo, la tienda permanecía cerrada. Sin embargo, alguien contestó. Sorprendida, volteó la cabeza y vio a la distancia, a través de la vitrina, al hombre que le respondía en la penumbra junto a la caja registradora.

–Con Constanza, por favor –pidió Isabel.

–¿Quién habla?

Le explicó quién era.

–Lo lamento, señora. Pero Constanza ya no podrá atenderla.

–¿Se marchó?

–No, señora. La señora Constanza falleció. Ayer.

66

Regresó manejando a toda velocidad en estado de shock a Valparaíso. No podía concebir que Constanza estuviese muerta. ¿Qué estaba ocurriendo que a su alrededor tanta gente moría de repente? No se había atrevido a preguntarle al hombre detalles de la muerte, porque le pareció que era morboso hacerlo. Además, siendo franca consigo misma, su primera reacción había sido la de colgar el teléfono, como si la muerte fuese contagiosa, y había colgado paralizada. Ahora, a 120 kilómetros por hora, el vehículo se cimbraba entero en la carretera.

Tuvo la certeza de que ingresaba definitivamente en una dimensión donde la muerte le arrancaba de pronto a gente conocida e imponía una atmósfera espantosa, de la que no sabía cómo escapar. Se dijo que le hacía falta su madre para conversar sobre su soledad y desorientación, sobre su metamorfosis y su anhelo de convertirse en una mujer diferente, en alguien que no temiera traicionar a los suyos. Extrañaba ahora tanto los consejos de su madre, su dulzura, generosidad y sabiduría, su mirada diáfana y a la vez taciturna, que maldijo su muerte bajo las sempiternas lluvias del sur.

Alarmada por ese recuerdo, se preguntó, mientras conducía, si también su madre se había marchado de la vida con un secreto tan doloroso como el suyo. ¿Había sido su padre infiel del mismo modo en que lo había sido José Miguel? ¿Y su madre habría callado ante esa traición solo para guardar las apariencias y conservar la familia y el matrimonio? Se estremeció al imaginar que tal vez eso explicaba sus veranos tristes en el campo, mientras su padre continuaba trabajando en la capital, sus ojos llorosos en ciertas mañanas, los prolongados viajes de negocios de su padre. Tal vez sus silencios y melancolías se debían a que la mortificaban aventuras de su padre. De pronto tuvo la impresión de que captaba en toda su profundidad el drama de haber perdido temprano a su madre. No solo la atormentaba cuanto habían dejado de hacer juntas, sino principalmente lo que no se habían dicho, lo que había quedado para siempre pendiente entre ellas, las conversaciones que aguardarían hasta el fin de los tiempos, los consejos y respuestas que jamás obtendría.

¿O estaba siendo injusta con su padre? ¿No se había suicidado él acaso por no resistir la soledad? ¿Es que se podía amar a una persona y serle infiel al mismo tiempo? María Jesús decía que sí, que los hombres separaban el sexo del amor con mayor facilidad que las mujeres, y que a menudo la infidelidad era el afrodisíaco para un matrimonio de muchos años, y le daba a entender que ella misma la había probado con un amante joven, tal como lo hacían los hombres maduros, que buscaban muchachas menores, como lo probaba el caso de José Miguel.

En su infancia le tenía pavor a la muerte. Ahora sospechaba que creía en Dios solo a causa del miedo que le tenía a la muerte y porque Dios era una garantía de vida eterna. Cuando niña, temía que sus padres muriesen y la dejasen huérfana, algo que había terminado ocurriendo años más tarde. Y cuando Nicolás era apenas un niño, ella temía morir porque no toleraba la idea de que él quedase abandonado a su suerte. Durante años la obsesionó la idea de ser inmortal a través de la vida eterna.

—¿Aspiras a vivir eternamente? —le preguntó José Miguel una mañana en que paseaban de la mano, admirando el templo de la Acrópolis.

—Sí, ¿no es bello acaso? —repuso ella, inspirada por la elocuente eternidad de esas ruinas milenarias, aferrándose a su esposo, sintiéndose enamorada en esa mañana seca y cálida de una Atenas aún no agitada por el escándalo de buses y motos.

—Es una pavada y una tortura eso de ser eterno —repuso él, burlesco—. Imagínate ser eterno ante un paisaje eterno, sin que nunca nada ni nadie cambie...

—Nunca se lo has planteado así al padre Ignacio —dijo ella con sorna, soltando su mano.

—¿Te imaginas vivir eternamente con un remordimiento?

—En la vida eterna no hay espacio para el remordimiento.

—¿Ah, no? —José Miguel se paseó una palma por su cabellera tupida y oscura, y ascendió unos peldaños, buscando amparo del sol tras una columna—. ¿Allí no hay remordimientos? ¿Cómo es eso?

—Dios te los hace olvidar, tontito —se acercó a él y se empinó para besarlo en los labios. Sabía que a su esposo, como a muchos cirujanos, lo atormentaba causar la muerte a algún paciente por un error propio—. Dios te permite que puedas olvidar todo lo triste e ingrato de tu vida anterior.

—¿Te premia con la amnesia?

—No te burles. Te hace olvidar para que puedas ser eternamente feliz. Pero no me pidas que te lo explique. Son los misterios del Señor, como afirma el padre Ignacio.

—¿Y también podría olvidarme de ti? —preguntó él, reprimiendo una carcajada.

—No te preocupes, nosotros estaremos unidos eternamente, en la Tierra como en el cielo.

Solo con los años el temor a la muerte y la obsesión con la eternidad comenzaron a trastrocarse en otra cosa, en la preocupación de que tal vez no envejecería junto a José Miguel. Y ese había sido su sueño postrero: envejecer junto a su esposo, compartir los recuerdos de un pasado vasto, rico y prolongado, que solo ellos conocían y compartían, ver cómo el cuerpo propio y el del otro iban doblegándose bajo el embate del tiempo. No había cumplido ese sueño y por eso ahora le daba lo mismo volcarse y matarse en ese auto, no regresar donde los suyos y volverse una fugitiva perpetua. Ya nada era como antes.

¿Constanza había muerto?, se repitió, sin poder concebirlo. Al verse en el retrovisor, cayó en la cuenta de que lloraba de rabia e impotencia, de saber que con la muerte de la rubia se había evaporado la única posibilidad de conocer la parte de su vida que José Miguel le había sustraído. ¿Pero es que no había planeado matar con sus propias manos a Constanza? Pues bien, ahora ella estaba muerta, se dijo sin sentir alivio ni consuelo. Se sentía burlada. Si existía un más allá, como aseguraba el padre Ignacio, entonces ahí estaban reunidos ahora esos amantes, sin memoria, existiendo el uno para el otro, y ella continuaba sufriendo, fuera del juego.

Estacionó el auto en Lautaro Rosas, entró a casa, se preparó un whisky a las rocas y se sentó en el jardín para contemplar la ciudad, que con sus luces encendidas era un reptil giboso dormitando junto al Pacífico. Recordó el día en que Constanza le trajo los espejos y había dicho que desde esa perspectiva el país era otro. Recién ahora creía comprender sus palabras. ¿O encerraban ellas un mensaje aún más profundo, incluso indescifrable? Bebió un trago largo, que la hizo estremecerse, y volvió al interior de la casa. Llamó a David, pero nadie le respondió. Ahora sí estaba completamente sola, pensó.

¿Cómo no había preguntado por la causa de la muerte de Constanza? Una duda la atenazó, causándole escalofríos, dejándola sin aliento. ¿Se habría suicidado la rubia por culpa suya, aterrada por sus amenazas, convencida de que ella la había mandado a seguir? ¿O estaba enferma de antes? Le costaba creer esto último. Le había parecido que era una mujer en la plenitud de su vida. Pensó en llamar a Capricornio, pero era tarde.

La muerte es una cabrona, se dijo. Se apoderaba de una presa y escapaba con ella entre sus fauces, como si fuese un tigre o un león implacable. En muchos poemas medievales, la muerte cosechaba junto a los campesinos que no advertían su presencia. Los atacaba en los sembradíos, en las fiestas o en el sueño. Buscó el número telefónico de la vivienda de Constanza y marcó sin dilación.

Contestó una voz masculina, compungida. Isabel pensó en candelabros, en la fragancia que despiden las coronas de flores, en el murmullo de quienes contemplan un féretro, en toses y sollozos reprimidos. Depositó el vaso de whisky sobre la mesa, se acomodó en el bergere y vio que la bahía era una mandíbula negra con dientes de oro.

—Soy una clienta de la tienda —anunció—. Siento mucho lo sucedido. ¿Es usted familiar de Constanza?

—Un amigo, señora.

—Disculpe, pero necesito preguntarle algo —expresó, controlando la emoción.

—Diga.

—¿De qué murió Constanza?

Se instaló un silencio prolongado en la línea. Isabel imaginó al hombre con los ojos hinchados y la corbata suelta, fumando tembloroso.

—¿De qué murió? —insistió.

—¿No ha leído usted los diarios, señora?

—En verdad, no. ¿Qué pasó?

—Fue asesinada, señora. Lea los diarios, por favor.

67

Regresó a su casa de Lautaro Rosas con diarios bajo el brazo y una angustia agudizada por la proximidad del toque de queda y los soldados que se descolgaban de camiones para instalarse en las esquinas. Antes, en Fray León, veía el despliegue militar con una suerte de agradecimiento, ahora como una amenaza dirigida contra su nuevo barrio y ella misma.

Un vespertino informaba sobre el asesinato de Constanza en un recuadro menor de la portada, otro lo publicaba en la crónica roja. Se le retorció el estómago al enterarse de que la anticuaria había sido ultimada la noche anterior en un estacionamiento próximo a la Biblioteca Nacional, en Santiago. Le habían clavado una delgada daga bajo la mandíbula para despojarla de la cartera. Se estremeció al imaginar el acto y pensar que ella misma había planeado eliminar a esa mujer de un pistoletazo. Según la prensa, un vigilante del estacionamiento había encontrado el cuerpo desangrándose abrazado al manubrio.

¿Por qué no se había enterado antes de la noticia si se dedicaba precisamente a seguir a la anticuaria?, se preguntó, abatida. En un recuadro en páginas interiores, el portavoz de Investigaciones recomendaba a la población actuar con cautela en caso de un asalto. "Son sujetos dispuestos a todo si encuentran resistencia. Es preferible entregar lo que uno tenga. Nosotros nos encargaremos después de detenerlos y recuperar los bienes", afirmaba.

Isabel apartó los diarios, se tendió en la cama y clavó los ojos en el cielo del cuarto. Era inconcebible que Constanza estuviese muerta, y peor aún, que hubiera muerto a manos de delincuentes por defender su cartera. Pensó en el hijo pequeño, que ella no conocía, y del cual la mujer le había hablado a la pasada, aunque con cariño. ¿Cómo le explicarían que su madre no regresaría? Quedaba completamente huérfano porque su padre, según lo recordaba del informe policial, también había muerto. Supuso que José Miguel y Constanza habían logrado escapar juntos para siempre y ahora estaban unidos en un sitio que ella no podía ni imaginar. Sintió celos y envidia de esa cita, y deseó morir, pues ya nada le importaba, ni siquiera el destino de Nicolás, quien ya no la necesitaba. No al menos como el niño a Constanza.

Pensaba en todo eso cuando sonó el teléfono. Respondió de inmediato.

—Habla el doctor Alemparte. ¿Leíste los diarios?

—¿Te refieres a la mujer?

—Sí.

—Escalofriante.

—Isabel, te llamo para que estés preparada.

—¿A qué te refieres?

—A que puedes aparecer como sospechosa.

Se sentó en la cama, alarmada.

—¿Sospechosa yo? ¿Estás loco? ¿Por qué? ¿Ante quién?

—Calma, calma.

—¿Cómo me pides calma después de lo que me dices? ¿Sospechosa por qué?

—¿Recuerdas la información que me pediste?

Pensó en la hoja mecanografiada que había quemado en la cocina.

—Claro.

—Ellos van a sospechar de ti porque no creerán que se trata de una casualidad.

—¿Quiénes son ellos?

—Los que me suministraron la información.

—¿Quiénes son?

—No te hagas la ingenua.

—¿Les diste mi nombre? —no pudo ocultar su tono de reproche.

—Tuve que hacerlo para obtener los datos.

—¿Y entonces?

—Me preguntaron por ti esta tarde.

—¿Pero quién diablos son ellos?

—No te hagas la tonta. Tú lo sabes.

No supo qué responder.

—Les dije quién eras y que confiaba en ti —continuó Alemparte—. No comentes nada con nadie. Cualquier cosa, me avisas. Creo que aún puedo ayudarte. Te estaré llamando.

68

Cuando volvió a casa después del funeral de Constanza, un muchacho que cargaba revistas se le acercó en la niebla del atardecer y le preguntó si ella era Isabel.

—Soy yo —replicó sin miedo. Tras haber visto llorar al hijo de la anticuaria sobre el ataúd de su madre, había perdido el miedo. Le daba lo mismo quién preguntara por ella o quisiera amenazarla.

—Para usted —le dijo el muchacho, entregándole una revista, antes de marcharse presuroso—. En el interior hay algo de quien usted conoce.

Isabel cerró la mampara extrañada. Examinó la revista en la cocina y halló una hoja escrita a mano, con tinta verde, en cuyo extremo superior llevaba un pétalo de rosa. La firmaba David. Reconoció la tinta que él empleaba en las cartas que le enviaba en el colegio. Era la Pelikan que importaba su padre de Alemania, y que solo él tenía, por lo que sus misivas eran inconfundibles. Le avisaba que si estaba dispuesta a encontrarse con él, llamara al teléfono adjunto. Cerraba el mensaje añadiendo que no se olvidaba de una explanada bajo el cielo estrellado del desierto de Atacama, lo que hizo que el corazón de Isabel se desbordara de felicidad. No le cupo duda de que el mensaje era de David.

Se puso una parca y salió a Lautaro Rosas, ilusionada por un lado por la perspectiva de ver a su amigo, deprimida por otro por la muerte de la mujer. Al funeral había asistido un centenar de personas, en su mayoría universitarios, y allí pudo reconocer al hombre del guardapolvo, vestido de traje y corbata. No se atrevió a acercarse a él porque consolaba al hijo de Constanza, pero estaba segura que se había percatado de su presencia. Se preguntó, mientras caminaba a lo largo de las fachadas de las casas decimonónicas, cuánta gente asistiría a su entierro. Al de José Miguel había concurrido una masa compacta de familiares, amigos, pacientes y colegas. ¿Quién iría al de ella, que había devenido en una traidora de los suyos, y que aún no era del todo aceptada por sus nuevos aliados, esa gente sencilla y atemorizada de Valparaíso? Caminó hasta la calle Miramar y llamó a David desde el almacén de la esquina. Reconoció la voz de su amigo y él la suya. La conversación fue breve. Memorizó la dirección que él le dio para que se reuniesen esa tarde.

A las seis en punto llegó a la casona de la calle Santa María, en el barrio de Playa Ancha. Abrió la puerta de una reja, cruzó un jardín abigarrado, donde una flor del inca trepaba por un muro y unas escaleras de mármol la condujeron al primer nivel de la casa. Tocó la aldaba de una mampara. A través del vidrio empavonado distinguió una figura humana que se aproximaba. Era David. Lo notó más demacrado y exhausto que antes. Llevaba una barba de días y los cristales de las gafas sucias. La hizo entrar y se abrazaron sin palabras en el hall de piso de madera y puntal alto.

Pasaron a una sala con vigas a la vista, donde había una chimenea enorme y un piano negro, de cola.

—Por Dios, ¿tienes que andar ocultándote ahora? —le preguntó Isabel.

—Así es, y mi escondrijo mira siempre hacia el este, que es el punto donde resurge a diario la esperanza —repuso David.

—¿Qué necesitas?

—Que me brindes refugio.

—¿En mi casa?

—Donde sea. Me buscan y llevo demasiado tiempo acá. ¿Puedo contar contigo?

Ella se dejó caer en un sillón de terciopelo rojo y pensó que si se negaba a brindarle protección, David correría la misma suerte que la mujer que había visto salir del café adyacente al funicular.

—Puedes contar conmigo y mi casa —dijo con sosiego y los ojos puestos en el piso de tablas—. Es segura, tengo un cuarto independiente con vista a la bahía. Les daré libre al jardinero y a mi empleada.

David se sentó junto a ella y la besó con delicadeza en una mejilla.

—Asesinaron a la mujer —dijo Isabel, temblorosa—. La reconocí en los diarios...

—La sacaron de su hogar durante el toque de queda, la arrastraron hasta una fábrica abandonada donde tenían otros detenidos y los ametrallaron —encendió un cigarrillo y expulsó el humo moviendo la cabeza, con la vista baja.

—Lo presentaron como ajuste de cuentas entre opositores...

—Fue una carnicería organizada.

—¿Crees que las órdenes vienen realmente de arriba? —preguntó ella.

—¿A qué te refieres?

—A si vienen del hombre —al decirlo, pensó en José Miguel, en su admiración por el general.

—Aquí no se mueve una hoja sin que él no lo sepa, Isabel.

—Cuesta imaginar que él esté detrás de todos estos crímenes...

David la miró mordiéndose los labios, y luego dijo:

—Se están vengando a diestra y siniestra. Nosotros no organizamos el atentado. Fue gente ajena al movimiento. Ellos tenían preparada su retirada, pero quienes no teníamos idea del atentado estábamos en el escampado y sin plan de fuga.

—Me siento culpable, David —replicó Isabel—. Si solo lo hubiese sabido, si me lo hubiese imaginado, habría derrotado el miedo y la habría acogido.

—Los culpables son ellos. No tú. Todos tenemos nuestras limitaciones. Hay que asumirlas, no avergonzarse de ellas.

—Es que soy la culpable de su muerte —exclamó Isabel, rompiendo a llorar.

David la abrazó y esperó a que se calmara.

—Andan como hienas —comentó—. Tienen orden de liquidar a cinco miembros de la resistencia por cada guardaespaldas muerto. No se puede imaginar ese nivel de brutalidad. Ahora vete, por favor, que no te conviene estar aquí. Llegaré a las ocho de la noche a tu casa. Abres de inmediato. No me hagas esperar.

69

A la casa de Tristán Altagracia volví días más tarde, después de haber fracasado en mi intento de ingresar a otra sesión del Cenáculo de los Poetas Fantasmas. Un mozo del Cinzano me había dicho que esa noche el grupo no se reunía. Cuando le rogué que me permitiera al menos bajar al subterráneo, se negó. Le puse un billete en la mano para que me guiase peldaños abajo, pero, tras guardarse el dinero en el bolsillo, me repitió que no había reunión.

Opté por tomarme un orujo ante una bandeja de machas frescas, contemplándome de vez en cuando en el gran espejo que cuelga detrás de la barra, pensando en el asesinato de Constanza y en algo que me parte el alma: la orfandad del chiquito. Nada puede ser más doloroso que la pérdida de la madre, nada, solo la pérdida de un hijo. Crucé después la ciudad en penumbras, envuelto en una sensación de frustración y ofuscamiento, y también de preocupación por cuanto comprendí que la prolongada ausencia de Valparaíso desperfilaba la imagen de la ciudad en mi memoria. Yo nada sabía ya de los nuevos cafés y restaurantes que emergían en los cerros, de los cruceros que recalan cada verano en el puerto espolvoreando turistas, ni de los artistas o estudiantes que se instalan en sus pensiones. Yo seguía atado a las imágenes del Valparaíso del pasado. Sospecho que terminaré siendo extranjero a quien, como en el caso de Isabel, lo delatan su mirada, su acento y su forma de vestir, la manera de caminar y las preguntas que formula.

Una vez más la empleada de Tristán Altagracia me condujo hacia el fondo de la casa mientras el piso crujía bajo nuestro peso.

—Don Tristán, el profesor —anunció la mujer cuando entramos al cuarto.

El poeta corregía unos versos en una libreta encuadernada en cuero. Al verme se incorporó con entusiasmo y, me atrevería a afirmar, hasta con elasticidad. La mujer le acomodó la almohada en la espalda y nos dejó solos.

—Aquí está mi parte —le dije al anciano, alargándole el manuscrito que me había regalado el doctor Simons en Berlín.

Altagracia apartó su poemario y cogió entre sus dedos *La otra mujer*, examinando con veneración sus páginas.

—Perfecto —comentó al rato mientras lo depositaba sobre sus piernas envueltas en una frazada.

—He cumplido —afirmé, afable—. Y ahora le toca a usted.

Se untó las comisuras con el pañuelo, apartó de su frente un mechón de pelo blanco y dijo:

—Estuvo ayer en el Cinzano, según supe.

—Sí, pero no sesionó el Cenáculo.

—Eso no es efectivo.

—Es lo que me contaron.

—Hubo sesión como cada jueves —aclaró entre un ataque de tos—. Pero solo permiten el ingreso a los miembros y a los invitados del directorio. ¿Por qué regresó?

—Para degustar un orujo con pimientos de Morón. Es el único sitio donde los preparan en la ciudad.

—Para eso basta con pedirlos en la barra.

Preferí regresar a mi tema. Las manos del poeta acariciaban ahora impacientes el manuscrito.

—¿Puedo llevarme entonces la segunda parte? —pregunté.

—No ahora —barruntó el poeta. Caí en la cuenta de que sus cejas intensamente negras contrastaban con su melena alba, y le otorgaban una impresionante autoridad a su mirada—. Lo llamaré al hotel en cuanto termine de leer esto y entonces decidiremos qué hacer.

70

Volví al Zerohotel aquella noche temiendo que Tristán Altagracia me hubiese estafado. Al día siguiente descargué en mi iPhone un álbum con los éxitos de Amanda Lear y me quedé escuchando la letra de las canciones, tratando de descubrir el mensaje profundo que buscaba en ella Isabel.

No era música ajena para mí porque a comienzos de los años ochenta yo la había bailado en una escuela política que se alzaba a orillas del lago Bogensee, en el noreste de Berlín. Era la música con la que yo, entonces un exiliado como los que habitaron el edificio donde Simons encontró el manuscrito, enamoraba a una grácil militante de la FDJ de aquella época, la que a estas alturas debe haber perdido algo de su agilidad y su belleza, y ha de ser abuela de ojos tristes, ni siquiera un pálido recuerdo de lo que fueron, o todos fuimos.

Entonces Amanda Lear era una cantante de éxito en Europa. Había sido la musa de Salvador Dalí, hablaba varios idiomas, tenía un rostro insinuante y un cuerpo espigado, de movimientos sensuales, embutido en trajes ajustados, y se rumoreaba que era travesti o transexual, algo que su voz grave y aguardentosa parecía confirmar. En "Lover love me", cantaba, por ejemplo, los rumores sobre su persona: *Fabulous baby, I will drive you crazy / My fabulous face and my eyes / Searching with me so well nobody could tell / That I once was somebody else / So when you look into my eyes / Why don't you ask me for a ride / And everything will be alright / Oh lover love me.* Y en otra canción, que también fue un éxito de ventas hace como treinta años, y que yo acababa de bajar de iTunes, Amanda Lear cantaba: *Faust was right / have no regret / Gimme your soul / I'll give you life / And all the things you want to get / So follow me / Just follow me*. El tema de ambas canciones era la ambigüedad, la pérdida de la inocencia y la identidad, la metamorfosis, la venta del alma al diablo, el encuentro con él. Nada me permitía, sin embargo, establecer un vínculo preciso entre esa música disco, que José Miguel supuestamente odiaba, y el secreto que ocultaba Constanza y que Isabel anhelaba dilucidar.

Tres días más tarde, cuando estaba a punto de llamar a Simons a Berlín para ver si me podía arrojar alguna luz adicional sobre el texto, hallé un mensaje de Tristán Altagracia en la recepción. Me anunciaba que me esperaba en su casa. Me duché apurado, me cambié de ropa y me serví en el Honesty Bar un orujo con gusto a miel, y bajé hasta las escaleras que conducen al Pasaje Gálvez. Minutos más tarde me hallaba ante la vivienda de árboles frondosos, sin que los perros se asomaran. En cuanto entramos con la empleada al dormitorio del poeta, este se levantó, se envolvió en un abrigo de cuero negro y una boina.

—La primera parte está bien lograda, aunque corresponde más o menos a lo que me imaginaba —comentó entre toses, portando bajo el brazo mi manuscrito—. Pero no quiero anticiparle nada hasta que usted no haya leído la parte mía.

Mientras bajábamos al jardín, él apoyado en el bastón, yo buscando asidero en la baranda, soltó un chiflido y los mastines emergieron de entre las sombras para olisquearme con sus hocicos húmedos. Altagracia les gritó que se retiraran y ellos le obedecieron en el acto. Luego abrió la puerta del subterráneo, encendió la linterna y cruzamos el salón de los cachivaches, donde revoloteaban los murciélagos. Nos detuvimos de nuevo ante la puerta de barrotes.

Lo vi abrir sin contratiempos el candado, pero entre ambos tuvimos que empujar la puerta, atascada en el piso. Cedió con un gemido que arrancó gruñidos a los perros y me hizo temer que entrasen a despedazarnos. Varias arañas, espantadas por la claridad que repartía la linterna de Altagracia, corrieron a esconderse en los rincones, y un murciélago gigante se descolgó torpemente de una cañería y echó a volar.

—Sígame y no se asuste —dijo Altagracia. Nuevamente tuve la sensación de que en ese espacio subterráneo el poeta levitaba.

El haz de luz barrió un laberinto de estantes que almacenaban carpetas de colores y espesores diferentes.

—¿Este es entonces el gran archivo del Cenáculo? —pregunté azorado.

Altagracia giró sobre sus talones, deslizando la luz por el lomo de las carpetas y dijo:

—Aquí hay millares de poemas inéditos. Poemas vírgenes que se conforman con haber sido escritos, sin importarles que jamás nadie los lea ni escuche —agregó limpiándose la cabellera de telarañas—. Su honor es haber pasado por la tierra sin haber sido conocidos ni tampoco olvidados, sin haber sido mancillados por lectura ajena. Son al mismo tiempo pasado y futuro, nunca presente. Son más bien momias perfectamente conservadas o semillas que pueden germinar en cualquier momento.

Se detuvo ante un estante y acomodó allí el manuscrito que yo había traído de Berlín. Después extrajo uno de tapas gruesas y negras, que estaba a su lado, cubierto de polvo.

—Esta es la parte que usted busca, dilecto profesor —anunció, altisonante. Sopló sobre la carpeta y el polvo se esparció y flotó durante unos segundos bajo la luz de la interna con un fulgor de estrellas—. Vuelva a visitarme cuando la haya leído. Estoy seguro de que entonces querrá conversar de nuevo conmigo.

71

A las ocho en punto de la noche, llevando sombrero y gafas de sol, David descendió de un auto ante la casa de calle Lautaro Rosas. El coche se alejó en cuanto sus ocupantes vieron que se abría la puerta. Isabel le sugirió que se relajara, pues estaba sola y no esperaba a nadie, y luego lo condujo al cuarto dispuesto para él en el otro extremo de la casa. Era un dormitorio pequeño, ubicado frente al de ella, y tenía dos ventanas que miraban al jardín y a la bahía.

David aceptó un café y ella le recomendó esperara en el living, ya que las ventanas de la cocina y el comedor daban a la calle. Unos instantes después conversaban frente al ventanal. David le dijo que se iría pronto, que pasaría los días en el cuarto, leyendo, sin asomarse a la ventana ni a la terraza, y que no la estorbaría.

–¿Te persiguen por la mujer...? –preguntó Isabel mientras le servía café.

–Por ella y otros compañeros –admitió él, ojeroso, sin afeitar–. Los mataron a todos. Ya te dije, no es cierto que se hayan enfrentado entre ellos. Los ametrallaron cuando los tenían detenidos. Es probable que alguien diese mi nombre.

Isabel se puso lívida. La muerte se había llevado a José Miguel, a Constanza y a la mujer que había visto fugazmente en el café del funicular. Y ahora le pisaba los talones a David. Sin embargo, David no parecía asustado. Era un hombre consciente del peligro, al que no lo dominaba el pánico. ¿De dónde extraía esa fortaleza? ¿De su convicción de que luchaba por algo justo?, se preguntaba Isabel con una dosis de envidia.

—¿No puedes asilarte en una embajada? —le preguntó recordando que tras el golpe militar de 1973 simpatizantes del gobierno de Salvador Allende habían buscado refugio en las sedes diplomáticas de Santiago.

—No es fácil. Tengo que ver cómo salgo del país. Estos criminales no bromean.

—¿Cómo puedo ayudarte, David?

—Con lo que haces basta. Necesito contactar a gente. Ahora estoy aislado.

—Haré lo que digas —afirmó Isabel con la voz quebrada—. Si me necesitas como mensajera, dímelo. Soy ahora otra mujer. Lo que me ha tocado vivir me enseñó mucho. ¿Nadie te siguió hasta aquí?

—Eso nunca lo sabes —repuso él limpiando con la punta de su camisa los cristales de los espejuelos circulares—. A veces te hacen sentir que no tienes sombra y es solo una treta para que los conduzcas a otras personas. Pero creo andar sin sombra.

—A mí no me harían nada. Mi suegro y mis relaciones me protegerían. Es por ti que me preocupo.

—¿No tienes vínculos con opositores al régimen, verdad?

—Mi familia y mis amistades apoyan al gobierno —aseveró—. Por eso mi casa es segura.

—¿No esperas a nadie? —creyó haber escuchado que una puerta crujía en algún cuarto.

—Es el viento —explicó Isabel, y pensó que el único peligro era que sus amigas llegasen de improviso—. Pero si llegara alguien, no entrará a tu cuarto.

Tras beber el café, David contempló el espejo veneciano adosado a la pared.

—Me gusta —comentó—. ¿Dónde lo compraste?

—¿Bello, verdad? Es de Venecia. Lo compré hace poco en Santiago. Tiene eso sí una historia espantosa.

—¿Cómo es eso?

—La anticuaria que me lo vendió fue asesinada —Isabel se asomó a mirar los zorzales por la ventana—. La mataron para robarle la cartera.

David se incorporó y caminó descalzo hasta el espejo. Sus mocasines quedaron bajo el sofá. Paseó sus dedos por las sinuosidades del marco de cristal y observó a través del espejo la suave curvatura del cuello de su amiga.

—¿Te refieres a la mujer que asesinaron en el estacionamiento? —preguntó mientras se aproximaba a Isabel.

72

Caminaron abrazados y sin palabras hacia el cuarto de David, y allí, en la penumbra, bañados por el resplandor de la ciudad que se colaba por las ventanas abiertas, hicieron el amor como lo habían hecho decenios antes, bajo el cielo regado de estrellas del oasis de San Pedro de Atacama.

Isabel sintió como si no hubiese pasado tanto tiempo. Sus yemas acariciaban la misma piel y sus labios besaban la misma boca de cuando eran escolares y se habían amado en la vastedad agreste del desierto, cerca de un arco de fútbol. Y ahora, mientras se amaban en aquel estrecho catre de bronce que cantaba como un grillo sobre los techos de Valparaíso, Isabel vio de nuevo a su novio tendido sobre ella, con los párpados cerrados, los labios entreabiertos y, por sobre él, las estrellas enredadas en la malla del arco extraviado en la noche.

Pero ahora estaban lejos del desierto y los compañeros de entonces, y lejos de aquella época estudiantil, inocente y segura, y de las amistades que los vigilaban. Ahora yacían, al fin, desnudos en un lecho, entre delicadas sábanas de algodón de Egipto, como en un solo cuerpo fundido en un abrazo de besos desesperados.

—Te esperé todos estos años —le susurró David al oído cuando terminaron de hacer el amor, y él seguía dentro de ella y besaba sus párpados.

—Nunca dejé de pensar en ti —repuso ella—. Y el día que encontré tus fotos en la revista supe que trataba de engañarme, que te amaba y eras el hombre de mi vida.

—Si no me hubieses dejado entonces, nuestras vidas serían hoy diferentes.

Ella pasó su índice sobre los labios de David.

—No lo digas. No te lamentes por lo que dejamos de hacer —advirtió—. Alégrate de que estemos juntos, de que aún nos amemos y lo disfrutemos.

David le mordisqueó el dedo y ambos sonrieron. Del puerto llegó un eco de cadenas seguido por el aullido de perros. La ciudad dormía bajo el control militar. Instantes después escucharon una sirena lejana.

—Un auto de la CNI —murmuró David.

—¿Cómo lo sabes?

—Por el tono —dijo él y se calzó los espejuelos. El cielo estrellado colmaba la ventana—. Mientras nos acariciamos y besamos, trasladaban a un detenido a un cuartel clandestino.

Isabel se estremeció, convencida de que era cierto, de que en el mismo instante en que ella era feliz, un hombre viajaba con la vista vendada en un carro de vidrios polarizados con destino a la muerte. ¿Por qué no se había dado cuenta antes de que existieran dos países, uno junto al otro, ajenos, extraños, y que la misma noche podía tender sobre uno su manto de amor y sobre el otro el de la tortura, que mientras unos festejaban, otros lloraban?

—¿En qué piensas? —le preguntó David.

—En todo esto —dijo ella, ocultando su rostro en el pecho de David—. ¿Y tú?

—En que me gustas.

—¿Te gusto de verdad? Pero si ya estoy vieja y mi cuerpo no es el de Atacama —reclamó ella abriendo los ojos, retornando del ensueño, arrullada y atormentada por la noche silenciosa.

—Me gustas tal cual eres —afirmó David dejando resbalar un dedo desde la frente a la barbilla de Isabel—. Sigues bella y atractiva, más deseable que cuando te conocí.

—Mentiroso —alegó ella.

—Es lo que siento —dijo él y su dedo descendió por su cuello, entre sus senos y desembocó en su triángulo oscuro y bien poblado.

Ella se preguntó desde cuándo nadie la celebraba, desde cuándo no escuchaba que era bella y deseable, y no pudo recordarlo. Comprendió que José Miguel había dejado hace mucho de amarla.

—¿Me crees? —le preguntó David, azorado por el fulgor de las estrellas que se asomaban por la ventana.

—Creo que esto fue como en el oasis —repuso ella—, pero mucho mejor.

—No compares.

—Es que se parece. Entonces sentí que era culpable por hacer algo que no debía hacer, y ahora siento algo parecido.

—¿Sientes que no deberías estar conmigo? Pero ¿por qué?

—Porque mi marido murió hace poco.

—Ya te dije que no pienses en eso —alegó él mientras la acariciaba—. Déjate llevar por los sentimientos, como cuando llegamos a la cancha o entramos aquí. No es malo que estés conmigo si nos amamos. Yo te amo. Es más, siempre te amé —apoyó su cabeza en la de ella—. Todos estos años soñé con estar contigo como esta noche.

—¿Aunque ande con esta cabellera de muchacho y mi cuerpo no sea ya el mismo?

—Ya te dije. Me gustas.

—No debí haber sido tan impulsiva...

—Por el contrario. Es bueno que hayas vuelto a ser tú misma —se apartó de ella para contemplar su desnudez—. Me gustas. Eres la mujer más bella del mundo. Sería capaz de recitar a Neruda completo. Solo una cosa me aterra —admitió él.

—¿Qué?

—Que esto sea solo un sueño y que cuando despierte, yo esté solo, y nada de esto haya ocurrido nunca y yo muera sin haber vuelto a amarte.

73

El doctor Alemparte sonreía ante la puerta de la casa. Isabel no pudo creerlo. Nunca él se había atrevido a visitarla. Las reuniones de su esposo con sus amigos siempre tenían lugar en un restaurante de comida alemana, pero nunca en el departamento de Fray León o en la residencia de Valparaíso. Sin embargo, ahora estaba él allí con su semblante pálido y enjuto, chaqueta clara, cuello de la camisa abierta y sombrero, y ella, envuelta en su bata de baño, lo miraba incrédula apoyando la mano en el pomo de la puerta.

—Andaba recorriendo el puerto y me dije por qué no pasar a saludar a mi amiga —afirmó el médico alzando el sombrero—. ¿Llegué a mala hora?

Lo hizo pasar al living y le pidió unos minutos para cambiarse de ropa. Las mejillas le ardían de la impresión y no lograba disimular el rubor. Barrió el living con la mirada y corrió a ponerse jeans y un suéter, y le avisó a David que tenía visita. Después le ofreció un café al médico y se alegró de que lo rechazara porque no se atrevía a dejarlo solo.

—¿No te ha llamado nadie? —preguntó Alemparte, sentado en el sofá con el sombrero entre las manos.

—¿A qué te refieres?

—A si algún policía te ha consultado sobre la anticuaria —se inclinó a recoger una revista del suelo y la colocó sobre la mesa de centro.

—No. Y yo no tengo nada que decir. Es más, me molesta que les hayas contado a tus amigos que era yo quien necesitaba la información.

—¿Y qué esperabas? Es lo primero que preguntan si alguien pide algo. ¿Querías que mintiera?

Se sentó frente a Alemparte y cruzó las piernas. Se dijo que si David escuchaba la conversación, sospecharía de ella y la consideraría una soplona. Se preguntó, consternada, si en verdad no lo era.

—Aún no me explicas quiénes son ellos —preguntó.

—Vamos, tú sabes qué tipo de gente se dedica a eso.

—¿Ah, sí?

—Claro, los policías. Eso tú lo sabes. Conoces bien este país...

—¿Y de dónde los conoces? Tú eres médico, no policía.

—Ya te expliqué. Conozco a uno. Es un paciente antiguo, con el que congenié hace años. Un mando medio. Me dijo que si un día afrontaba problemas, podría ayudarme. Y así fue. Me ha servido para eludir partes de tránsito, resolver una disputa por deslindes con un vecino en Cachagua y conseguir un guardia para la casa cuando viajo al extranjero. Pero no debes preocuparte. Hablé con él y entiende tu asunto.

—¿Cómo que "tu" asunto?

—Lo de tus celos y eso —agregó Alemparte recorriendo con la vista las paredes del living, y ella sintió que era como si le hubiesen vertido gotas de limón en una herida abierta—. Le dije que no podían sospechar de ti y que te dejaran sola. Para eso vine a verte, para avisarte que puedes estar tranquila y sugerirte que seas discreta, algo que no me cansaré de repetir.

—Me has enredado en todo esto, pese a que yo solo te pedí un favor puntual.

—Ese espejo es precioso —comentó Alemparte alzando las manos, desoyendo sus palabras—. En realidad, me gusta toda la disposición de esta sala. El piano de cola, la mesa de centro, las sillas de estilo y esos cuadros de Roberto Matta. Gran gusto tienen ustedes.

Fue ese el instante en que Isabel vio los anteojos de David en el suelo, junto al sofá, cerca de los zapatos del médico. Esa mañana ella le había llevado el café a su amigo al living, donde leía una novela de Mario Vargas Llosa. David había vuelto a su cuarto, dejando olvidadas las gafas bajo el sillón. Si Alemparte movía un pie, los descubriría.

—Gracias, es mi gusto. Pero pierde cuidado, no comentaré con nadie este tema —dijo ella, fingiendo naturalidad.

—¿Ves lo que son las vueltas de la vida? —preguntó Alemparte al posar nuevamente sus ojos en el espejo veneciano—. Ya no existe esa mujer que odiabas tanto. Eres otra, por fortuna. Te lo dije. Olvida eso. No vale la pena preocuparse por asuntos que solo opacan el recuerdo de tu esposo y gran amigo mío. ¿Sabes? —agregó sonriendo—. Me fascina tu casa. Nunca había estado aquí. Su restauración es exquisita. Y es evidente que ese gusto solo puede ser tuyo.

—José Miguel era un conocedor de música clásica, pero también algo entendía de diseño —se sintió extraña hablando de su esposo, después de haber hecho el amor con David.

—No solo fue un conocedor de música y de interiores, sino también de otras cosas —dijo Alemparte en un tono que a ella le pareció insidioso—. Por cierto, Isabel, un día me gustaría que cenáramos juntos —continuó. Ese nuevo tono también le resultó inusual. Excedía los límites que habían existido entre ellos. La invitación rezumaba ambigüedad y le recordaba el estilo de Méndez, quien también se le había insinuado en un café de Valparaíso, algo que no hubiese osado hacer mientras José Miguel vivía.

—La verdad es que no estoy de ánimo para cenas —repuso ella, cortante.

—Te entiendo, Isabel, y no tiene que ser en los próximos días —Alemparte le dirigió una mirada que la desarmó.

—Habría que verlo entonces más adelante —dijo ella, consciente de que le convenía mostrarse vagamente asequible para deshacerse del médico en esos instantes.

—Es una casa preciosa —resumió Alemparte sin dejar de observar el living—. Si sabes de otra que vendan en el barrio, avísame. Es una joyita. Por cierto —añadió agachándose a recoger los espejuelos del piso—. No los dejes en cualquier parte. No sabía que usabas lentes. Casi te los destrozo —los colocó con delicadeza sobre la mesa de vidrio—. ¿Podría ver el resto de la casa?

74

No supo qué decir. Sintió que se sonrojaba aún más, que Alemparte la escrutaba y que la ciudad o todo el país, o en verdad todo el mundo, seguía su marcha con absoluta indiferencia ante lo que acaecía en esa casa.

—¿Quieres recorrerla? —preguntó decidida, a pesar de que ignoraba cómo enfrentaría el callejón sin salida en el que se aventuraba.

Lo guio a través del pasillo y desembocaron en la terraza, donde Alemparte celebró la vista de la bahía y la belleza del jardín que cuidaba el esposo de María, e insistió en que Isabel le avisara en cuanto supiera que se vendía una propiedad en el barrio. Dentro de unos años, las casas acá costarán una fortuna, aseguró mientras ingresaba al comedor, que Isabel solo usaba para cenas especiales. Alemparte pasó sus manos por la mesa bruñida sobre la que una pareja de gallos de cresta erizada sostenían una riña y luego admiró las ventanas de guillotina con los barrotes pintados de blanco, que daban a Lautaro Rosas.

Isabel explicó detalles como si pudiese postergar de ese modo el instante en que forzosamente se encontrarían frente al cuarto de David. Poco después pasaron a la cocina, donde reinaba un orden meticuloso, salvo en el lavaplatos, donde abundaba la vajilla sucia. En ese instante, ella se dio cuenta de que había allí dos tazas, dos platos y dos juegos de cuchillería. Sintió que a Alemparte no se le escapaba ese indicio.

Lo invitó a su dormitorio, donde por las ventanas abiertas estaba la luminosidad del Pacífico mezclada con los ecos de la ciudad, una luz que reflejaba el espejo de su ropero. El médico contempló empalagado el Pacífico y las lenguas de playas doradas.

—No hables fuerte que están empollando unos zorzales —le dijo Isabel mientras se asomaban a la ventana. Se alegró al ver que los retoños ya habían roto el cascarón y la madre los alimentaba. Piaban, eran diminutos y no tenían plumas.

—¡Pero este es el mismísimo paraíso! Con pajaritos y todo. Envidiable —exclamó irónico el médico—. Con razón no te mueves de aquí. ¿Hay más habitaciones, no?

Isabel le dijo que la siguiera por el pasillo. Indicó hacia la puerta cerrada del cuarto donde se ocultaba David y señaló con frialdad:

—Ahí está mi escritorio. Prefiero que no lo veas.

—¿Por qué?

—Porque tengo un desorden que me da plancha.

—Si vieses mi vivienda, no te daría vergüenza. Déjame entrar. Es a través de esos cuartos que se conoce a la gente, es allí donde están el carácter y la verdad de una persona.

—Por eso mismo.

—¿Es grande?

A Alemparte le tentaba la idea de visitar esa pieza.

—Olvídalo. Te lo mostraré otro día. Te lo prometo —agregó ella, interponiéndose en su camino.

Alemparte aprovechó de cogerla por la cintura y arrimarla a su pecho. La besó en los labios y ella le lanzó un manotazo que resbaló violento por su mejilla y se trabó en la cadena dorada que colgaba de su pecho. Al apartarse del médico, Isabel notó que en su puño aprisionaba la medalla con la sigla CH Alemparte. Él se la arrebató de la mano, molesto y ruborizado, caminó al living a recuperar su sombrero y se dirigió a la puerta de salida.

—Espero no haberte causado trastornos con esta visita intempestiva —dijo antes de partir—. Y ya sabes, si tienes noticia de una casa que vendan por aquí, avísame enseguida. Y en lo demás, te pido encarecidamente que seas discreta. Es por tu bien que te lo digo.

75

—Voy a DHL a buscar un paquete y regreso —le avisó a David. Acababan de desayunar en el living huevos revueltos, café y jugo de naranja, y ahora David leía una novela de John Le Carré en su cuarto.

—No te olvides de los diarios y los cigarrillos —dijo David desde la cama, donde había vuelto a recostarse.

Isabel bajó en coche al plano de la ciudad preguntándose quién le había enviado una encomienda. Aún la intranquilizaba el regusto de la visita de Alemparte de hace unos días. ¿Habría notado que había alguien más en la casa? ¿La había besado para provocarla o realmente por deseo?

Estacionó a un costado del Parque Italia, cerca de las oficinas de DHL. La agencia le había avisado por teléfono que tenía un paquete a su nombre y que era preciso que pasase a retirarlo. El día anterior no habían encontrado a nadie en casa. Pero cuando le dictó a la despachadora el número de su encargo, la empleada, revisando el libro de registros, le informó que no existía ese número.

—No puede ser —reclamó Isabel—. Ustedes me llamaron esta mañana para avisarme que había algo para mí.

—¿A qué hora la llamamos?

—Hace cosa de dos horas.

—¿Está segura de que fuimos nosotros?

—Claro.

—Nosotros entregamos a domicilio, señora. Si no hay nadie, dejamos una boleta para que pasen a retirar el encargo a esta oficina. Nunca notificamos por teléfono. ¿Tiene la boleta?

—Solo este número que me dieron al teléfono. ¿Hay otra agencia de DHL en la ciudad? —preguntó acodándose en el mesón.

—No. A lo mejor fue otra compañía. Aquí no tenemos nada para usted.

Salió frustrada. Había perdido tontamente el tiempo. Visitó otra agencia y el resultado fue el mismo. Debía haber una confusión. En un quiosco compró diarios y cigarrillos, y luego pasó a una rotisería, donde consiguió margarina y salame, y regresó a casa. La sorprendió encontrar el cuarto del fondo vacío. La brisa hinchaba el velo de las ventanas abiertas y de la radio del velador llegaba "Destiny", la canción de Paul Anka. Fue al baño, donde tampoco halló a David. Salió al jardín, preocupada, pero tampoco estaba allí.

Volvió a la cocina por si había allí una nota. No encontró nada. Decidió no angustiarse y regresó a su cuarto, a esperar. Tal vez David había tenido que salir por algún contacto de última hora, pensó. Nerviosa como estaba, no pudo reposar. Se asomó por la ventana a contemplar las naves en la bahía. Bajo el alféizar de la ventana, los polluelos piaban solos. Sus padres andaban en busca de alimento, se dijo, antes de regresar a la habitación de David, que registró esta vez con esmero. Cuando se arrodilló a mirar debajo de la cama vislumbró los espejuelos de David, entonces se le congeló el alma. Uno de los cristales estaba quebrado.

Ella sabía que David era incapaz de salir a la calle sin gafas. Se aterró. El corazón comenzó a palpitarle descontrolado. Recogió las gafas y buscó indicios de violencia, pero el cuarto se veía en orden. Llevó los lentes al living, donde todo lucía como siempre. Volvió al dormitorio. Esta vez notó algo en lo que no había reparado. En la parte inferior del velador se hallaban los mocasines de David. Sintió un retortijón en la boca del estómago. ¿Cómo era posible que David hubiese salido de casa sin zapatos ni espejuelos?

Llamó al número que él le había enviado días atrás. Le respondió una voz de hombre.

—Quisiera hablar con David —dijo, a pesar de que sabía que no debía llamar de casa a ese aparato.

—¿Quién habla?

—Milena. ¿A qué hora puedo encontrarlo?

—Mejor déjeme su teléfono para que podamos llamarla nosotros.

Le extrañó que el hombre usase la primera persona del plural. David vivía solo. No tenía empresa ni familia, y jamás hablaba en plural. Colgó sin dejar el número, aterrada. Se sentó en el living, temblando. Temía que lo hubiesen secuestrado. Comprendió que el llamado de DHL había sido una treta para alejarla de casa y secuestrar a su amigo. Solo podía ser la policía política. Pensó en Alemparte, en su curiosa visita del día anterior, en el hecho de que, en lugar de detenerla a ella junto a David, la hubiesen apartado discretamente del asunto. Se echó a llorar. ¿Qué debía hacer ahora?

Un timbrazo la arrancó de sus sollozos. Corrió esperanzada hacia la puerta. Cuando la abrió, se encontró con un mensajero de un correo privado que le traía una carta. Le dio una propina y, tras cerrar la puerta, rasgó el sobre sin poder controlar su impaciencia.

76

Isabel,

Si recibe estas líneas, es porque yo estaré muerta. Nunca alcanzamos a conversar de lo que realmente interesaba. Usted me vio como su enemiga, como la mujer que le arrebató su esposo. Yo la vi a usted como la aliada de alguien con una historia atroz. Lo cierto es que nunca hablamos de lo que debimos haber hablado. Ya es tarde para hacerlo. Siento que me persiguen, y cuando a una la persiguen bajo las actuales circunstancias de este país, intuye que sus días están contados.

No me arrepiento de nada de lo que hice, salvo de que la mortifiqué sin conocerla, pensando que Usted era parte de todo esto que yo tanto aborrezco y me ha causado tanto daño y sufrimiento. Cuando la conocí mejor, descubrí que yo estaba en cierta forma equivocada, pero ya era muy tarde para modificar el rumbo de las cosas y no disponía de otro camino. Fue ese el riesgo que corrí y que hoy asumo. Estoy tranquila porque cumplí con lo que me dictaba mi conciencia y conozco la verdad de cuanto ocurrió y la suerte que me espera.

Usted aún vive en las tinieblas y le sugiero que las explore. Usted es víctima y victimaria. Yo no puedo disipar las tinieblas por Usted. Ignorar no exime de culpabilidad. Queda ahora solo una persona que tal vez pueda revelarle la verdad. Es un poeta bohemio porteño, de edad mediana, que conserva todo en su memoria. En cuanto lea estas líneas, acuda a él sin mencionarle a nadie más mis palabras. Si las revela, pondrá en riesgo la vida suya y de otros. Él podrá explicarle la clave de todo esto que acarrea tanto dolor y tormento.

Acuda una de estas noches al Bar Cinzano y pregunte allí discretamente por Benjamín Plá. Alguien la conducirá hasta ese bardo de copiosa melena oscura. Y él podrá revelarle hasta la última gota de esa verdad que Usted busca con tanto ahínco.

Permaneceré siempre en el reflejo de su antiguo espejo veneciano,

Constanza.

77

Fue en la segunda parte del manuscrito que descubrí, o creí haber descubierto, por qué no había referencias a Constanza en la vida real. La razón estaba a la vista: porque había sido asesinada. Su inexistencia en el mundo real no debía yo atribuirla solo al hecho de que el edificio donde residía en el manuscrito había sido derribado en la realidad actual para posibilitar la construcción de un edificio más alto y moderno, que yo he visto, sino también a que ella había sido asesinada.

Leí consternado aquel capítulo de *La otra mujer* bajo la magra luz del funicular del Cerro Concepción. Lo leí como si esa historia acaecida hace más de un cuarto de siglo hubiese estado ocurriendo ante mis ojos en ese instante en que yo descendía al plano de Valparaíso en ese carro destartalado y la luna dibujaba su círculo dorado en la superficie azabache del Pacífico. En la parte baja de la ciudad entré en la atmósfera fragante a cebada de la Cervecera del Puerto y, acodado en el mesón, bebí un vaso de Barba Negra pensando en el manuscrito. Sudaba, y mi corazón iba a galope tendido. Al rato me fui al Cinzano porque necesitaba un orujo y estaba persuadido de que allí encontraría la explicación de cuanto había ocurrido.

El local estaba atiborrado de poetas, intelectuales y bohemios. Un hombre de cabellera y bigote ceniciento, con traje oscuro y corbata roja, afincada con prendedor de oro, cantaba un tango acompañado de un bandoneonista.

—Es Alberto Palacios —me comentó con unción el barman mientras con un golpe seco me colocaba un orujo en la barra.

Lo sorbí en un dos por tres y luego me fui abriendo paso a empellones entre la música y los parroquianos hasta instalarme en el otro extremo de la barra, lejos de las bandejas con machas, salmones y reinetas, más allá de los jarros con vino y frutilla, en las proximidades de la caja registradora.

Pedí otro orujo para ponerme a tono, miré a mi alrededor tratando de ubicar a algún conocido, empresa casi imposible en una ciudad que abandoné en la época de la dictadura y le pasé billetes a un mozo para que me consiguiera una mesa. Tuve suerte. Minutos más tarde me instaló en una junto a la única ventana del establecimiento y a dos pasos de las puertas batientes con los afiches que anunciaban al gran Palacios. Pedí otro orujo y una porción de pimientos del Padrón, y continué leyendo los capítulos que Tristán Altagracia acababa de entregarme en su vivienda.

No eran muchos, en realidad, y en total no sumaban más de setenta páginas. ¿El poeta no me estaría entregando a gotas una novela que conservaba casi en su integridad? Con los años la gente se va poniendo mañosa, jodida y manipuladora, recordé. Si Tristán Altagracia comenzaba a dosificarme la entrega, la investigación iba a resultar eterna, los costos del viaje se dispararían por las nubes y los colegas de mi departamento me criticarían. Pero era el poeta quien imponía las reglas a estas alturas y a mí no me quedaba sino acatarlas. El orujo y los pimientos me reactivaron el cerebro. De todas formas, algo avanzaba con mi pesquisa. Era considerable el trecho ya recorrido desde la nevada noche berlinesa en que recibí el manuscrito en el Instituto Iberoamericano a esa noche veraniega de Valparaíso en la que leía esas nuevas páginas en el Cinzano.

Si Constanza, Benjamín y C. ya estaban muertos, y Tristán Altagracia no disponía de la obra completa de nuestro autor, entonces la hebra podría estar aún en manos de Isabel. Pero yo seguía ignorando su paradero. ¿Estaba viva? ¿Qué edad tendría? ¿Setenta u ochenta, como su amiga Alicia en la novela? Lo peor es que a través de las descripciones no lograba ubicar la casa en que ella había vivido porque en el fondo todas las casas de Lautaro Rosas se parecen. Si lograba encontrarla, algo bastante improbable, y ella me conducía a otros personajes, tal vez mi pluma estaría algún día en condiciones de narrar la historia que la novela no concluía.

Continué sumido en las páginas del manuscrito en medio de los tangos que cantaba Palacios, estimulado por la trama que leía y la sosegada levitación que me deparaba el orujo.

78

No puedo creerlo. Parece una mala pasada que te juega alguien que habita en el fondo de esta historia, pero hasta aquí llegan los capítulos que Tristán Altagracia me prestó.

Se acaban, desde luego, en un momento de suspenso extremo, como si Benjamín Plá se hubiese propuesto abandonar al lector precisamente en el instante en que la novela exige a gritos un desenlace.

Salgo de mi hotel y paseo frente a las fachadas y las tiendas de Lautaro Rosas, donde los autos descansan a la sombra de los árboles, dejo atrás el Pasaje Santa Victorina, donde unos niños juegan con unos jarros de porcelana, y entro minutos más tarde al espacio fresco y luminoso de El Desayunador, un local alternativo que en mis años de estudiante era una frutería. Ordeno café con leche y huevos a la paila mientras percibo que me agobian dos cosas: que el manuscrito siga estando incompleto y que mi mujer no me acompañe en esta búsqueda. Lo primero me desorienta e irrita, lo segundo me desconcierta y deprime.

—No hay pasajes para esta época —me anunció Cecilia temprano al teléfono. Hizo todo lo posible, pero las reservas están copadas.

—¿Y entonces? —pregunto somnoliento desde la cama. A través de la ventana abierta veo el cielo cruzado de vaporosas franjas grises.

—Lo mejor es que vuelvas. Llevas mucho tiempo allá. Esa novela te está consumiendo —dice mi mujer, grave, preocupada—. La manzana está nevada y fría, pero es un invierno bello, y es mejor que estés aquí, donde la gente, las construcciones y los coches son al menos reales.

Aquí es verano, me digo para infundirme ánimo, todavía con el resabio del orujo en el paladar. Escucho el trinar de pájaros, el graznido de las gaviotas y el rumor de las grúas del puerto, que se me antojan gigantescas libélulas heridas. Dudo que no haya espacio en los vuelos. Escasean alrededor de Pascua y Año Nuevo, no en medio del verano austral. Supongo que mi mujer no quiere venir hasta este extremo del mundo porque simplemente no cree en mi investigación académica ni en que yo esté en todos mis cabales.

Tal vez tenga razón. Ni yo mismo sé si estoy en todos mis cabales. Es una suerte que Tom, el director del departamento, confíe en mí, al menos. De venir, mi mujer podría conocer a Tristán Altagracia, descender conmigo al subterráneo del Cinzano y ayudarme a averiguar cómo se apellidaba José Miguel y qué fue de su esposa, y en cuál casa de Lautaro Rosas vive en la novela. De ese modo podría quizás yo encontrar a la viuda. Pero Cecilia no se anima a dar un paso que en el fondo implica violar los deslindes entre la ficción y la realidad, explorar por esta ciudad que vive presa de su historia y sus utopías, y prefiere matar el tiempo en los cafés de Manhattan, escuchando jazz mientras hojea *Wallpaper* y *The New York Times*.

—Está bien —replico al teléfono, resignado—. Terminaré esto lo antes posible y volveré cuanto antes. Te extraño.

Después del desayuno, volví donde Tristán Altagracia. Tosía y estaba abrigado, porque hasta su cuarto, construido en lo profundo de la casona, no llegan los rayos de sol ni el calor. En cuanto la empleada nos dejó a solas, le dije que necesitaba el resto de la novela.

—Lo que usted tiene es todo cuanto poseo —afirmó, sentado contra la pared, más viejo y enclenque que nunca—. Es lo que hay, como se dice ahora. Es lo que había en la caja de cartón con los manuscritos de Benjamín Plá.

—¿Y entonces? —le arranqué otro quejido al catre cuando me senté junto a Tristán para devolverle el texto.

—Entonces nada —dijo cerciorándose de que fuese el que me había prestado—. Ignoro dónde puede estar el resto de *La otra mujer*.

—Es que no puede ser.

—Pero así es.

—Entonces esto es una pesadilla —reclamé—. Constanza nos anuncia en su carta que una verdad crucial ha de ser revelada y, bueno, justo antes de revelarla termina todo...

—Tal vez usted debería escribir el final —sugirió Tristán, untándose las comisuras de los labios con el pañuelo.

Guardé silencio, consciente de que al encallar en ese callejón sin salida sellaba mi suerte como candidato al *tenure* e iniciaría un vagabundeo eterno por colleges estadounidenses en busca de la ansiada plaza fija. Sería al menos lo que siempre me había sentido, un beduino de la literatura. Tristán se llevó la mano a la boca como para reprimir otro ataque de tos y yo me dije que de ningún modo esa investigación que comenzó de forma tan auspiciosa en Berlín debía desembocar en algo vago. ¿Cómo les explicaría lo acaecido al jefe de mi departamento, a mis colegas y al contador en jefe de la facultad? Yo había invertido una suma considerable en pasajes, comidas y alojamiento, y no podía regresar ahora con las manos vacías a Nueva York. No solo se desmoronaría mi posibilidad de conseguir el *tenure*, sino también el incipiente prestigio académico que había ido levantando a punta de ensayos y reseñas en revistas especializadas. Mis colegas supondrían que había pretextado razones falsas para justificar vacaciones en el verano de mi país. No me creerían que había estado a punto de esclarecer un misterio mayúsculo y que el desastre final escapaba a mi voluntad.

—¿Cómo se llamaba Constanza en verdad? —pregunté.

—Lo ignoro —dijo Tristán, desganado—. Nunca aparece su apellido en la novela. ¿Por qué?

—Para buscar su tumba en el cementerio. Tal vez eso podría ayudarme.

Altagracia soltó un resoplido, defraudado ante la perspectiva de escudriñar entre lápidas y tumbas.

—Ahora sí que Benjamín Plá es protagonista de esta novela —comenté—. ¿Está seguro que la escribió él?

—Completamente. Las correcciones, la firma y la tinta verde son de la misma persona.

—¿Y por qué iba a escribir de sí mismo en tercera persona?

—Secretos de la literatura y la falsa modestia...

—¿No tiene idea del lugar en que pudo haber vivido?

—No me cabe duda de que lo hizo en Valparaíso porque describe con pericia y detalle la ciudad —explicó el poeta de la melena blanca—. Ningún forastero podría hacerlo de igual manera. Pero vaya uno a saber dónde vivió. Esta ciudad es más grande de lo que uno piensa; la componen cincuenta cerros, que son cincuenta pueblos independientes. Si las ciudades pudieran plancharse, sería la más vasta del mundo.

—¿Cree que haya tenido familia?

—Vaya uno a saber. Supongo, en todo caso, que más de alguna cosita tuvo con esa mujer de Berlín, cuyo nombre comenzaba con C; de lo contrario, no habría escrito esa carta. Lo raro es que la haya firmado con seudónimo. ¿Lo hizo para proteger a C o a Isabel, o para engañarnos a usted y a mí a través del tiempo? Seguro se está retorciendo de la risa de nosotros en su tumba.

—Tiendo a pensar que vivía solo y viajaba mucho. Que era un solitario se huele en su novela y en esos poemas tan herméticos que escribía —le dije a Tristán mientras este rumiaba los restos de alimento que encontraba en su dentadura postiza—. ¿Era viudo, solterón o simplemente tímido?

—Quién sabe, mi dilecto profesor. A veces temo que a lo mejor estamos hablando de un personaje de ficción, y que quizás hubo un escritor cuya identidad no conocemos, que inventó no solo *La otra mujer*, sino también el nombre y la historia de Benjamín Plá como autor de ella y los poemas.

—Sería un juego infinito. Pero me tinca que Benjamín es una persona de carne y hueso, más bien.

—Puede ser, ¿verdad?

—Es lo que yo creo, al menos —dije haciendo como que ya me disponía a irme.

—Antes que se vaya, dilecto profesor, quiero entregarle algo —me anunció Tristán Altagracia sacando una carpeta debajo del colchón—.

También pertenecen a Plá. Le pido que me perdone, pero primero tenía que confiar en usted. Estas sí que son las últimas páginas que tengo...

79

Era más de lo que podía soportar. En el bar se sirvió unas medidas de whisky al seco. Aspiró profundo, las manos temblorosas, los ojos húmedos. ¿Qué hacer en un caso como ese? Tenía en su casa la carta de despedida de una mujer asesinada y los anteojos y mocasines de un hombre secuestrado. ¡Cuánta falta le hacía José Miguel en esos instantes! Él solía ocuparse de los asuntos que le quedaban grandes. Además, ahora sería un suicidio llamar a Carabineros o a Investigaciones porque no podría explicarles que había brindado refugio a un fugitivo.

Recordó la existencia de una institución de la iglesia llamada Vicaría de la Solidaridad, que representaba a los perseguidos y desaparecidos, y que era a menudo objeto de escarnio entre sus antiguas amistades. Cada vez que a María Jesús se le desaparecía algo, unos pendientes o las llaves del auto, Loreto le recomendaba llamar a la vicaría. ¿Valdría la pena contactar a la vicaría?, se preguntó untándose con la mano el sudor de la frente ¿Cómo reaccionaría el padre Ignacio, que jamás hablaba de política y para quien lo que ocurría en el país era algo que sucedía en un escenario remoto? ¿Recurrir a la vicaría? No. Significaba pasarse completamente al campo enemigo, aceptar como cierto que eran los gobernantes, no un par de exaltados de los servicios de seguridad, como afirmaban sus familiares, quienes ordenaban secuestros, torturas y asesinatos. Recordó las reuniones donde siempre había amigos que, citando fuentes confiables, afirmaban que el gobierno no torturaba ni asesinaba, que el general era un hombre duro pero un patriota magnánimo, que todo aquello era fruto de una campaña comunista internacional.

Optó por llamar a Alemparte, quien contestó de inmediato.

—Necesito conocer el paradero de una persona que fue detenida —le dijo a quemarropa, como si hubiese tenido lugar la última escena de su visita a la casa de Lautaro Rosas.

—No entiendo. Explícate.

Le contó que se trataba de un amigo del colegio que le había pedido refugio porque lo perseguían. Le explicó que sospechaba que había algo político de por medio, pero que desconocía los detalles, puesto que a los amigos se los ayudaba de forma incondicional. Repitió que David había sido detenido sin orden judicial, lo que equivalía a un secuestro, y mientras decía esto, se preguntó si no estaba cometiendo un error fatal al poner sobre aviso al médico.

—Dame su nombre —dijo Alemparte—. Puedo tratar con el amigo del que te conté. Tal vez logre algo. Pero, Isabel, por Dios, ¿en qué te has metido ahora? Te lo dije —alzó la voz—, te lo dije. Vive tu vida, disfruta tu condición de viuda de un hombre destacado. No, tenías que enlodarte en asuntos que no te incumben. Dime una cosa...

—Sí.

—¿Ese hombre estaba en el cuarto que no quisiste mostrarme?

Se sintió como un boxeador tocado en la quijada por un *upper cut*.

—¿Es eso importante?

—Claro que lo es. Es obvio que lo es, ¿verdad?

—Sí —reconoció ella soltando un suspiro—. Es por eso que no te enseñé esa habitación.

—¿Amante tuyo?

Ese nivel de especificidad la asqueó. Se ordenó la melenita con los dedos.

—¿Cómo te atreves a preguntarme algo así?

—Es una pregunta que tengo que hacerte, Isabel.

—Se trata de un compañero de colegio. Tú habrías hecho lo mismo, ¿o no?

—Cálmate. No es mi ánimo ofenderte. Eres viuda y, por lo tanto, libre para rehacer tu vida. Solo quiero saber qué terreno estoy pisando. ¿Estás segura de que quieres que pregunte por él a esta gente?

Se imaginó a Alemparte en la consulta. Pálido, enjuto, peinado a la gomina, de bata blanca, sentado al escritorio, llamando a un cuartel de la policía política.

—¿Qué quieres decir con eso? –preguntó.

—Que no olvides que es gente ruda.

—Explícate.

—Que si no lo tienen, lo buscarán y de paso te interrogarán a ti.

Lo había imaginado de otro modo. Había creído que ellos ya tenían a David y que la intervención de Alemparte podría salvarlo de la muerte. Ahora podía ser que ella hubiese sellado la suerte de su amigo con el llamado. Ahora le quedaba claro quiénes eran los asesinos en el país.

—Estoy segura de que ellos lo tienen –afirmó con voz temblorosa.

—¿Quién son ellos?

—Tú lo sabes.

—¿Pero cómo lo sabes tú?

Guardó silencio. Alemparte la había arrinconado. Se sintió como el rey desprotegido en el tablero de ajedrez. Ahora él podía oler que ella se mezclaba con gente del otro bando político.

—Por su estilo –dijo resignada, consciente de que tomaba prestado el lenguaje de David, las claves de la clandestinidad.

El doctor Alemparte carraspeó.

—Veré qué puedo hacer por tu amigo, Isabel.

—No me eches al saco roto. Necesito que me ayudes –imploró ella.

—Veré qué puedo hacer, Isabel –repitió el médico, gélido–. Te llamaré en cuanto tenga algo. Confío en que me ayude Mauro.

80

¿Quién era Mauro? No se animó a preguntarle porque supuso que Alemparte había mencionado el nombre sin darse cuenta. Algo parecido le había ocurrido al enterarse por teléfono de que Constanza había muerto. Había sido incapaz de preguntarle al dependiente de la tienda de antigüedades por la causa del fallecimiento. Algo la inhibía siempre para llegar al final de las cosas. Pero, por último, daba lo mismo, pensó. Si encontrar a David con nombre y apellido era difícil, imposible sería hallar a un agente de la policía política, donde usaban nombres de guerra.

La espera se le hizo eterna. Puso el casete de Amanda Lear en el living y escuchó en silencio "Mother look what they've done to me", y sintió que esa canción, entonada con voz gruesa y masculina, iba con ella, con su dolor y también con el sufrimiento de Constanza: "*Oh, mother look what they have done to me / He gave me a small broken doll / but he stole —my soul / Why all the shame and all the pain / If you ever leave me alone again?*". Creyó que, en el fondo, esa canción, como las otras de Amanda Lear, podía ser un mensaje de la anticuaria, una advertencia. Alemparte seguía sin llamar y David no regresaba.

Hubiese dado cualquier cosa por verlo aparecer en el umbral sonriendo, alto y despeinado, vistiendo su camisa holgada. Ahora tenía de él solo sus gafas rotas y sus mocasines, y nadie llamaba por teléfono ni tocaba a la puerta. Su incertidumbre crecía por minutos y también su sensación de que se hallaba empantanada en un terreno cuajado de amenazas y del que nadie la rescataría. De golpe, al alcanzar la madurez como mujer independiente, se sentía huérfana y sola en el mundo. Nadie, ni sus amigas del alma, ni su suegro, ni su hijo, ni ningún otro conocido podrían ayudarla a esas alturas.

Cerca de las nueve de la noche cogió su carro y bajó hasta las inmediaciones de la Plaza Aníbal Pinto, cuyas fachadas y fuente de agua refulgían como una postal bajo los faroles. Entró al Cinzano y se ubicó en una mesa junto a la ventana que daba a Esmeralda.

—Busco a Benjamín Plá —le anunció al mozo después de ordenar machas al pilpil y una copa de sauvignon blanc. No probaba bocado desde el desayuno y supuso que el vino la ayudaría a ver las cosas con mayor ecuanimidad.

—Así que la dama busca a don Benjamín —comentó el mozo en tono juguetón y ojos chispeantes, ligeramente pasado de copas.

—Así es.

—Desgraciadamente no conozco a nadie con ese nombre, mi dama.

—¿Está seguro?

—Trabajo desde hace decenios aquí. Nunca he escuchado ese nombre.

—Me contaron que viene a menudo a este local.

—Aunque aquí pasamos llenos de día y de noche, me conozco de nombre a todos los comensales.

—Es un poeta.

—Si es un poeta, déjeme preguntar porque es más complicado —dijo el mesero mientras destapaba una botella de vino blanco, perlada de gotas, y le escanciaba una copa—. En Valparaíso hay más poetas que lectores de poesía. ¿Cómo me dijo que es su gracia?

Lo vio alejarse por entre las mesas con pescados humeantes y mariscales, arroces graneados y ensaladas de tomate y cebolla. El establecimiento estalló en un aplauso estruendoso cuando una voz anunció al cantante de tangos Alberto Palacios. Isabel contempló el escenario a través del espejo ubicado detrás de la barra, y le pareció que, con su cabellera y bigotes intensamente negros, Palacios tenía un extraordinario parecido a Marcello Mastroianni. La gente escuchó en silencio su interpretación de "Balada para un loco".

Más tarde, cuando Palacios entonaba el himno de Wanderers en clave de tango e Isabel pensaba que el mozo había olvidado su encargo, lo vio regresar con una bandeja con platos de salmón al horno.

—Le traigo noticias, mi dama —dijo el hombre bajando la voz, trastabillando a su lado—. Déjeme su teléfono y Benjamín Plá la llamará un día de estos.

81

Días más tarde, cuando seguía sin noticias sobre David, acudió al Cerro Panteón. Benjamín Plá la había llamado la noche anterior para comunicarle que la esperaría junto a la tumba de Constanza. Isabel compró un ramo de flores y subió por la calle que forman los muros del cementerio y la cárcel. Era curioso, pensó, a un costado se eleva el Cerro Concepción, más allá el de la Cárcel y después el de los cementerios, como si la ciudad le sugiriese a sus habitantes que entre el nacimiento y la muerte la vida humana era una prisión. Le dolió recordar que hasta hace poco, obnubilada por un odio que se había trocado en miedo, ella había planeado matar con sus propias manos a Constanza.

El sol arrojaba un enjambre de fulgores sobre el mar y los techos de zinc en los cerros cuando Isabel cruzó el pórtico del cementerio y caminó entre las tumbas. Le extrañó que el cementerio estuviese vacío, a excepción de dos hombres de terno y corbata, que conversaban ante un mausoleo rematado con un ángel de espada desenvainada.

Depositó el ramo en el florero de la lápida de Constanza y acarreó agua hasta el nicho, donde emparejó el largo de los tallos. Después se sentó a la sombra de un árbol, sobre una columna derribada, para repetirse en silencio algo que aún no lograba asumir del todo: que David estaba desaparecido, su esposo muerto y que ella rendía ahora homenaje a quien había sido su amante.

Evocó el día en que le había hablado por primera vez a Constanza simulando estar interesada en los espejos, en cómo la había insultado cerca de donde estaba hoy su tumba, y volvió a sentir la impotencia y la ira que le sobrevinieron al ver en el video a esa mujer entrando al condominio junto a su esposo. Y sin embargo ahora esperaba ella a un poeta que, según la carta de la anticuaria, podría ayudarla a develar parte de su vida.

Pensó en el doctor Alemparte, en sus oscuras conexiones y su deseo de aprovecharse de ella, en la forma en que en un inicio había intentado intimidarla y luego convencerla de que sus amigos no tenían nada que ver con el secuestro de David. ¿Por qué lo afirmaba con tanta seguridad? Algo en la convicción con que lo hacía le alimentaba aún más las sospechas. Era demasiada casualidad que él hubiese estado husmeando en su casa precisamente un día antes del secuestro, y hubiese intentado que se la mostrase en su totalidad. Y tuvo la certeza de que el hecho de que Alemparte hubiese preguntado al día siguiente por David, es decir, por el hombre que se escondía en el cuarto del fondo, constituía una artimaña para confundirla y hacerse pasar por un médico inocente.

—¿La conocía?

Abrió los ojos, regresando a la mañana despejada tras oír la pregunta, y vislumbró a un hombre de mediana edad, de estampa atractiva y elegante, de larga cabellera canosa, que colocaba claveles en el florero adosado a la lápida de Constanza.

—A través de la tienda de antigüedades —dijo Isabel poniéndose de pie.

—Lo sé —señaló el hombre mientras combinaba los claveles con las flores que Isabel había colocado poco antes. Al terminar, se sacudió las manos y agregó—. Soy Benjamín Plá.

Se saludaron en forma cordial, conscientes de que el otro sabía algo que uno ignoraba, intuyéndose cómplices por haber conocido a la mujer sepultada junto a ellos.

—¿Y usted la conoció bien? —preguntó Isabel.

—Todo lo bien que se puede conocer a un ser humano.

—¿De dónde?

—Fuimos amigos —lo vio inclinar, con un gesto breve, la cabeza ante el nicho.

—¿Cómo era ella?

—Si quiere conversar, es mejor que nos vayamos a otro sitio —repuso Benjamín Plá indicando con la mirada hacia los hombres que meditaban frente a un mausoleo.

82

Salieron del cementerio, tomaron por Dinamarca y abordaron el auto de Isabel. De vez en cuando Benjamín Plá echaba un vistazo por sobre el hombro para ver si alguien los seguía. Sugirió que bajasen al plano por Ecuador, se dirigiesen al norte por la calle Colón y subieran por avenida Washington al Cerro O'Higgins. Minutos más tarde se detuvieron ante una casa pequeña, de un piso, de la calle Colo Colo.

—Nadie pudo seguirnos hasta aquí —dijo Benjamín Plá ordenándose la cabellera, que le cubría las orejas—. Esto, aunque no lo parezca por fuera, es un restaurante.

A juzgar por la disposición del mobiliario, Isabel tuvo la sensación de entrar a una casa privada. Olía a carnes al horno y a pan caliente, y las dos salas de la vivienda estaban atestadas de comensales. El dueño los acomodó en una mesa detrás de una cortina que los aislaba, pero junto a una ventana que miraba a un patio donde se apilaba madera de demoliciones.

—¿Nunca ha estado aquí, verdad? —preguntó Benjamín Plá—. Es un local típico del puerto, desconocido para alguien de Santiago. No tiene ni letreros que lo anuncien.

Isabel le preguntó cómo sabía que ella no era de la ciudad.

—Por su forma de conducir —respondió él untando de mantequilla una hallulla—. Se nota que no está acostumbrada a las pendientes. ¿Puede decirme por qué me busca?

Le explicó lo de la carta de Constanza y cómo la había conocido en Capricornio, y después ordenaron lengua nogada y de aperitivo un pisco sour. Isabel se sintió a sus anchas, ya que su indumentaria se adecuaba al ambiente y a la clientela del establecimiento.

—Usted es la viuda de un cardiólogo, ¿no es cierto? —preguntó el poeta, cuando saboreaban el pisco sour acompañado de aceitunas del valle de Azapa.

—¿De dónde lo sabe?

—Me lo dijo Constanza.

Isabel guardó silencio. Se preguntó si el poeta sabía ya todo sobre ella.

—Conozco la historia de Constanza —precisó Benjamín.

Isabel tosió, nerviosa.

—No se preocupe, lo sé todo sobre su marido, y algo de usted y creo saber por qué mataron a Constanza.

—¿Un asalto, verdad?

Él sacudió la cabeza.

—Alguien que vive en este país no puede ser tan ingenuo —afirmó él, molesto—. Isabel, a Constanza la mataron por culpa de su esposo.

Creyó que escuchaba mal. Lo que ese hombre afirmaba no era plausible. ¿Culpar a José Miguel de la muerte de Constanza? ¿Entre tanta muerte, persecución y desapariciones, culpar precisamente a su marido de ello? En definitiva, el mundo ya no era lo que había sido. En algún momento había saltado de su eje y ella era en parte culpable de eso, se recriminó.

—Usted no habla en serio, ¿verdad? —dijo tras sorber el pisco sour.

—Hablo completamente en serio.

—A ver, no entiendo nada —Isabel se llevó la mano al pecho. Sus ojos se humedecieron.

—Veo que ignora la historia de su marido —afirmó Benjamín—. No solo muestra ingenuidad respecto de su país, sino también en relación con su esposo.

—¿Qué me quiere decir con eso?

—Que usted ignora la verdadera vida que llevaba su esposo.

Isabel palideció y no supo qué responder. Si ese hombre estaba al tanto de la aventura de José Miguel con Constanza, era evidente por qué afirmaba que ella ignoraba quién era realmente su esposo. Pero ¿por qué la atormentaba refiriéndose a una etapa que ella quería olvidar y en la que ella había sido la víctima?

—¿Quiere conocer realmente la historia de su marido? —preguntó Benjamín con un brillo cruel en sus ojos.

Supuso que le relataría otras aventuras amorosas de José Miguel. Lo suponía desde hace un tiempo en lo más recóndito de su alma; su esposo no había tenido solo una sino varias mujeres. Tal vez Alemparte tenía razón, y ella debió haber continuado, en su condición de viuda, su vida de antes. Lo pensó unos instantes y luego se dijo que estaba de acuerdo, que ya se sentía lo suficientemente fuerte como para enterarse de las otras andanzas de su esposo. Estaba por responderle, cuando alguien descorrió la cortina. Isabel se quedó petrificada. Era uno de los hombres del cementerio. Con un movimiento violento, el sujeto volvió a echar la cortina y ellos permanecieron quietos por unos instantes.

Luego Benjamín arrojó unos billetes sobre la mesa, se pasó la servilleta por los labios y dijo con gran sosiego:

—Mejor será continuar en otra parte.

83

Poco antes de las siete de la tarde, Isabel cruzó el molinete del ascensor Polanco y caminó por el túnel guiándose por la luz magra de las ampolletas instaladas en el cielo de roca desnuda. Percibió la fragancia de la tierra húmeda y el rumor cristalino de vertientes mientras se internaba por las entrañas del cerro. Al fondo divisó el tubo fluorescente del carro que sube vertical hacia la superficie del Polanco, y a su lado, inmóvil como una estatua, esperaba Benjamín Plá.

Subieron en el carro que conducía un hombre de aspecto cadavérico. En el balcón superior, Valparaíso se desplegó ante ellos encandilándolos con su generosa belleza. Estaban en lo más alto de la torre amarilla que descuella por sobre las casas del Polanco. Un puente metálico une la construcción de estilo italiano con una calle que asciende entre casas hasta desembocar en una avenida que ciñe como cinturón los cerros de la ciudad.

—A Constanza la asesinó la policía política —afirmó de pronto Benjamín Plá. Estaban solos en el balcón, apoyados en la baranda.

Isabel se erizó. No esperaba una introducción tan brutal.

—Fue una venganza —continuó el poeta, impávido.

El sol coruscaba en la bahía. Desde un mirador que devolvía destellos colgaba ropa y una jaula con un jilguero, y de una ventana distante llegaba la voz inconfundible de Buddy Richard.

—¿Una venganza de quién? —preguntó Isabel mirando el suelo. Tembló al notar que a través de la separación de los tablones podía mirar al vacío.

—Una venganza del régimen —Benjamín echó una mirada hacia el puente, que seguía desierto.

—¿Era una subversiva?

El poeta esbozó una sonrisa lastimera.

—¿Subversiva? ¿Qué significa eso para usted? —preguntó Benjamín. Su rostro estaba esculpido en piedra, pensó Isabel, mirándolo de reojo—. Para mí, esa palabra solo sirve para justificar asesinatos.

—Subversiva, extremista, opositora... En fin, no vale la pena discutir de semántica. ¿Por qué la mataron?

—Desde el atentado al hombre han liquidado a muchos por simple represalia.

—¿También a Constanza?

—Ella es una de las víctimas.

La gente de izquierda desvariaba con tantas certezas, pensó Isabel.

—¿De dónde saca eso?

—La lógica lo indica —afirmó Benjamín—. Es la venganza del régimen: ejecutar a cinco opositores por cada guardaespaldas muerto.

—¿Puede probarlo? —Isabel se aferró a la baranda, pues sintió que de otro modo quedaría suspendida sobre los techos de la ciudad que languidecía abajo.

—Usted es la responsable —añadió Benjamín, enfático—. Al menos de la muerte de Constanza.

—Pero ¿cómo se atreve? —Isabel clavó decepcionada sus ojos en los del hombre—. ¿Qué tengo yo que ver con esos crímenes?

—Lo que voy a decirle es horrendo, da para una novela, que tal vez un día yo escriba, pero ahora tengo que contarle a usted toda la verdad. ¿Quiere escucharla?

Isabel aspiró hondo y guardó silencio. Al rato dijo:

—A estas alturas, con todo lo que me ha pasado, estoy preparada para escuchar cualquier cosa.

Benjamín Plá miró los tablones sobre los que pisaban como si tuviesen inscritas las palabras que iba a emplear.

—Constanza perdió a su hermana al inicio de la dictadura —precisó—. A ella y a su novio los sorprendieron imprimiendo panfletos antigubernamentales. Los torturaron y ajusticiaron en una casa cercana al Estadio Nacional. Montaron la escena como si hubiese sido un enfrentamiento con la policía, a pesar de que ella ni su pareja llevaban armas. Se las plantaron después de la ejecución, trajeron a la prensa y presentaron la escena como resultado de un enfrentamiento.

—¿Y eso qué relación tiene conmigo?

—¿Usted no está investigando la muerte de su esposo?

Un escalofrío le bajó por la espalda como si fuese una araña de patas finas y largas. Ahora se daba cuenta de que no solo la policía, sino también gente como Benjamín Plá, estaba al tanto de sus pasos y de su historia, y además de sus celos y probablemente del resultado de su investigación. Supuso que Constanza le había contado todo.

—Ya investigué sobre mi esposo —admitió—. Me correspondía. Hubo una etapa desleal en su vida, en la que apareció Constanza.

—Se trató de infidelidad, ¿cierto? —Benjamín escudriñó el puente, por donde ahora venían dos hombres de terno y anteojos oscuros, que pronto estarían junto a ellos.

—¿Quién se lo contó?

—Constanza. Me dijo que usted la había identificado con ayuda de los órganos de seguridad y que la hacía seguir.

—No es cierto. Nunca la hice seguir.

—Bueno, me dijo que ustedes hablaron, y que ella admitió todo.

—A Constanza la encontré yo misma, sin la ayuda de nadie —aseveró Isabel—. Yo quería saber cómo había sido esa vida secreta de José Miguel, por eso no descansé hasta dar con Constanza.

—¿Quién la ayudó, Isabel?

—Ya lo dije. Nadie.

El ascensor abrió en ese momento la puerta y escupió un grupo de turistas alemanes, que empezaron a fotografiar la ciudad. Benjamín le ordenó a Isabel que se embarcara en el carro.

—¿Y usted? —preguntó Isabel, ya en el ascensor, agitada, con los ojos llorosos.

—No se preocupe —repuso Benjamín desde el mirador—. La llamaré para ponernos de acuerdo. Entre tanta cámara no se atreverán a mucho.

El ascensorista cerró la portezuela con un golpe seco e Isabel vio, a través de la rejilla, a Benjamín Plá rodeado de caras rubicundas. Miraba con angustia hacia el puente.

84

Miró la hora. Las siete de la mañana. Se levantó, se duchó y se vistió en minutos. Tres días antes, un mensajero le había informado que Benjamín Plá la esperaba en una casona de la calle Santa María, de Playa Ancha. Bajó por Urriola, cruzó la ciudad aún desierta hacia el sur, subió por Carampangue, tomó por la Avenida Gran Bretaña y finalmente dobló hacia el Pacífico a la altura de la Plaza Waddington. A las ocho y veinte detuvo el carro ante la dirección que le habían indicado, la de una casona de cuatro pisos con puertas y postigos cerrados.

Nadie respondió a sus toques de aldaba en la mampara. Temió que la policía ya hubiese detenido a Benjamín. Tal vez su llamada había sido un intento por avisarle que estaba rodeado y que temía compartir la misma suerte de Constanza. Al cabo de un rato decidió forzar la puerta de la mansión, pero fue en vano. Regresó a la Plaza Waddington, donde había visto una cabina telefónica. Llamó desde allí, pero nadie atendió. Volvió a entrar al jardín de la casa, que continuaba desierta y cerrada.

Se acercó al portón del garaje y miró por las ventanillas enrejadas. Adentro divisó un station wagon verde, nuevo, de una marca que no conocía. Forcejeó con la puerta y cuando tiró de ambas hojas hacia afuera, sus goznes cedieron chirriando. Cruzó un subterráneo en penumbras y subió por unas escaleras a un amplio salón con chimenea. No había nadie. Tampoco encontró a nadie en la biblioteca ni en un comedor, donde había una mesa de madera bruñida y candelabros de plata. También estaba vacío el segundo piso. Había allí dormitorios con los colchones volteados, los cajones abiertos y las prendas en el piso, como si alguien acabase de practicar un furioso registro. Y tampoco halló a nadie en el mirador del último nivel, el único donde reinaba orden, como si los intrusos no se hubiesen percatado de su existencia.

Se quedó allí contemplando la bahía mientras su corazón palpitaba alarmado. Había algo que aún no entendía y que le arrancó sollozos. ¿Dónde estaban David y Benjamín Plá, y por qué este la consideraba culpable de la muerte de Constanza? Se sentó en el piso y apoyó la espalda contra la pared de tablas y se echó a llorar con desconsuelo.

Al rato le pareció sentir que a su espalda la pared cedía unos milímetros. Se secó las lágrimas y se volteó a examinar. Un intersticio le reveló la existencia de una portezuela disimulada detrás de ella. La presionó y la portezuela rebotó y abrió. Ante Isabel emergió una garganta profunda y oscura.

—¿Isabel? —murmuró alguien desde el interior.

Ella se estremeció.

—¿Isabel? —repitió la voz.

—¿Sí?

—¿Se fueron?

—No hay nadie más en casa.

Una sombra comenzó a reptar hacia la portezuela. Era Benjamín Plá. En el umbral se puso de pie con dificultad y se abrazaron, temblando de emoción. Abajo la ciudad seguía sumida en la calma, acariciada por la brisa fresca y salina, pero de pronto una sirena rasgó el velo de la mañana.

—Llevo horas en ese escondrijo —farfulló el melenudo—. Escuché cómo allanaban anoche la casa entera. Me buscaban. Me mantuve en el piso, inmóvil, casi sin respirar. Hasta que me dormí.

—¿Quiénes lo buscan?

—La CNI.

—¿Por qué?

—Usted despertó esas fieras —afirmó Benjamín sacudiéndose las palmas. Llevaba el botón superior de la camisa abierta y estaba despeinado y sin afeitar.

—¿Qué quiere decir con eso?

—¿A quién le preguntó usted por Constanza?

Decidió confesarle lo de Alemparte y le explicó quién era. El poeta guardó silencio, preocupado, y luego dijo que debían bajar a la cocina a preparar algo. No creía que los agentes volviesen fuera del toque de queda. Preferían las redadas solo cuando las casas se convertían en ratoneras.

—Está claro, Isabel, que Alemparte denunció a Constanza.

—¿Pero por qué lo buscaban entonces a usted? —preguntó mientras bajaban las escaleras.

—No te será fácil aceptarlo, pero debes saberlo —Benjamín se detuvo en un descanso—. Ya te expliqué que Constanza era la hermana menor de una maestra secuestrada y asesinada junto a su novio por la CNI.

—¿Pero qué tengo yo que ver con todo eso? —exclamó Isabel irritada.

—¿Es que no lo entiendes?

Entraron a la cocina. Benjamín Plá encendió la hornilla para calentar agua en una tetera de aluminio. Recordaba que en algún lado había dejado una latita con té suelto.

—No, no lo entiendo —repuso Isabel.

—Va a ser duro.

—¿Peor que lo que he pasado?

Benjamín bajó la vista, inseguro, y dijo:

—Cuando le pediste a Alemparte que averiguara la identidad de Constanza, este pasó sus datos a la CNI. Creías que solo se trataba de una aventura amorosa y que no había riesgo alguno para Constanza, pero la CNI descubrió algo que tú ignorabas —Benjamín Plá halló la latita en el suelo, junto al refrigerador, y sacó dos tazones de una repisa.

—¿No era entonces solo un asunto amoroso lo de ellos, dice usted?

—Para ti lo era, pero no para los demás.

—¿Qué quiere decir con eso?

—Cuando le entregaste a Alemparte los datos de Constanza para que averiguara sobre ella, la CNI constató que Constanza era hermana de la mujer asesinada por ellos años atrás junto a su novio.

—¿Y entonces?

—¿No te das cuenta? Allí comenzaron a sospechar de que podía tratarse de una venganza...

Benjamín Plá se acodó en la mesa. Isabel lo miró temblando, incrédula.

—¿Venganza de qué?

—Escúchame —Benjamín Plá le cogió una mano—. Tu esposo no murió de un ataque al corazón, sino de unas gotas añadidas a su medicina. Constanza se acercó a José Miguel solo para vengar el asesinato de su hermana y su novio. Para eso conquistó a tu esposo. Así se enteró de sus debilidades, de su afección al corazón y de las medicinas que ingería. Ella le colocó las gotas.

Isabel recordó como un fogonazo el título del casete de Amanda Lear que había hallado en su dormitorio y se estremeció. Intentó hacer calzar la frialdad de Constanza para ejecutar su venganza con la imagen final que se había construido de la anticuaria. Admitió que había intentado cambiar de bando, pero que eso era imposible. Echó a llorar con la cabeza entre las manos.

—Lo siento, pero tenías que saberlo. Era tu esposo. Es tu vida —afirmó Benjamín Plá, sosegado.

—Usted no está en sus cabales —reclamó Isabel, alzando el rostro pálido cubierto por lágrimas—. Usted está loco. ¿Cómo puede acusar a tanta gente de crímenes tan terribles?

—Constanza se vengó de José Miguel porque él pertenecía a un comando asesino.

—Pero ¿qué dice usted ahora? ¿Es que todos han enloquecido en este país?

–¿Nunca escuchó de los CH?

Se le vino a la cabeza la medalla dorada del doctor Alemparte.

–¿No significa Confederación Helvética, acaso?

Benjamín Plá se puso de pie.

–Significa algo muy diferente –afirmó serio.

–¿El nombre de una mujer?

–Significa Capitanes de Hipócrates.

–Por favor. No entiendo nada...

–Es algo terrible, Isabel, pero es cierto. Durante los interrogatorios a presos políticos, los torturadores están asistidos por médicos –afirmó el poeta con voz grave y pausada–. Desde un comienzo fue así. Médicos asesoraban a los interrogadores y atendían a sus víctimas para que soportaran mejor las sesiones y entregaran más información.

–No, José Miguel no puede haber hecho eso –gritó ella–. Mi esposo dedicó toda su vida a salvar gente, fue un buen padre, un esposo cariñoso. Él no puede haber hecho eso. Él fue un gran médico, no un mediocre como usted. ¡Dígame que usted me miente!

–Está fuera de toda duda que su esposo perteneció al comienzo de la dictadura a los Capitanes de Hipócrates –repuso Benjamín Plá, tranquilo–. A su esposo lo identificó una torturada que logró después la libertad.

–No sé de qué habla. Solo sé que usted está enfermo, Benjamín.

–Su esposo pertenecía a los CH. Es una agrupación secreta, de lealtades. Se encarga de protegerlos y de evitar que sus nombres sean asociados a su siniestro pasado.

–¿Quiere decirme entonces que José Miguel...? –no pudo terminar la frase. Lloraba con rostro desencajado.

–Sí, él perteneció a los CH, al igual que Alemparte, y eso trascendió a la resistencia y llegó hasta Constanza. No hay verdad que pueda ocultarse para siempre. Constanza decidió vengarse cuando José Miguel participó en la tortura de su hermana y de su pareja, de otro modo jamás obtendría justicia.

—Usted miente. Usted está enfermo de odio y resentimiento como todos los izquierdistas.

—Eso explica que Alemparte mantenga vínculos con esos amigos en "las sombras", que usted no conoce. Constanza se acercó a su esposo para hacer justicia por su propia mano. ¿Qué otra cosa le quedaba bajo las actuales circunstancias? Lo hizo para vengarse. ¿Entiende? ¿Puede entender que alguien quiera vengarse de quien asesinó a sus familiares?

El agua de la tetera comenzó a hervir. Afuera cantaban los pájaros.

—Y usted, al pedir datos sobre Constanza a Alemparte, alertó a los perros que dormían y, sin quererlo, los hizo sospechar —agregó Benjamín—. Tras asociar el nombre de Constanza con el de su hermana muerta hicieron la autopsia de José Miguel a espaldas suyas, y descubrieron la sobredosis. Los apellidos de Constanza les permitieron descartar que se trataba de una casualidad. La liquidaron a su vez como venganza, sin decirle nada a usted. ¿Entiende ahora?

—¡No le creo! —vociferó Isabel.

—Pues entonces no me crea. Pero llame a Alemparte y denuncie a cualquier vecino suyo diciéndole que es terrorista y verá lo que pasa…

—Usted está enfermo, Benjamín. Ese es la verdad. Usted y todos los suyos están enfermos, cegados por el odio y el resentimiento.

—Es el país el que está enfermo, Isabel, y nuestras historias lo prueban. Y lo peor es que a lo mejor nunca nadie contará nuestras historias. Usted no saca nada con salir a denunciar todo esto. Dirán que está loca y terminará muerta. Constanza ya no puede hablar, y tampoco puedo hacerlo yo porque me sacarían de circulación antes de que alcance a estampar la denuncia.

—Usted está completamente enfermo, Benjamín.

—Puede ser, pero estoy enfermo de tanto saber y no de ignorar o de querer olvidar, como le ocurre a usted —repuso Benjamín Plá, apagando la hornilla—. ¿No tiene ningún conocido que haya sido torturado o haya desaparecido o haya sido exiliado? ¿En qué país vive usted? No en el mío, desde luego. Tal vez estoy enfermo, como usted dice, Isabel, a lo mejor estoy enfermo y sin remedio, pero ahora tengo mi conciencia tranquila al menos. ¿Sabe por qué? Porque el novio de la hermana de Constanza era mi único hijo.

85

Crucé la ciudad en un microbús en dirección a Playa Ancha, me bajé frente a una botillería de la Plaza Waddington y recorrí la calle Santa María varias veces de ida y vuelta contemplando las casonas con miradores de madera y muros cubiertos de enredaderas, recordando capítulos del manuscrito, descartando algunas fachadas, confundiendo otras, dudando en torno a todas, hasta que por fin creí haber ubicado la antigua vivienda de Benjamín Plá, que se alza entre dos construcciones señoriales de comienzos del siglo veinte.

La identifiqué por el mirador que describen en forma reiterada ciertos párrafos de la novela, y con la convicción, ahora sólida, de que el autor empleaba como escenario para las acciones ficticias su casa de siempre. Es más, usaba el interior de esa casa para escenas que tenían lugar en espacios diferentes, lo que a primera vista podía parecer una incoherencia, un engorroso lapso mental, pero que en verdad representaba un valiente mensaje oblicuo lanzado en una situación de peligro. Regresé a la plaza entusiasmado, entré a una fuente de soda, pedí un Nescafé, esa detestable bebida que aún se deglute con entusiasmo en Chile, y me puse a planear próximos pasos.

Decidí que no me quedaba más que tocar a la puerta de la casona. Si alguien abría, algo improbable pues tenía todo el aspecto de estar abandonada, explicaría que deseaba visitarla porque yo había vivido allí en mi infancia. Supuse que sus dueños la habían comprado no hace mucho y que por lo tanto podía engañarlos. Seguramente me permitirían explorarla buscando lo que creía que podía estar allí oculto: los capítulos finales de *La otra mujer*.

Recibí un llamado de Paniagua, del Ministerio de Cultura.

–¿Diste con el escritor de marras? –preguntó.

–Aún no.

–Pues nadie de mi círculo lo conoce, y eso que seguí investigando. ¿Hay algo más en lo que pueda ayudarte?

Pensé que podría conseguirme una orden legal para visitar la casa de la calle Santa María, pero después lo descarté. ¿Cómo iba a justificar una acción de ese tipo en la realidad a partir de un manuscrito de ficción ni siquiera publicado? Me convertiría en el hazmerreír también en Valparaíso. Le dije, no obstante, que lo mantendría al tanto de cualquier novedad y corté.

¿Por qué asesinaron a Constanza? ¿Realmente no fueron criminales corrientes? La forma de eliminarla no sugería delincuentes comunes, sino comandos o asesinos profesionales. ¿Tendrá asidero la sospecha que inoculó Benjamín Plá en Isabel? ¿Serán sólidos los argumentos en contra del doctor Alemparte? No me refiero ahora a la verosimilitud y la dialéctica de comprobaciones que despliega el narrador dentro de la novela, sino a la historia real, al doctor Alemparte de verdad, a ese que vivió y ejerció en el Santiago de los setenta y ochenta, que aparece como culpable en la novela, pero que fue tal vez un hombre inocente en su vida real. ¿Realmente la policía política mató a Isabel? Por qué sospecha ella de pronto del doctor Alemparte y cree que la policía liquidó a la anticuaria? ¿Quién se esconde bajo esos nombres? ¿Cómo hallar la hebra que conduzca a uno de esos personajes extraviados en el tiempo y disfrazados por el relato? Con uno de ellos me bastaría para deshacer la madeja, pero al parecer Benjamín Plá se llevó consigo los secretos a la tumba.

¿Y por qué habrá dejado el manuscrito desparramado por el mundo? Algunos capítulos abandonados en Berlín, a la espera de una mujer que a lo mejor nunca pasó a retirarlos; varios en una caja de cartón, que manos anónimas donaron en Valparaíso, y otros que tal vez jamás terminó de escribir. ¿Realmente hizo todo aquello por miedo a la represión, a que sus enemigos aniquilasen su memoria convertida en novela, a que su denuncia de crímenes políticos terminase siendo consumida por el fuego? Tal vez diseminó su texto por el mundo como quien arroja semillas en los surcos con la esperanza de que algunas germinen. Basta con que una logre hacerlo para que todo el acto de la siembra se justifique y adquiera sentido pleno.

Cuando recorro Valparaíso, esta ciudad en que nací y que se me desperfila ya en la memoria como esas nubes que arrastra lejos de aquí el surazo, cuando lo recorro y contempló a sus gentes, me cuesta concebir que algunas de ellas —en otra época, cuando no había democracia, y el país estaba dividido y los militares servían al dictador— experimentaron en silencio la represión y otros fueron cómplices de los represores. ¿Cómo distinguir hoy a unos de otros? Las dictaduras no generan epopeyas, solo tragedias mudas, soterradas, indescriptibles.

Después de la acusación de Benjamín Plá, ¿cómo habrá recordado Isabel las manos de su esposo, esos experimentados dedos de médico que eran capaces de salvar vidas humanas y de hacerla gozar, y al mismo tiempo de conservar a personas para que pudiesen resistir mejor la tortura y entregar más nombres y direcciones? Y algo peor, más duro y cruel: ¿cómo habrá sentido Constanza las manos de ese cirujano acariciando su cuerpo mientras recordaba al mismo tiempo que habían atormentado a su hermana y su novio, el único hijo de Benjamín Plá?

Salí de la fuente de soda con la vista obnubilada por la emoción y regresé al bello adoquinado de la calle Santa María.

86

Ingresé a la casona abandonada por el garaje, ya que nadie abría la puerta principal. El anhelo de conseguir más páginas de la novela me espoleaba a continuar sin miramientos. La insistencia de Benjamín Plá en describir en su manuscrito la misma casa de Playa Ancha como escenario para diferentes acciones me hacía suponer que esa había sido, decenios atrás, su vivienda real y que podía guardar, por ello, la clave que yo buscaba. Crucé el sótano, donde había un viejo station wagon Vauxhall verde, oxidado y sin ruedas, y atravesé un patio a oscuras, lleno de escombros, y subí unos peldaños de madera.

Desemboqué en una sala que, a juzgar por el piso de baldosas burdeos y la campana extractora de aire, había sido la cocina de la casa. Me pareció evidente que esa era la casa descrita en algunos capítulos de *La otra mujer* y que era la cocina donde Isabel había escuchado las acusaciones contra su esposo. La cocina estaba vacía, al igual que los demás salones del primer piso, por lo que corrí al segundo nivel, donde debían estar —según relatos anteriores— los dormitorios. Encontré en ese piso varias habitaciones con suelo de madera, vanos sin marcos y unas cortinas de velo calcinadas por el sol que agitaba la brisa. En ningún baño había lavamanos ni tazas, y solo en uno quedaba una tina metálica con patas de león, que al parecer nadie había podido robar. Después llegué al mirador del último piso, un espacio amplio, de puntal alto, con ventanas sin cristales, por donde se filtraban el viento y el resplandor marino. Era el mirador del que hablaba el manuscrito.

No encontré nada allí, por lo que volví al sótano, entusiasmado porque ahora no me cabía duda de que esa había sido la residencia de

Benjamín Plá. Encendí la linterna que llevaba en el bolsillo y calculé que si él había querido salvar el relato de su destrucción, solo allí podía haberlo escondido. Era, por lo demás, el escondrijo perfecto.

Nadie se había ocupado en decenios de ese sótano en que se apilaban muebles inservibles y sacos de cemento reseco. Deslicé el haz de la linterna por las paredes mientras pasaba revista mentalmente a algunos capítulos de la novela. Si bien ese espacio se parecía al descrito por Benjamín Plá, no podía recordar ningún párrafo que se refiriese en forma precisa a un escondrijo.

Fue entonces, en los momentos de mayor decepción y desamparo, que me vino a la cabeza una frase desacostumbrada, demasiado esotérica, para el narrador de *La otra mujer*, una frase ajena a su estilo y que llamó poderosamente mi atención y no pude olvidar: "*El escondrijo que siempre mira hacia el este, que es donde resurge cada día la esperanza*". Eran palabras que se hallan en el segmento que almacenaba Tristán Altagracia. Se refería, desde luego, a un refugio. No se refería a la muerte, como erróneamente supuse yo en un comienzo, sino al eterno retorno, al sol que surge en el oriente, detrás de los Andes, trayendo nueva vida, y que, debido a la curiosa ubicación de Valparaíso, solo podía implicar un punto que mira al Pacífico. Subí, entonces, corriendo las escaleras hacia el mirador.

Y ahora ese amplio espacio luminoso, con sus ventanas sin vidrios, abiertas a los cuatro puntos cardinales, adquiría un nuevo significado para mí. Ahora veía todo de forma diferente, como después de la tempestad que limpia los cielos. Ese debía ser el tercer punto donde Benjamín Plá había dejado la tercera parte de su novela. La primera la había confiado, en Berlín, a su amante cuyo nombre comenzaba con C; la segunda la había entregado, en el plano, al Cenáculo de los Poetas Fantasmas, que archivaban toda la poesía inédita, y la tercera la había dejado en esa casa antigua, construida de aire, que él amaba con fervor, pues en ella había transcurrido casi toda su vida.

Contemplé una vez más con todos los sentidos alertas ese espacio: tres ventanas altas y de guillotina por cada lado. Doce en total.

Tres miran hacia el oriente, hacia los picos cordilleranos que se alzan más allá de la bahía. Las otras dan hacia los otros puntos cardinales. Cuando me acerqué a las ventanas dirigidas al Pacífico, una bandada de palomas se echó a volar del entretecho con un sonido a chicotazo. La ciudad refulgía abajo como un anillo extraviado entre la hierba. ¿Se refería Benjamín Plá a esas ventanas en el manuscrito? ¿Y de ser así, a cuál? Retrocedí unos pasos para examinarlas mejor. El sol caía vertical sobre el mirador, achicharrándolo, arrancándole gemidos a las maderas.

Y de pronto caí en la cuenta de que bajo la ventana central que se abre al oriente había unos intersticios que denunciaban la existencia de una portezuela casi perfectamente disimulada. Era imposible abrirla, pues carecía de manilla. No me quedaba más que volver a la Plaza Waddington a comprar un cuchillo para usarlo de palanca. Pero de pronto, sin quererlo, al apoyar mi cuerpo contra la puerta, esta cedió y luego, como activada por algún resorte, brincó hacia mí, con lo que pude abrirla sin mayor dificultad. Me hallé entonces ante un pasadizo oscuro y caliente, de mediana altura, que se estrechaba como una garganta en la medida en que se internaba por el entretecho. Entré encogiéndome.

Bajo las latas, el calor era de un sauna, por lo que supe que dispondría apenas de unos instantes para hurgar en la penumbra sofocante, donde apenas distinguía algo. Si en algún momento había servido como bodega, ahora, a juzgar por las plumas y la suciedad, era un palomar. Fue al volver encorvado hacia la portezuela que el haz de luz de mi linterna cayó sobre el flanco de una cartulina calzada en el vértice formado por el encuentro de varias vigas gruesas. Era una carpeta. La extraje con sumo cuidado y la abrí. Contenía una treintena de hojas amarillentas, quebradizas, mecanografiadas, pero corregidas a mano, con tinta verde. Comprendí en el acto que había dado con la última parte de la novela de Benjamín Plá.

87

Descartó como una mentira, como una locura proveniente de un desquiciado, lo que Benjamín Plá le había dicho sobre su esposo y Constanza. Aquello simplemente no era cierto. Benjamín se había trastornado. El país estaba enfermo. Lo único cierto ahora era la desaparición de David. Primero confió en que se tratase de un atraso menor, después se dijo que sería improbable que llegase antes del toque de queda y finalmente, cuando la prohibición de salir a la calle entró en efecto, se convenció de que esa noche no lo vería y rezó porque nada malo le hubiera ocurrido. Nadie respondió tampoco a sus llamados al teléfono que había recibido del mensajero.

Inquietante era que las noticias de radio y televisión ya no se referían al asesinato de Constanza, y por ello hojeó los diarios, pero tampoco halló nada nuevo al respecto. Aquello la atormentaba hasta retorcerle el estómago, pero no sabía qué hacer. El viento sur barría por las escaleras y los pasajes de los cerros bajo una luna que se ocultaba detrás de nubarrones negros. A ratos las sirenas policiales horadaban la oscuridad. Tal vez David estaba detenido y era sometido a torturas, pensó sentada en el bergere del living, bebiendo nerviosa un vaso de whisky. Quizás la CNI llegaría al final hasta su casa, vinculándola con una causa que desconocía. Se estremeció de imaginar a David desnudo ante un torturador encapuchado y a ella presa. O a lo mejor ella exageraba, y David solo había sufrido un percance menor y regresaría al día siguiente a casa.

El doctor Alemparte no debió haberla asustado, pensó mientras escuchaba el motor de un carro que subía por Almirante Montt y avanzaría tal vez por Lautaro Rosas. Era una idiotez suponer que las autoridades sospechaban de ella a causa de un crimen cuyo móvil era el robo y que evidentemente había sido perpetrado por delincuentes. ¿O Benjamín Plá tenía razón y existían otros móviles detrás de eso? ¿Era cierto lo que afirmaba Benjamín Plá del doctor Alemparte y su pertenencia a los CH? Si no lo era, ¿por qué esa medalla con esas siglas? Pasó el resto de la noche en vela, esperando en la cama el llamado de David, examinando los periódicos, hojeando la novela de Le Carré que su amante tenía marcada con un boleto de Tur-Bus, diciéndose que no debía caer en el pánico. Era, al fin y al cabo, la viuda de José Miguel, un profesional de trayectoria reconocida, miembro de una familia bien conectada, no la hija de cualquier vecino a la que pudieran involucrar fácilmente en un crimen ordinario.

Mientras esperaba en el cuarto a oscuras con la sensación de que su mundo se caía a pedazos, vio a Constanza emergiendo de la tupida neblina del Cerro Panteón. Vio su rostro bello y lozano, su mirada de mujer madura pese a la juventud, su andar pausado y majestuoso, y esa visión de la amante de su esposo y de la madre de un menor, de la rubia despreciable y la anticuaria servicial, volvió a perturbarla y causarle sentimientos encontrados. Ahora, de creer a Benjamín Plá, la rubia podía ser cualquiera, una mujer golpeada por la vida y una asesina despiadada, una víctima y una victimaria.

Cuando creyó que David ya no llamaría, y la espera solo la inundaba de ansiedad, se tomó dos pastillas y se quedó dormida.

Despertó cuando aún había estrellas en el cielo, muerta de frío. Había dormido como veinticuatro horas de corrido. A la ciudad la azotaba un nuevo vendaval. Caminó por el pasillo a tientas hasta la cocina y miró a través de los barrotes de la ventana mientras calentaba una olla de leche. Lautaro Rosas se alargaba en silencio, y la luna proyectaba un rectángulo plateado en el piso de madera. Llamó al número de David una vez más, pero nadie respondió. Tostó pan de molde, lo untó con mantequilla y se sentó a comerlo en un taburete, a oscuras.

Si Alemparte pensaba que ella corría peligro, eso significaba que había algo más en él, que ella no alcanzaba a calibrar. Al final de cuentas era un hombre experimentado, conectado a un círculo importante de amistades. Sin lugar a dudas había sido imprudente solicitarle información sobre la rubia, pues él había recurrido a la policía. No era un criminal, como afirmaba Benjamín Plá, pero sí un tipo peligroso y en algún sentido siniestro. Sin embargo, se preocupaba por ella y había sido un amigo leal de su esposo, y no todo lo que afirmaba el artista sobre él tenía que ser cierto.

José Miguel habría actuado con cautela en un caso semejante, pensó. Alemparte era un profesional que entendía de lo suyo y de política, pero que al mismo tiempo mostraba un lado frío de su personalidad que la sobrecogía. Se estremeció de pensar que ella ahora podía entrar en la mirilla de la policía. Eran tiempos duros, de enfrentamientos y violencia, tiempos en los que no convenía aparecer como opositor ni estar fichado por la policía. Eso había comenzado a quedarle claro a partir de la muerte de José Miguel.

Divisó una silueta que se desplazaba por la calle. Caminaba con las manos en los bolsillos y se recortaba nítida contra los coches parqueados. Aguantó la respiración y esperó a que golpeara a su puerta. Tenía que ser la policía. O tal vez David. O alguien que necesitaba ayuda. Había aprendido a desconfiar del régimen. Ahora pertenecía a las personas que temían a la policía. Esperó sin moverse. Asustada. El corazón le bombeaba con fuerza. El timbre seguía mudo. Nadie tocó a la puerta. No escuchó nuevos pasos. Extrañó la tranquilidad que le infundía la presencia de José Miguel en los momentos de incertidumbre, y pensó en David. Anhelaba saber cómo estaba.

88

Llamó al día siguiente al doctor Alemparte para comentarle que estaba preocupada porque veía movimientos extraños en la casa de un vecino y sospechaba que se trataba de insurgentes. Le dio la dirección precisa. Era de un comerciante que sabía que no correría peligro gracias a sus contactos con la autoridad. Se despreció a sí misma, pero no vio otra alternativa y se prometió que iría a la iglesia a confesarse.

—¿Estás segura? —le preguntó el médico.

—Absolutamente —repuso ella—, es más, he visto tejemanejes allí poco antes del inicio de toque de queda.

—Es importante lo que me cuentas —afirmó Alemparte, corroboró de nuevo la dirección que Isabel le daba, agradeció y colgó.

Isabel se lavó las manos, aplicó crema a sus mejillas y se tomó un valium. Se recostó. Sus nervios no resistían más porque David continuaba desaparecido. Trató de pensar. Tal vez él la había llamado mientras ella estaba fuera. ¿Era cierto lo dicho por Benjamín Plá sobre los Capitanes de Hipócrates? No podía creerlo. ¿Era posible que José Miguel hubiese integrado un comando diabólico? De Alemparte estaba por creerlo, de Alemparte podía creer cualquier cosa, pero no de su esposo. Además la medalla… ¿Y qué pensar del hecho de que Constanza se había acercado a su esposo supuestamente para ejercer venganza? Sintió ganas de vomitar. El mundo daba vueltas alrededor suyo, o más bien era ella quien, sentada como cuando niña en la silla de un carrusel en una plaza de Santiago, giraba por el aire sin poder reconocer desde la altura el rostro de sus padres aún jóvenes.

Sintió una agitación en la ventana, por lo que se asomó al alféizar y miró al jardín. Tal vez David andaba por allí, pensó, ilusionada. En el nido, las crías de los zorzales piaban hambrientas. Fue en ese instante que divisó al gato alejándose con un pájaro que aleteaba prisionero en su hocico. Sintió una impotencia salvaje. Gritó, cogió el cofre con los prendedores de José Miguel que yacía sobre el velador y lo arrojó contra el gato, que rasgaba el cuerpecillo del zorzal mientras su pareja piaba desesperada desde una rama. El cofre cayó cerca del gato, sin inmutarlo, e Isabel salió del dormitorio, corrió por el pasillo, franqueó la puerta de la terraza y bajó saltando los escalones del jardín, pero cuando el gato la vio, trepó a un muro y escapó hacia Lautaro Rosas con el zorzal colgando del hocico. Isabel se derrumbó sobre el césped, entre las plumas, la sangre y las prendas desparramadas del cofre. Empezó a gimotear desconsolada.

La despertó una brisa que acariciaba con dedos frescos su espalda bajo las estrellas. Recogió a tientas los anillos, cadenas y prendedores que fulguraban en la noche y volvió a su habitación, entumida de frío. Arrojó las prendas sobre la cama. El aire marino traspasaba la casa a oscuras. Era la una de la mañana. Dejó las prendas sobre la cama y se asomó a la ventana. Ahora reinaba el silencio también en el níspero. Sacó la linterna del velador y buscó el nido. Estaba vacío. El gato había vuelto mientras ella dormía en el césped.

Llorando, se preparó un té. ¿Cuántas horas había dormido? Tal vez David o Benjamín Plá habían llamado y ella no había escuchado los timbrazos. ¿Dónde estaría David? ¿En manos de la policía política? ¿Y qué era de Benjamín y qué estaría haciendo Nicolás? Hace tiempo que no se dignaba a llamarla. Se quedó en la cocina a la espera de que algo ocurriera, diciéndose una y otra vez que su esposo era inocente y que Constanza no se había acercado a su marido por venganza.

¿Quién era capaz de prolongar la vida para precipitar la muerte y quién de asesinar por venganza? Tuvo que aceptar que ella misma había planeado algo semejante. Sintió odio y desprecio no solo hacia el gato que se había engullido los zorzales, sino hacia cuantos conocía, hacia su esposo, y Alemparte, hacia Constanza y Benjamín Plá, hacia esas siluetas que surcaban la noche de Valparaíso secuestrando a gente indefensa, incluso hacia ella misma. Y en ese momento emergió en su memoria David con sus gafas a lo John Lennon, su rostro fino y agraciado, su mirada melancólica, su cabellera despeinada y su voz permeada de entusiasmo. Sintió frío y decidió recostarse en la cama.

La despertó el rumor de un vehículo que se detuvo cerca e hizo latir con fuerza su corazón. Se aproximó a la ventana y miró desde allí. La ciudad era un enjambre de luces congeladas en el silencio, cuando por el pasaje cruzaron tres hombres sigilosos. Temió que treparan por el muro de su jardín, el mismo por donde había huido el gato, e invadieran su propiedad. Se detuvieron frente a la puerta del comerciante y tocaron el timbre. Vio que se encendía una luz en la vivienda y que el vecino abría la puerta. Una franja de claridad cayó del interior sobre las metralletas que portaban los visitantes.

Los vio entrar a la vivienda y cerrar la puerta. Se estremeció. Pudo imaginar lo que estaba ocurriendo dentro. Se arrepintió de haber ido tan lejos. Rezó. Ella había denunciado a esa persona y su familia, y Alemparte había cumplido a cabalidad con su parte. ¿Estaba ella solo tratando de comprobar algo o se había convertido en una soplona del régimen? Sintió escalofríos. Al rato se dio cuenta de que en la intersección con Lautaro Rosas había más hombres armados.

Cruzó la casa a oscuras y espió por la ventana de la cocina. Varios automóviles sin patente esperaban allí con el motor en marcha. Un hombre fumaba un cigarrillo con una metralleta sobre las rodillas. Isabel pensó en que Benjamín Plá tenía razón. Ella sabía ahora cuál era el verdadero rol de Alemparte. Lo que afirmaba el poeta era cierto. Una lengua fría trepó por su espalda. ¿Era verdad aquello o solo una pesadilla que había comenzado cuando ella había dejado su departamento de Fray León? Necesitaba confesarse con el padre Ignacio, regresar donde sus amigas y familiares, escapar del infierno en que había caído tras abandonar el espacio que le correspondía. Regresó al living. Al mirar por la ventana, vio que la puerta de la casa vecina se abría y que los agentes se llevaban a un hombre cubierto con una frazada. Tembló de horror, asqueada de los extremos a los que ella era capaz de llegar.

Fue a la cocina, se tomó dos somníferos y regresó temblando al dormitorio. Cuando apartó de la cama las prendas de José Miguel que había recogido en el jardín, se encontró con una medalla dorada que nunca había visto. Tenía una inscripción: CH.

89

Cuando despertó, se dijo que todo lo experimentado el día anterior era una pesadilla. Sin embargo, la medalla estaba allí, junto a ella, en la cama, y el nido continuaba tan vacío como el cuarto dispuesto para David. Tenía el rostro congestionado por el llanto y un dolor que le partía la cabeza. Se duchó con agua fría, se preparó un café doble para reanimarse y sintonizó la radio Cooperativa en la cocina.

En un comienzo no quiso dar crédito a la noticia. Una banda de niños del Cerro Toro había encontrado, mientras jugaban en una quebrada, el cadáver de un hombre de mediana edad, que Carabineros identificó como el de David. Sintió que se le atascaba el aire en el pecho y que el corazón se le escapaba por entre las costillas. Según un reportero, el cuerpo tenía un disparo en la nuca y la policía afirmaba que se trataba de un ajuste de cuentas de tipo pasional o del hampa.

Buscó otra emisora, pero no encontró nada más sobre David. Le llamó la atención que portara documentos en sus ropas, como si sus asesinos se hubiesen propuesto que fuese identificado de inmediato. Llamó de nuevo al departamento de su amigo con la esperanza de que se tratase de un alcance de nombre. No respondió nadie. Llamó a Benjamín Plá con el mismo resultado, y cuando probó con el número de María Jesús, su empleada le anunció que andaba en Buenos Aires. Loreto, por su parte, se hallaba en el campo, inubicable, precisó su nana. Solo pudo hablar con Alicia, que estaba en Zapallar.

—Estoy horrorizada con todo lo que está pasando —comentó su amiga—. Cuánta gente está muriendo, por Dios, esto tiene que terminar. No le permitas a Nicolás que vuelva de Stanford. Déjalo afuera, no hay que volver a este país enfermo.

Se dio cuenta de que su amiga no podría ayudarla como ella necesitaba. Le prometió que la visitaría y colgó. Salió al jardín a enterrar el nido de los zorzales. Tenía que hacer algo para calmarse. Cavó un hoyo al pie del níspero, depositó allí el nido, lo recubrió con tierra y luego lo regó. Volvió a su cuarto y telefoneó a Alemparte contemplando desde lejos la medalla de José Miguel.

En cuanto Alemparte contestó al otro lado, le anunció que habían asesinado a su amigo; el médico guardó silencio por unos instantes y luego dijo que tal vez David estaba involucrado en acciones subversivas y había muerto en un enfrentamiento con una facción disidente.

—Eres un cínico —afirmó ella.

—Cálmate, Isabel.

—Eres un cínico.

—Tú, una ingenua. Crees que en el mundo existe una lucha entre el bien y el mal, y por eso sufres. No sabes que el mal está compuesto del mal y del bien, y que lo mismo ocurre con el bien. No hay nada químicamente puro, Isabel, por eso es tan difícil juzgar y condenar a otros.

—Tú lo haces —alegó Isabel conteniendo la ira.

—No, yo salvo y condeno, condeno y salvo. ¿Te ha molestado la policía? No, ¿verdad?

—Y no creo que me molesten. Te obedecen.

Alemparte soltó una sonrisa.

—Te llamo porque necesito verte con urgencia —continuó Isabel.

—Tengo agenda completa.

—¿Y si vienes mañana por la noche? Podríamos salir a cenar. Puedes alojar en mi casa.

—No es mala idea —dijo Alemparte cambiando de tono—. Podría llegar allá tipo ocho.

—Te esperaré en un lugar especial que quiero enseñarte.

—Dime dónde se encuentra y llegaré sin falta, querida.

90

Estaba oscureciendo en las calles del Cerro Panteón e Isabel esperaba bajo el pórtico del cementerio número uno. La calle Dinamarca se alargaba desierta hasta negarse a sí misma un poco más allá, en una curva.

Sobre las nueve apareció Alemparte por el medio de la calle, con traje y corbata, escrupulosamente engominado. Isabel apretó contra su pecho la cartera y se acomodó la gorra beisbolera. Se besaron en la mejilla y caminaron. Sus sombras se proyectaban sobre el empedrado.

—¿Por qué me citaste aquí? —preguntó el médico.

—¿No te parece un lugar misterioso?

—Más bien siniestro. Con tanto cementerio pareciera que en cualquier momento se nos aparece un ánima en pena.

—¿Lo dices en serio?

—Totalmente.

—A mí, sin embargo, me gusta caminar entre mausoleos y nichos. No les tengo miedo a los muertos.

—Los muertos nada hacen. Son los vivos los de temer.

—Tienes razón.

—¿Así que te dejó tranquila la policía, ah? —preguntó Alemparte pasando un brazo sobre el hombro de Isabel sin que ella opusiese resistencia.

—No me han molestado.

—Me alegra. Ellos saben por qué lo hacen.

—¿A qué te refieres?

—Saben que tienes un hombre que te protege —aseveró Alemparte acercando su rostro. La besó en la boca y ella apartó solo al cabo de unos instantes sus labios húmedos.

—Me dejaron tranquila porque te obedecen —afirmó ella apartando la mano de Alemparte de su hombro.

—Te siento alterada. ¿No prefieres que vayamos a cenar al casino de Viña del Mar?

—Me dejan en paz porque no pueden sospechar de mí. Ellos cometieron los crímenes. El de Constanza y el de David.

—¿Te has vuelto loca? —Alemparte elevó la voz—. ¿A quién te refieres con ellos?

—A tus amigos. Los tipos a los cuales pediste información sobre Constanza.

—Ya te dije que se trata de un paciente que se dedica a lo que se dedican todos los policías. Además, fuiste tú quien me pidió que consiguiera la información. Y, como te lo anticipé, la búsqueda de esa supuesta amante de José Miguel terminó involucrándote en un asunto espantoso.

Volvió a abrazarla y la estrechó contra él, y luego buscó sus labios una vez más. Isabel logró esquivarlo, pero sintió con repulsión su aliento en el cuello.

—Te pedí datos sobre ella porque los necesitaba —dijo ella con escalofríos.

—Y yo te advertí que mejor era no meterse en nada de eso.

Volvió a abrazarla en las penumbras del Pasaje Dinamarca.

—Pedí información, no que la mataran —aclaró ella.

—No fueron mis amigos quienes la liquidaron.

—¿Cómo que no? —con un movimiento brusco se libró del abrazo—. La mataron como solo suelen hacerlo los profesionales.

—Fueron delincuentes corrientes. Lo dicen los diarios.

—Y no se lo traga nadie.

—Pues yo tengo mi conciencia tranquila —repuso él mirando alrededor suyo, preocupado—. Ningún amigo mío ordenó nada contra esa mujer.

La calle serpenteaba entre los muros altos. Por sobre ellos vislumbraron un ángel de espada desenvainada que resplandecía sobre el techo de un mausoleo.

—¿Desde cuándo matan de esa forma para robar una cartera? —preguntó Isabel.

—No me preguntes cosas que ignoro. Mis amigos se limitaron a entregarme los datos que te di. Ya no me metas en esto. Me lo prometiste.

—Nunca pensé que me ibas a involucrar a mí en un crimen.

—Pero si todo esto surgió por ti, fue idea y petición tuya —dijo él soltando una mueca nerviosa—. Maldigo el día en que te hice caso. Yo vivía tranquilo en mi consulta e hice lo que hice sólo porque me lo pediste.

—Tú me diste la información, pero ellos la mataron.

—Ahora sí que no hay duda. Estás loca, como rumorean por ahí.

—No trates de amilanarme. Yo sé quién está detrás de esto. La CH.

—¿De qué?

—La conoces. No finjas. Es un comando de asesinos al que perteneces.

—Es que, por Dios, no sé a qué te refieres.

—Yo solo quería información sobre esa mujer —dijo Isabel, trémula—. Yo ignoraba que pertenecías a ese grupo diabólico. Quiero saber a qué te dedicas en realidad y por qué mataron a esa gente.

Alemparte aferró a Isabel por un brazo. De lejos llegaban los acordes de una banda militar. Divisaron efectivamente una banda de uniformados de cascos bruñidos que subía por la calle Ecuador hacia el Cerro Panteón. La flanqueaban hombres portando antorchas, que le daban un aspecto medieval a la marcha.

—Es un entierro de bomberos –dijo Alemparte, soltando a Isabel–. Entierran a su gente por la noche. Llevan banda, uniforme de gala y las antorchas que representan la esperanza y también a su enemigo principal.

—Dime, ¿conoces esto? –preguntó Isabel exhibiendo entre sus dedos la medalla de José Miguel con las siglas.

—¿De dónde la sacaste?

Alemparte tenía la vista fija en la pieza, que brillaba bajo la luna.

—Sé a qué se dedicaron ustedes por años y conozco el juramento que los une –añadió Isabel–. Asesinaron a Constanza, pues suponen que ella envenenó a José Miguel por venganza.

—Estás loca.

—No estoy loca. Ustedes están enfermos. Ustedes contribuyeron a las torturas y los asesinatos.

El desfile seguía acercándose. El redoble de tambores y la estridencia de las trompetas envolvían el cerro a oscuras, y se encerraba en la calle Dinamarca.

—Bueno, es cierto. Tu esposo perteneció a mucha honra a los Capitanes de Hipócrates –dijo de pronto Alemparte, serio–. No puedes renegar de tu esposo ni condenar lo que hizo en su vida por la patria, ni que lo hayamos vengado. Ya te dije que eres una ingenua. El mal y el bien van unidos, como la luz y la tiniebla, como la vida y la muerte.

—¿Confiesas, entonces, que ustedes mataron a Constanza?

Alemparte miró hacia las antorchas que se aproximaban horadando la oscuridad.

—Tampoco me vas a negar que fuiste tú quien dio aviso a la policía para que allanaran la casa de mi vecino –continuó Isabel.

—Pero si fuiste tú quien lo denunció. ¿No lo ves? Crees que perteneces al mundo del bien, pero te vinculas para ello con el mal. No puedes juzgarme.

—No me vas a negar que llegaste a mi casa sólo para comprobar si David se alojaba allí. Lo secuestraron al día siguiente. Acaba de aparecer en la quebrada de un cerro, muerto.

—Era un tipo peligroso. No puedes pagarme así. Fui yo quien evitó además que regresaran a detenerte por ocultar a un subversivo. ¿Sabes cuál es la pena por algo así?

La avanzada del desfile ingresaba ya a Dinamarca y el eco ensordecedor de los tambores, pitos y trompetas se encajonó en el pasaje desierto. Pronto las antorchas iluminarían ese trecho. Isabel hurgó en su bolsa, extrajo la Beretta y disparó tres veces al pecho de Alemparte. Su cuerpo se desplomó como un muñeco de trapo sobre el empedrado, rodó por la ladera del cerro y se atascó entre unos matorrales. Nadie escuchó los disparos bajo el redoble de tambores de la banda de bomberos, que irrumpía en la curva con su himno y su luz.

Isabel echó a correr. La ciudad abajo era un cardumen de fulgores. Descendió de dos en dos los peldaños de unas escaleras, cruzó presurosa el Pasaje Montgolfier y arribó sin aliento al plano de Valparaíso. Allí no tardó en sumergirse entre la muchedumbre que inundaba las calles del centro.

91

Terminé de leer la última parte final de *La otra mujer*, volví donde Tristán Altagracia y se la entregué para que la leyera, cosa que hizo en menos de una hora, cuando me devolvió el manuscrito íntegro. Estaba consternado y tenía los ojos húmedos de llanto. Me sugirió que publicara la novela de Benjamín Plá para que el mundo se enterara —sí, habló aparatosamente de "el mundo"— de la suerte que habían corrido Constanza y David, y para que la empresa del poeta devenido en novelista adquiriese sentido pleno, aunque póstumo, y nunca más se repitiera lo que había ocurrido.

Yo retorné agradecido a mi hotel. Quería volver lo antes posible a casa, abrazar a Cecilia, contarle todo en el Car Club, nuestro pub favorito, frente a una jarra de Guinness y una bandeja con alas de búfalo. En los días en que esperaba por mi vuelo de American Airlines recorrí varias veces Lautaro Rosas tratando de identificar la casa que habita Isabel en la novela y, a través de ella, a esa mujer, pero fue una empresa infructuosa. Tal vez su casa, si existió, la ocupa hoy un hotel boutique, un café, un restaurante o una tienda de artesanía, y ya todo ha cambiado allí.

De pronto sentía que la casa podía ser una que luego la descartaba porque entraba a una tercera que de súbito también se me antojaba posible. Pero nunca acababa sintiéndome del todo seguro. Los arquitectos modifican las fachadas y la disposición interior de las casas, unen una propiedad con otra en busca de espacios más amplios y claros, o bien derriban simplemente paredes manteniendo las vigas, y de paso borran el pasado como si fuese un espejo sucio. Es lamentable, pero ya nada es como era en la época en que yo viví aquí o la que describe el manuscrito. Y cuando me animaba a tocar a una de esas puertas o a entrar a uno de esos locales, ya nadie recordaba a los antiguos propietarios y parecían molestos con mis indagaciones.

Mi abogado me tranquilizó asegurando que él examinaría en las escrituras del Conservador de Bienes Raíces y que al final rescataría la historia de la bruma del olvido. Yo, en cambio, le sugerí que mejor se preocupara de vender la casa de mi infancia, toda vez que aún no llegaba la oferta por escrito. Me respondió que diera aquello por hecho por cuanto el inversionista planeaba derribar la casa y elevar un edificio de departamentos, proyecto que iniciaría en cuanto amainase la crisis mundial.

Y sin embargo un golpe de suerte vino a cambiar las cosas. Fue en la subida Almirante Montt, después de haber almorzado opíparamente en Le filou de Montpellier, cuando yo iba, creo, en dirección al Café con Letras, a servirme un bajativo entre libros. En ese instante, un *print* colgado en la vitrina de la sala de exposiciones de Bertrand Coustou capturó mi atención. Era un grabado horizontal, largo y estrecho, que presentaba, viendo desde el Pacífico hacia los cerros, las principales casas de Lautaro Rosas. Nunca había yo pensado en buscar la vivienda de Isabel a partir de las fachadas que miran al mar y al cerro La Campana, puesto que siempre lo había hecho contemplando la fachada posterior de las casas, aquella que da a la calle y que ven los transeúntes. Olvidaba que la parte delantera de las casas porteñas es en verdad aquella que disfrutan las gaviotas y los marineros, esa que mira a la bahía y despierta con el sol alzándose por sobre el océano. Quedé petrificado ante ese grabado a colores de precisión fotográfica, e intuí de inmediato, en estado febril, lo que eso podía significar.

—Ahí las casonas tienen los colores de los años setenta —me dijo el galerista, un hombre delgado y de barba negra, que habló con acento francés y debía ser Coustou—. El pintor se basó en una foto de la época para crear su obra.

Lo compré de inmediato y me fui a sentar frente a la iglesia anglicana. Allí donde están los Catorce Asientos, examiné el grabado que alguien firmaba como Bemiloba.

Allí estaban todas las casas de Lautaro Rosas. Todas con sus amplios ventanales y balcones con maceteros, con sus pequeños jardines donde crecen palmeras y araucarios y pinos. Todas con sus fachadas claras y etéreas, unas con el color de la guayaba, otras con el del durazno o la uva blanca, todas con sus mansardas, portales y techos de zinc. En fin, allí estaba todo, todo tal cual había sido en la época en que Benjamín Plá narraba su historia. Y por ello no me costó mucho dar con la casa en que supuestamente vivió Isabel.

Regresé a Lautaro Rosas con el grabado enrollado entre las manos, sabiendo cuál era exactamente la casa y llegué hasta ella, toqué a su puerta y me atendió una muchacha rubia, con delantal blanco y en jeans. Le pregunté si allí vivía, o había vivido, una mujer, ya mayor, de nombre Isabel, y me dijo, con un acento de quien en realidad habla inglés, que no, que allí no vivía nadie porque esa casa acababa de comprarla un inversionista estadounidense para construir un hotel. ¿Puedo entrar?, le pregunté, y ella me dijo que estaba bien, que podía entrar, aunque vería todo en desorden porque ya habían rediseñado el interior de la casa para redistribuir los espacios y construir más cuartos.

Percibí de inmediato que estaba en la casa de Isabel. Toda la planta era ahora una sola superficie que esperaba por nuevas paredes, pero yo pude identificar al vuelo las ventanas de guillotina, con barrotes, que dan a Lautaro Rosas y que atemorizaban a Isabel durante el toque de queda, y las ventanas de lo que había sido el living, el dormitorio de Isabel y José Miguel, y el cuarto donde fue detenido David. Ahora no había nada más de eso, solo las ventanas, las paredes exteriores y el piso de tablas anchas sobre el que transitaban los maestros.

–¿Usted vivió aquí? –me preguntó la muchacha.

–Así es –dije–. Hace mucho.

Salimos al jardín y allí estaban los muros perimetrales por donde había escapado el gato negro, más allá la casa del comerciante vecino víctima de Isabel y, más acá, el árbol donde anidaron los zorzales. Todo estaba allí, todo seguía existiendo allí, transfigurado, eso sí en una suerte de eternidad etérea, consistente e imborrable.

—Y le enseñaré un tesoro que tenemos en esta casa —anunció la muchacha, conduciéndome al subterráneo, cuya puerta daba al jardín—. Espéreme aquí.

Volvió con un óleo, enmarcado. Era un retrato impresionista de un hombre joven de camisa holgada y abierta, melena lacia y anteojos a lo John Lennon. Examiné la firma. Eran solo siglas: I.A.E.

—¿Y la pintora? ¿Quién es? —pregunté temblando de emoción.

—Es una viejita, vive en una casa de reposo cercana.

—¿Dónde?

—En el Paseo Atkinson. Se llama Casa Oriente.

Bajé presuroso y con el corazón en la boca por Almirante Montt, pasé frente al antiguo Colegio Alemán y llegué al Atkinson y su vista cercenada miserablemente por un edificio de altura. No me costó nada dar con el letrero. Entré al jardincillo y toqué la puerta. Me atendió una enfermera y le pregunté a quemarropa, nervioso como estaba, por la señora que era pintora. La enfermera me acompañó hasta la verja del jardín y con la mano me indicó hacia el fondo del paseo, donde otra enfermera, vestida de color crema y toca igual que ella, empujaba a alguien sentada en una silla de ruedas.

—Allá va la señora Isabel —me dijo—. Le gusta mucho el sol y mirar el Pacífico por ese extremo. ¿Es usted pariente de ella?

Le dije que sí y corrí a lo largo del Atkinson y pasé junto a una niña que jugaba con una gran pelota de colores y cuando llegué donde Isabel, que miraba hacia la bahía por el único espacio en que aún es posible contemplarla desde ese pasaje, pronuncié su nombre. Pero solo la enfermera se volteó a verme.

—Señora Isabel, tiene visita —dijo la enfermera e hizo girar la silla y me encontré frente a frente con el rostro de Isabel, bello y casi terso para sus años, enmarcado por su cabellera larga, completamente blanca y amarrada en moño, y con sus finas manos de pintora y sus ojos que me sonrieron extraviados en algo que creo que eran sus propios recuerdos.

La saludé con besos en ambas mejillas y sostuve sus manos entre las mías mientras ella seguía sonriendo dulcemente, con los ojos flotando en una ternura abstracta, ajena a mi presencia agitada. Quise explicarle quién era, de dónde venía y el tiempo que llevaba buscándola, pero la enfermera me dijo en voz baja:

—Doña Isabel ya no reconoce. Está aquí, pero no está aquí, según el médico que la atiende —y luego, acariciando una de sus mejillas, agregó—: Pero yo creo que ella entiende todo. ¿Verdad, doña Isabel?

Su sonrisa tenue no se desdibujaba y tuve la sensación de que era el modo en que ella se comunicaba ahora con el mundo.

—¿Se acuerda del departamento de Fray León? —le pregunté.

Doña Isabel seguía sonriendo.

—¿Y la medalla de oro? ¿Y de Benjamín Plá? —agregué.

Doña Isabel continuaba sonriendo, y ahora su mirada levitaba en algún punto entre mi cuerpo y las fachadas de las casas inglesas del paseo.

—No la atormente, mire que la pone nerviosa con tantos recuerdos —me dijo la enfermera e hizo el ademán de querer reanudar la marcha con Isabel.

—¿Y se acuerda del muchacho con los anteojos a lo John Lennon y del oasis en el desierto de Atacama? —insistí yo, arrodillado ante Isabel, ansioso por recoger algún mensaje de sus ojos.

Y en ese instante, en el momento exacto en que pronuncié el nombre de David, sentí que doña Isabel dejaba de sonreír y se ponía seria, aunque sin perder su rictus afable, y que un brillo relampagueaba fugaz en sus ojos, y luego volvía a sonreír como antes.

—Señor, no la siga poniendo nerviosa, por favor —me rogó la enfermera y empujó la silla de Isabel en dirección a la casa de reposo y yo quedé de hinojos, solo en medio del Atkinson, bajo su sol abrasador, viendo cómo ambas mujeres se alejaban hacia el otro extremo del paseo y se cruzaban a mitad de él con la niña que corría detrás de la pelota de colores.

92

Cuando regresé a la recepción del Zerohotel, me avisaron que unos señores habían ido a preguntar por mí.

—¿Cómo eran? —pregunté.

—Espigados, de terno y corbata —explicó la recepcionista.

—¿Dejaron mensaje? —pensé que debía pasar por el Honesty Bar y llevarme a la terraza una copa de cabernet sauvignon y unas aceitunas. El Pacífico resplandecía mudo abajo.

—No, señor. Pero me pidieron que le indicase que volverán.

—¿No dejaron señas?

—No, señor.

Después del vino y las aceitunas, subí a mi habitación más relajado. Comencé a empacar y releí con calma la novela que ahora tenía por primera vez completa en mis manos. Me imaginé que mediante ese acto me fundía con Tristán Altagracia y Benjamín Plá, y también con Isabel y Constanza. Al rato salí a estirar las piernas. Al fin tenía la historia íntegra, al fin había averiguado la verdad, una verdad que estremecía porque narraba los sueños, el dolor y la muerte de varias personas.

La última noche en la ciudad entré al Cinzano, donde Alberto Palacios seguía cantando tangos. En la barra ordené un orujo y un plato de pimientos del Padrón, y esta vez ubiqué al mozo con aspecto de pirata de la primera vez y le pedí que me condujese al subterráneo.

—No hay subterráneo aquí, señor —repuso con sequedad.

Busqué entonces por mi cuenta las escaleras que bajan al sótano, según recuerdo, por un extremo del local e instantes después, desconcertado, tuve que darle la razón. No había allí escaleras. Me eché varios orujos al cuerpo para aceptarlo. Después me fui caminando por Esmeralda con la sensación de que las cosas empezaban a difuminarse como en un cuadro de Turner y que ya no disponía de nada para presentar ante mis colegas de Manhattan para obtener el *tenure*, nada como no fuese una simple novela escrita a la carrera años atrás por un ilustre desconocido. Cuando esa noche entré a mi habitación, encontré que mi maleta estaba abierta y el manuscrito de Benjamín Plá había desaparecido.

Tomé el avión rumbo al norte al día siguiente con la amarga sensación de que viajaba sin equipaje. Escuché en mi iPhone una y otra vez "Cuadros de una exposición", de Mussorgsky, como si en esos compases se ocultasen las claves de este mundo fragmentado e indiferente, y mientras seguía el concierto, lamenté que Isabel se hubiese extraviado en los vericuetos de su propia cabeza. Ahora yo estaba completamente seguro de que nadie en la universidad me creería jamás que yo había descubierto en el manuscrito de una novela una ventana que se abría a la realidad, ni que esa ficción ocultaba una verdad trágica y definitiva, ni que mi viaje al sur del mundo había tenido sentido. Comprobé con horror que esa novela, anclada en la vida, seguía palpitando ahora solo en mi fantasía y que yo jamás reivindicaría a ninguna de sus víctimas, y que, como ocurre, la marmórea losa del olvido no tardaría en caer para sepultar todos los recuerdos.

Esa primavera boreal no me concedieron el *tenure* en Nueva York porque no cumplí el requisito de publicar un libro de ensayos literarios. El fracaso de la investigación en Valparaíso echó por la borda mi plan de armar un buen volumen. Generosamente me brindaron, no obstante, el plazo de un año para retirarme con cierto decoro de la universidad y rescindir el arriendo de nuestro apartamento en Brooklyn. Después me mudé con mi mujer a una ciudad del medio oeste, donde un college nos contrató por un año como profesores visitantes. Como era de temer, quedé desempleado al cabo de ese plazo. Cecilia, harta de mis caídas, me abandonó, y así me convertí en uno de los tantos náufragos solitarios que peregrinan por la inmensa pradera estadounidense buscando trabajo, amor y bares.

Pero años después, mientras dormitaba una tarde a orillas del Mississippi, comprendí que aún disponía de una misión en esta vida: relatar, con el fin de que nada de lo auténticamente acaecido se olvidara, la historia que leí en el manuscrito que una mujer me entregó una nevada noche de invierno en Berlín y que desconocidos me hurtaron una noche de verano en Valparaíso.

Berlín - Valparaíso - Iowa City
26 de mayo, 2009 – 28 de junio, 2010

AGRADECIMIENTOS

Expreso mis agradecimientos a la beca OLD GOLD SUMMER de la Universidad de Iowa, que me permitió en el verano de 2009 una estadía en Berlín para explorar archivos y ambientes que me facilitaron la escritura de esta novela.